世界史探究 マイ

地球の誕生と生命の進化

教科書　p.8～10

» ビッグバンから地球の誕生へ　» 人類の起源をめぐって

(1) ビッグバン…宇宙の誕生(約137億年前)→地球の誕生(約46億年前)
　「共進化」…地球と生命は相互に影響を与えあって変化してきた
(2) 人類の誕生
・約700万～500万年前…人類の祖先誕生(アフリカ大陸)
・約1万年前以降…気候安定→人類が〔①　　　　〕を展開させる
(3) 〔②　　　　　　〕…文字の発明(約5000年前)以前の時代
　〔③　　　　　　〕…文字の発明以降の時代
(4) 人類の特徴
・常時〔④　　　　　　　　〕，〔⑤　　　　〕の製作
　→脳の発達→高度なコミュニケーション能力→〔⑥　　　　〕を次世代に継承

» 人類の進化　» 人類の分類―人種と民族

(1) **猿人**(440万年前から)…ラミダス猿人・〔⑦　　　　　　　　　　　　〕
　…南・東アフリカ各地，礫石器，狩猟・採集生活
(2) **原人**(180万年前から)…〔⑧　　　　　　　〕(150万年前)・〔⑨　　　　　　〕(70万年前)
　…アフリカ大陸以外へ，握斧などの打製石器，〔⑩　　　〕**を使用**
(3) **旧人**(60万年前から)…〔⑪　　　　　　　　　　〕(約30万年前，ヨーロッパ)
　…洞窟に住む，剝片石器，死者の埋葬…宗教意識・美意識
(4) **新人**(現生人類)(20万年前から)…〔⑫　　　　　　　　〕(フランス)・周口店上洞人(中国)
　…アフリカから全世界に拡散，石のヴィーナス像，洞窟壁画(アルタミラ・ラスコーなど)
　　細石器(石刃などの剝片石器)，骨角器
・猿人，原人，旧人，新人はすべて〔⑬　　　　　〕**時代**…〔⑭　　　　〕**石器**，狩猟・採集生活
・人類の分類　(1) **人種**…生物学的特徴で分類(モンゴロイド・コーカソイド・ネグロイド)
　　　　　　　(2) **民族**…文化的特徴(言語・社会生活・習慣など)を共有

1　農耕と牧畜のはじまり

教科書　p.18～19

» 農耕・牧畜のはじまり

(1) 地球の温暖化(約1万年前)…生態系の変化→**農耕・牧畜**を発明→獲得経済から食糧生産経済へ
・〔⑮　　　　　〕**時代**…〔⑯　　　　　　　〕(石鎌・石臼・石杵など)，**土器・金属器**を発明
(2) 初期農耕文化
・西アジア…麦の栽培(前7000年ごろまでに開始)，家畜飼育(羊・牛・豚など)
・東アジア…アワ・キビ(黄河流域)，米(長江流域)の栽培
・アメリカ大陸…ジャガイモ・トウモロコシの栽培

» 定住から国家へ

(1) 国家の成立…**灌漑農法・青銅器**発明→生産力増大→余剰生産物→身分・階級・職業の分化
　→戦士・神官が中心都市とその周辺部を支配…〔⑰　　　　　　〕成立
　→〔⑱　　　　〕の発明…〔③〕のはじまり

(2) 文明の形成

メソポタミア(最古)，ナイル川流域，インダス川流域，黄河・長江流域，アメリカ大陸

MEMO ●板書事項のほか，気づいたこと，わからなかったこと，調べてみたいことを自由に書いてみよう。

Try ① 猿人・原人・旧人・新人それぞれについて，出現した時期，生活様式，道具や文化，おもな居住地などについてまとめてみよう。

	出現時期	生活様式	道具や文化	おもな居住地
猿人	①	⑤	⑨	⑬
原人	②	⑥	⑩	⑭
旧人	③	⑦	⑪	⑮
新人	④	⑧	⑫	⑯

Try ② あなたは，農耕・牧畜がはじまってから国家が成立するまでにおこった変化のなかで，最も重要なものは何だと考えるか。その理由も含めて説明しよう。

2　オリエント文明(1)

教科書　p.20～23

西アジア・地中海沿岸の自然環境

(1) 西アジア

・大半が乾燥地帯，古くから麦の栽培・牧畜が営まれる

・ティグリス・ユーフラテス川流域で古代文明がうまれる

(2) 地中海沿岸

・地中海性気候…夏は高温・乾燥，冬は温暖・一定の降雨，地形…山がち，平野が少ない

・ブドウ・オリーブなどの果樹栽培，海上交易が発達

メソポタミア文明

(1) **メソポタミア**…ティグリス川・ユーフラテス川両河川にはさまれた地域

「肥沃な三日月地帯」…メソポタミア周辺部から地中海東岸，最古の農耕・牧畜遺跡

(2) 国家の成立…乾地農法から灌漑農法へ→人々を動員する権力としくみをうむ

(3) 〔①　　　　　　　〕**人**…前3000年ごろ，都市国家(ウル・ウルク・ラガシュなど)成立

・守護神の神殿を中心に，神官王・官僚による神権政治をおこなう

・粘土板に刻まれた〔②　　　　　〕**文字**，ジッグラト(階段状の神殿)，占星術

閏月を入れた〔③　　　　　　〕，1週7日制，〔④　　　　　　　〕(時間・角度の単位)

(4) アッカド王国…セム系〔⑤　　　　　　　〕**人**のサルゴン1世がシュメール都市を征服

→〔①〕人がウル第3王朝再興

(5) 〔⑥　　　　　　　　　　〕(バビロン第1王朝)…セム系〔⑦　　　　　　〕**人**，都：バビロン

・〔⑧　　　　　　　〕**王**…『〔⑨　　　　　　　　　　〕』制定，メソポタミア統一

エジプト文明

(1) ナイル川…毎年の定期的な氾濫→肥沃な土壌→農耕文明成立

・「エジプトはナイルのたまもの」…ギリシアの歴史家ヘロドトスの言葉

・流域にノモス(集落)成立→大規模な治水・灌漑の統制，共同管理→強力な支配者出現

→前3000年ごろ上エジプトが下エジプト併合…統一王国，都：メンフィス

→約30の王朝が交代…〔⑩　　　　　　　〕が太陽神〔⑪　　　　　〕の子として支配

(2) 〔⑫　　　　　〕(前27～前22世紀)…クフ王ら〔⑬　　　　　　　　〕・スフィンクス建設

・**太陽暦**・測地法・天文学発達，象形文字の〔⑭　　　　　　　　　〕(神聖文字)

・霊魂の不滅・死後の世界の信仰…ミイラ，「死者の書」を〔⑮　　　　　　　〕紙に描く

(3) 〔⑯　　　　　〕(前21～前18世紀)…都：テーベ

・末期にシリア・パレスティナから〔⑰　　　　　　　〕が侵入→エジプトを支配

(4) 〔⑱　　　　　〕(前16～前11世紀)…都：テーベ

・〔⑰〕を撃退，シリア進出，ミタンニやヒッタイトと抗争

・〔⑲　　　　　　　　　　　〕の改革…神官団と対立し，太陽神アトンの一神教創始

→〔⑳　　　　　　　　〕と改名，アマルナに遷都

動的・写実的な〔㉑　　　　　　　　〕がうまれる

→王の死後，改革挫折→多神教，都はテーベにもどる

・内部分裂と「海の民」の進出により衰退

MEMO

Check ① 教科書p.21の文字資料『ハンムラビ法典』の各条文の内容にはどのような違いがあるだろうか。なぜそのような違いが生じたのだろうか。

●違い

[　　]

●違いが生じた理由

[　　]

Check ② 教科書p.22❷の図「死者の書」について，エジプトの人々は何を願ってこの絵を描いたのだろうか。

[　　]

2 オリエント文明(2)

教科書　p.23〜25

ヒッタイトの興隆

(1) **ヒッタイト**…インド=ヨーロッパ系
…前18世紀，アナトリア(小アジア)に建国
→前17世紀，〔①　　　　〕**の武器**，馬がひく戦車で強大化
→前16世紀，メソポタミアに侵入→古バビロニア王国を滅ぼす
→前13世紀，シリアのカデシュでエジプト新王国ラメス2世と戦う→世界最古の国際条約締結

(2) 〔②　　　　　　〕…ザグロス山脈からバビロニアに侵入→一時メソポタミア支配

(3) 〔③　　　　　〕…メソポタミア北部に建国

・前15〜前14世紀のオリエント…エジプト新王国・ヒッタイト・〔②〕・〔③〕が割拠

東地中海の諸民族

(1) エーゲ文明…オリエント文明の影響，青銅器文明が誕生
・クレタ文明(クレタ島，前2000ごろ〜)
・ミケーネ文明(ギリシア本土，前1600ごろ〜)

(2) 前15〜前12世紀…ミケーネ文明の諸王国，エジプト，ヒッタイトが交流

(3) 前12世紀の激動…「〔④　　　　　〕」などの民族移動→諸国家の滅亡・衰退

(4) 地中海東岸のセム系諸民族…ヒッタイトやエジプトの後退で独自に発展
・〔⑤　　　　　　〕人…シドン・テュロス(ティルス)などの都市国家に分立
　地中海商業で繁栄
…植民市(北アフリカのカルタゴなど)建設
…〔⑤〕**文字**→アルファベット(ギリシア文字，ラテン文字など)に影響
・〔⑥　　　　〕人…ダマスクス中心，内陸中継商業で繁栄→前1200年ごろ，王国建国
…〔⑥〕語(国際商業語)
…〔⑤〕文字からつくられた〔⑥〕文字→中央アジア諸文字に影響
・〔⑦　　　　　〕人…前1500年ごろパレスティナ定住，前11世紀イェルサレムに王国建国
→最盛期…〔⑧　　　　　　〕，〔⑨　　　　　　〕の時代→〔⑨〕の死後，南北に分裂
北…〔⑩　　　　　　　　〕…アッシリアにより滅亡(前722)
南…〔⑪　　　　　〕…新バビロニア王国により滅亡(前586)
→住民強制移住…〔⑫　　　　　　　〕(前586〜前538)
→アケメネス朝ペルシアのキュロス2世によって解放(前538)
→パレスティナに帰還

(5) **ユダヤ教**の成立と離散
・ユダヤ人(〔⑦〕人)…唯一神〔⑬　　　　　　〕への信仰・〔⑭　　　　〕**思想**による結びつき
　救世主(〔⑮　　　　〕)待望→**ユダヤ教**の成立
　イェルサレムの神殿中心に神権政治的体制成立，聖典『〔⑯　　　　　　〕』
・1〜2世紀，ユダヤ人…ローマの支配に対する反乱→鎮圧される
　→地中海各地に離散…〔⑰　　　　　　　〕

MEMO

Point≫1 ヒッタイトは，なぜ強国に成長できたのだろうか。次の説明文の空欄に入る語句を答えよう。

ヒッタイトが侵入したアナトリアは，〔① 〕石が入手しやすく，精錬の燃料となる〔② 〕が豊富だった。そこで，ヒッタイトは〔③ 〕技術を発展させ，鉄製の武器と馬がひく〔④ 〕を用いて強国に成長した。またその技術を〔⑤ 〕にして独占したことも強国として成長した要因である。

Point≫2 フェニキア人は，なぜ海上交易で活躍することができたのだろうか。p.24❷の写真「フェニキア人の船」を参考にして考えよう。

〔 〕

Try あなたは，古代オリエントでうまれた知識や技術のうち，後世からみて何が最も重要だと考えるか。理由も含めて説明しよう。

〔 〕

3　インダス文明

教科書　p.26～27

南アジアの自然環境

(1) インド亜大陸…熱帯・亜熱帯の**モンスーン(季節風)**帯→雨季・乾季→豊かな農産物
三つの大きな平原…パンジャーブ平原・ヒンドゥスターン平原・デカン高原

インダス文明

(1) **インダス文明**…インダス川流域，麦作農業，都市文明(前2600ごろ～)
・都市遺跡…〔①　　　　　　〕(パンジャーブ地方)，〔②　　　　　　〕(シンド地方)
ドーラーヴィラー(グジャラート地方)
・焼き煉瓦を用いた計画的な都市建設，公共施設…会議場，大沐浴場，穀物倉庫
(2) 遺跡からの出土品…ペルシア湾岸・メソポタミアとの交易品も出土
・金製品・青銅器・彩文土器・印章など，日常…石器を使用，木綿の布を着用
・印章…未解読の〔③　　　　　　〕**文字**，言語はドラヴィダ系とみる説が有力
・牡牛の神聖視，聖樹の崇拝，神への信仰→ヒンドゥー教に受けつがれる
(3) 衰退(前1800ごろ)…原因はインダス川の洪水，乾燥化・砂漠化など諸説あり

アーリヤ人とバラモン教

(1) **アーリヤ人**(インド=ヨーロッパ系の牧畜民)
・前1500ごろ，カイバル峠からパンジャーブ地方に来住，先住農耕民を征服，自然現象を崇拝
・神への讃歌…〔④　　　　　　〕(司祭者)が『〔⑤　　　　　　〕』にまとめる
(2) 農耕社会の形成
・前1000ごろ，ガンジス川流域に進出→農耕社会形成，鉄器を使用
・祭式の詠歌・詞，呪法を集めた諸ヴェーダ中心の〔⑥　　　　　　〕成立
(3) アーリヤ人の階層分化→四つの身分〔⑦　　　　　　〕(種姓)の成立
・〔④〕(司祭者)，〔⑧　　　　　　〕(王侯・戦士)，〔⑨　　　　　　〕(庶民)，
〔⑩　　　　　　〕(先住民の隷属民)，枠外に賤民(不可触民)身分
→カースト(ジャーティ)制度の発達

4　中国文明

教科書　p.28～29

東アジアの自然環境

(1) 淮河以北…降水量が少ない→畑作　(2)淮河以南…モンスーンの影響で湿潤→水稲耕作
(3) 東北地方…寒冷で針葉樹林が広がる，古くは狩猟民や狩猟遊牧民が生活

黄河文明と長江文明

(1) 黄河文明(黄河中下流域の肥沃な黄土台地)
・前6000ごろ～新石器文化，アワ・キビなどの穀物栽培
・前5000ごろ～〔⑪　　　　　　〕**文化**，赤地に美しい文様の〔⑫　　　　　　〕**土器**(彩陶)
・前2500ごろ～〔⑬　　　　　　〕**文化**，薄手の**黒色土器**(〔⑭〔　　　　　　〕)，厚手の灰色土器(灰陶)
多くは鬲・鼎などの三足土器→のちの青銅器の形につながる
(2) 長江文明(長江中・下流域)…稲作を主とする新石器文化
・遺跡…河姆渡遺跡(〔⑪〕文化と同時期)…稲籾・骨製農具などが発見される

殷王朝

(1) 殷王朝の成立…黄土台地の城壁に囲まれた**邑**(都市)が大邑を中心に連合

・〔⑮　　　　〕の発掘, 〔⑯　　　　〕**文字**の解読→実在確認(**夏**王朝は未確認)

(2) 神権政治…帝(上帝)と王の祖先を神として崇拝, 王は〔⑯〕によって帝の意志を占う

高度に発達した**青銅器**…祭祀や武器に使用

周王朝

(1) **周**王朝の成立…前11世紀に殷を倒し, 新たな邑連合の長となる

都：〔⑰　　　　〕, 東方の拠点洛邑(現在の洛陽)を建設

(2) **封建制度**…周王…邑の首長を諸侯に封じ, 封土と農民を世襲的に支配させる

諸侯…周王の軍隊に参加する軍役や特産物を貢納する義務

一族を**卿**・**大夫**・**士**にわけ, 封土を与えて軍役と貢納の義務を課す

同じ祖先をもつ親族(宗族)の結束と秩序重視→維持するための規範…〔⑱　　　　〕

MEMO

Try① インダス文明の時代にうまれたもののうち, のちのインドの文明に影響を与えたものをまとめてみよう。

〔　　　　〕

Try② 殷と周の統治体制の共通点と相違点をまとめてみよう。

●**共通点**

〔　　　　〕

●**相違点**

〔　　　　〕

CTIVE ① 古代文明の特質

歴史を資料から考える

教科書 p.30〜31

1

教科書p.30の資料①は，農耕文化の発生地と伝播の様子を地図上に示したものである。

STEP 1 次の文章を読み，下の問いに答えながら，３つの文明の共通点を考えてみよう。

共通点１ オリエント文明はメソポタミアの〔 ① 〕川とエジプトの〔 ② 〕川，インダス文明は〔 ③ 〕川，中国文明は〔 ④ 〕と長江という大河の流域で農耕がおこなわれた。

共通点２ 中国文明の長江流域の水稲耕作を除いて［ア］作が中心で，オリエント文明とインダス文明では，地中海農耕文化の代表的穀物である［イ］が，中国の〔④〕流域ではアジア原産の［ウ］やキビが栽培された。また農耕の開始とともに穀物を貯蔵するための［エ］の使用や，羊・牛・豚などの［オ］の飼育もはじまった。

1 文中の空欄〔 ① 〕～〔 ④ 〕には，何という川が入るだろうか。調べてみよう。
〔① 〕〔② 〕〔③ 〕〔④ 〕

2 文中の空欄［ア］～［オ］には，どのような語句が入るだろうか。
〔ア 〕〔イ 〕〔ウ 〕〔エ 〕〔オ 〕

STEP 2 これらの文明と古代アメリカ文明の農耕の相違点を，地理的条件や栽培されていた穀物や家畜などに注目して，**STEP 1** の文章や教科書p.165の記述も参考にしてまとめてみよう。

〔 〕

2

教科書p.30の資料②～⑤は，古代文明がおこった諸地域で使用されていた文字の一部である。

STEP 1 それぞれの文字は，何に書かれていた（刻まれていた）のかを調べてみよう。

楔形文字 〔① 〕　ヒエログリフ〔② 〕
インダス文字〔③ 〕　甲骨文字 〔④ 〕

STEP 2 それぞれの文字を，解読されている文字とまだ解読されていない文字とに分類してみよう。

すでに解読		未解読	

STEP 3 これらの社会では，なぜ文字が必要となったのだろうか。教科書のp.19，21，22，29の記述を参考にして，考えてまとめてみよう。

〔 〕

3

教科書p.31の資料⑥～⑨は，古代文明がおこった諸地域における身分・階級のあり方を示したものである。

STEP 1　**資料**⑥・⑦から，オリエント文明には少なくとも3つの身分があったことがわかる。次の文章の空欄に入る語句を資料から読みとり，それぞれの身分の違いを考えてみよう。

オリエント文明の王は，**資料**⑥からわかるとおり，祭祀をつかさどる〔　ア　〕を兼ね，神の意志をもとにした政治をおこなった。王に支配された人民は，**資料**⑦から読みとれる通り，〔　イ　〕と〔　ウ　〕に大別され，〔ウ〕は〔イ〕の所有物として家内労働などを肩代わりした。

〔ア　　　　〕　〔イ　　　　〕　〔ウ　　　　〕

STEP 2　古代社会における身分・階級の共通点を，次のように読みとってまとめてみよう。

1　**資料**⑥⑧⑨から支配階級の共通点を読みとってみよう。

〔　　　　〕

2　**資料**⑦⑧⑨に共通してみられる身分の特徴を，次の文に続けてまとめてみよう。

自由人や庶民の下に〔　　　　〕

4

教科書p.31の文章は，古代文明の崩壊と環境問題の関係について論じたものである。

STEP 1　シュメール人の文明を衰退させた塩害は，なぜおこったのだろうか。次の図の空欄に共通した語句を入れながら，考えてみよう。

前2500年頃から乾燥化がすすむ

↓

灌漑により川の水の〔　　　　〕が土壌に蓄積 → 〔　　　　〕の蓄積量が増えて小麦の収穫量が減少

STEP 2　インダス文明もまた環境問題が原因となって滅亡したと考えられている。インダス文明を滅ぼした原因のうち，環境問題に関係するものを教科書p.27を使ってまとめてみよう。

〔　　　　〕

Try

① **古代文明において，身分社会がうまれたのはなぜだろうか。**

〔　　　　〕

② **人々の間で身分や階級が成立したことは，現代にまで続くどのような問題をうみだすことになっただろうか。**

〔　　　　〕

1　春秋・戦国時代の変動

教科書　p.32～34

春秋・戦国時代

(1) 周の東遷

・前8世紀前半，内紛と西方の遊牧民の攻撃→都を〔①　　　　〕に移す

・遷都以前…西周時代

・遷都以後…東周時代：前半…〔②　　　　〕**時代**，後半…〔③　　　　〕**時代**

(2) 〔②〕時代(前770～前403)

・周王室の権威衰退→有力諸侯…領域国家を形成し，尊王攘夷を唱えて諸侯をまとめる
→実力によって諸侯を従える〔④　　　　〕の出現…春秋の五覇(斉の桓公，晋の文公など)

(3) 〔③〕時代(前403～前221)

・**韓・魏・趙・斉・燕・楚・秦**の七大国…〔⑤　　　　　　〕が中心に勢力争い

・下剋上の風潮→周王を無視して諸侯たちが王を自称

(4) 社会・経済の変化

・春秋時代なかごろ→〔⑥　　　　　　〕の使用がはじまる

・戦国時代初期→鉄製の犂を牛にひかせる〔⑦　　　　〕(牛犂耕)がはじまる
→農業生産力が高まり，家族単位の農業経営可能→農民の階層分化進展

・商業，手工業発達→刀貨(刀銭)・布貨(布銭)などの〔⑧　　　　　　〕が流通

(5) 富国強兵策の実施

・戦国時代の諸国…各地を直接支配する中央集権策をすすめる
…水路の開設，未開地の開墾，農民を徴発して強大な軍隊を編成…富国強兵策
前4世紀なかば，秦の富国強兵策…〔⑨　　　　〕の変法(改革)→秦は急激に台頭

諸子百家の思想

(1) 春秋・戦国時代の思想

・春秋・戦国時代の社会変動→各国君主は有能な人材を求める→思想・言論の自由な風潮
→多くの思想家(**諸子百家**)が学派を形成し相互に論争

・〔⑩　　　　〕…周代の制度を理想とする，道徳や礼儀による社会秩序重視，徳治主義による政治
〔⑪　　　　〕：孝・悌(家族道徳)を基礎とする人間のあり方を仁とする
…言行を弟子たちが『〔⑫　　　　〕』にまとめる
〔⑬　　　　〕：性善説を唱える，王道政治・易姓革命説
〔⑭　　　　〕：性悪説を唱える，礼儀重視・君主の専制支配を擁護

・〔⑮　　　　〕…墨子：無差別の愛(兼愛)・平和論(非攻)を主張

・〔⑯　　　　〕…**老子・荘子**：無為自然を主張(老荘思想)

・〔⑰　　　　〕…〔⑨〕・**韓非**：君主が法によって人民を統治

・縦横家…蘇秦(合従策)・張儀(連衡策)

・陰陽家…鄒衍：陰陽五行説

(2) 春秋・戦国時代の文学

①『詩経』…各諸侯国の民謡や周王室の祭祀の歌などを収録

②『楚辞』…戦国時代の楚の屈原らの韻文を集める

MEMO

Point» 春秋時代と戦国時代で，周王に対する諸侯の姿勢はどのように変化しただろうか。

〔　　　　〕

Check 教科書p.32❷の写真「後漢時代の牛耕図」をみて，次の説明文の空欄に入る語句を答えよう。

この写真は，後漢時代の〔①　　　　〕図である。牛がひいているのは〔②　　　　〕製の犂である。〔②〕製農具が使われるようになったのは〔③　　　　〕時代なかごろからで，牛に犂をひかせる〔①〕がはじまったのは〔④　　　　〕時代初期のことである。このような農業技術の革新によって農業生産力が飛躍的に高まり，社会が大きく変動することになった。

Try あなたは，春秋・戦国時代にうまれた変化のうち，のちの時代に最も影響を与えたものは何だと考えるか。理由も含めて説明しよう。

〔　　　　〕

2　中国古代帝国と東アジア(1)

教科書　p.35～37

» 秦の中国統一

(1) 秦の中国統一

秦…遊牧民出身，春秋時代に成長，戦国時代に商鞅の変法で強大化

→秦王の政…李斯を用いて法家思想で政治を推進→中国統一(前221)

→皇帝の称号を用い，のちに〔①　　　　　〕とよばれる

(2) 内政

・〔②　　　　　〕を全国に施行…官僚を派遣して中央集権体制を固める

人民に田租・人頭税・労役・兵役を課す

・度量衡・文字・車軌の統一，半両銭の通用，民間の武器没収

・都の咸陽から地方にのびる幹線道路の整備

・思想・言論の統制…医薬・占い・農業関係以外の民間の書物を焼き，学者たちを穴埋めにする(〔③　　　　　〕)

(3) 対外政策

・騎馬遊牧民の匈奴を攻撃，戦国時代の長城の修築・拡張(〔④　　　　　〕)

・中国南部…南海郡など3郡設置→北部ベトナムまで支配

(4) 滅亡

・急激な統一政策，土木事業の負担への反発

→始皇帝の死後，〔⑤　　　　　〕**の乱**(前209～前208)→秦滅亡(前206)

» 漢の発展

(1) 漢王朝の成立

・楚の貴族出身の〔⑥　　　　　〕と農民出身の〔⑦　　　　　〕(**高祖**)との争い

→〔⑦〕が勝利して漢王朝(**前漢**)をたてる(前202)…都：〔⑧　　　　　〕

→直轄地は郡県制，東方は一族・功臣を王・侯に封建…〔⑨　　　　　〕**制**

→諸王の権力削減に対する反発→〔⑩　　　　　〕**の乱**(前154)→鎮圧後，郡県制に移行

(2) **武帝**の時代…中央集権支配体制の確立

・対外政策　匈奴…挟撃の交渉のために〔⑪　　　　　〕を大月氏に派遣

たびたび攻撃して北方に追いやる

河西地方…敦煌など4郡設置，〔⑫　　　　　〕諸国の一部服属

フェルガナ地方の大宛を破る

東方…衛氏朝鮮滅ぼす→楽浪郡など4郡設置

南方…〔⑬　　　　　〕を滅ぼし，日南郡など9郡設置→中部ベトナムまで拡張

・内政…五銖銭の鋳造，〔⑭　　　　　〕**の専売**，〔⑮　　　　　〕**法**の実施

官吏登用法として〔⑯　　　　　〕を実施

(3) 武帝以後

・〔⑰　　　　　〕の台頭…奴隷や小作人を使用した大土地経営，〔⑯〕を通して政界に進出

・〔⑱　　　　　〕(皇后の一族)や〔⑲　　　　　〕(去勢された男子)が権力をにぎる

→〔⑱〕の〔⑳　　　　　〕が禅譲をせまり，〔㉑　　　　　〕をたてる

MEMO

Check ① p.35❷の写真「秦代の万里の長城」は匈奴の侵入を防ぐためのものであるが，秦・漢王朝と匈奴との関係を説明した文として，誤っているものを一つ選ぼう。〔　　〕

① 秦の始皇帝は，匈奴を攻めてオルドス地方を奪取した。
② 秦の始皇帝は，戦国時代に各国が築いた長城を修築・拡張した。
③ 前漢の高祖は，侵入してきた匈奴を撃退してモンゴル高原を支配した。
④ 前漢の武帝は，匈奴挟撃のために張騫を大月氏に派遣した。

Check ② p.35❸の写真について説明した次の文の空欄に入る語句を答えよう。

左上の銅権は重さをはかるためのもの，左下の銅量は量(体積)をはかるためのもので，いずれも〔①　　　〕製である。これらは，〔②　　　〕を統一するために全国に配布された。また，右の〔③　　　〕は，貨幣を統一するために鋳造されたものである。始皇帝は，文字や〔④　　　〕も秦国内のもので統一したが，急激な統一政策は，秦に滅ぼされた国々で反発をまねいた。

Check ③ p.37の文字資料『王莽の土地国有化の命令』のような命令が出された歴史的背景を考えてみよう。

〔　　　〕

2　中国古代帝国と東アジア(2)

教科書　p.37～39

新と後漢

(1) **新**(8～23)

王莽…周代を理想化→土地国有策，商業抑制策，貨幣の改鋳→非現実的政策のため混乱

→〔①　　　　　〕(18～27)などの農民反乱→新滅亡(23)

(2) **後漢**

・漢王室の一族〔②　　　　　〕(**光武帝**)台頭→漢王朝復活(**後漢**)(25)，都：〔③　　　　　〕

・〔④　　　　　〕…西域都護，タリム盆地支配→〔⑤　　　　　〕を大秦国(ローマ帝国？)に派遣

(3) 後漢の衰亡

・豪族出身の儒教官僚と宦官の対立…宦官が反対派の官僚や知識人を弾圧する〔⑥　　　　　〕**の禁**などにより政治が混乱

・自然災害，飢饉で農民困窮→〔⑦　　　　　〕(教祖…張角)，五斗米道(天師道)などの民間宗教が広がる

→張角が〔⑧　　　　　〕をおこす(184)→群雄割拠状態→後漢滅亡(220)

秦・漢時代の文化

(1) **儒教**の成立

・武帝が〔⑨　　　　　〕を信任，〔⑩　　　　　〕設置，郷挙里選の実施→儒家思想をもつ官僚の勢力増大→〔⑪　　　　　〕が統治の基本理念に

・儒教の経典研究…後漢末の鄭玄らが経典の注釈をおこなう〔⑫　　　　　〕を確立

(2) 歴史書

・〔⑬　　　　　〕**体**で記述した〔⑭　　　　　〕の『〔⑮　　　　　〕』，**班固**の『**漢書**』

…漢王朝の正統化，以後の歴史書の典型となる

(3) 紙の普及

・後漢の〔⑯　　　　　〕が**製紙法**を改良→木簡・竹簡や帛(絹布)から紙へ

衛氏朝鮮と漢

(1) **衛氏朝鮮**…朝鮮半島西北部に衛満(燕に仕えていた)が建国

(2) 漢の武帝…衛氏朝鮮を滅ぼす(前108)→〔⑰　　　　　〕など4郡設置…郡県制を朝鮮半島にも施行

〔⑰〕は日本列島の小国と中国大陸との交流の窓口となる

日本列島の小国家と漢

(1) 農耕の開始…縄文時代末期，朝鮮半島から九州北部に水田稲作農耕が伝わる

→中国・四国から近畿の一部，東日本へ伝播

(2) 〔⑱　　　　　〕**時代**…朝鮮半島からの渡来人と縄文人との抗争と交流→新たな文化がうまれる

…〔⑱〕土器，中国や朝鮮半島から青銅器・鉄器が伝わる

(3) 小国家の分立(前2～前1世紀ごろ)…争いの発生→防御のための環濠集落形成

(4) 後漢との関係

・『後漢書』東夷伝…奴国(福岡平野が勢力範囲)が後漢に朝貢(57)，光武帝から印綬を受ける

…中国皇帝が周辺諸民族の首長に「王」の称号を与える…〔⑲　　　　　〕**体制**(唐代に完成)のはじまり

MEMO

Point» 1 秦から漢にかけて，国家統治の基礎となる思想はどのようにかわったのだろうか。

〔　　　　　　　　　　　　　　　　　　　　　　〕

Point» 2 古代の日本は，大陸とどのように結びついていただろうか。次の説明文の空欄に入る語句を答えよう。

縄文時代末期に朝鮮半島から〔①　　　　　　〕農耕が伝わった。その後，朝鮮半島から渡来してきた人々との抗争・交流を通じて新たな文化がうまれたが，この時代を〔②　　　　　〕時代という。前漢が設置した〔③　　　　　〕郡は，日本の小国と中国大陸との窓口になった。また，『後漢書』東夷伝によれば，日本の奴国が後漢に朝貢し，〔④　　　　　　〕から印綬を受けたと記されている。これは唐代に完成する〔⑤　　　　　〕体制のはじまりとも考えられる。

Try 秦・前漢・後漢それぞれでみられた外交関係の特徴をまとめてみよう。

●秦

〔　　　　　　　　　　　　　　　　　　　　　　〕

●前漢

〔　　　　　　　　　　　　　　　　　　　　　　〕

●後漢

〔　　　　　　　　　　　　　　　　　　　　　　〕

3　中央ユーラシアの国家形成

教科書　p.40～42

≫ 草原とオアシスの世界

(1) 中央ユーラシア：東…モンゴル高原，西…南ロシア草原，北…シベリア，南…チベット高原

(2) 草原地帯…遊牧民の活動の舞台

・遊牧…羊・ヤギ・馬・牛・ラクダなどの家畜群とともに季節的に居住地と牧地をかえる牧畜

・騎馬のはじまり(前1500ごろ)→[①　　　　　　　]の社会形成(前9～前8世紀ごろ)

→**遊牧国家**の形成…有能な指導者による遊牧集団の吸収・連合

→[②　　　　　]**の道**や[③　　　　　　　]**の道**(**シルクロード**)をおさえて強大化

(3) 砂漠周辺…オアシス都市，農村の形成…物資の集散・交易地として繁栄…軍事力で遊牧民に劣る

・交通・交易の安全を遊牧民に依存→遊牧民と共生関係，ときには遊牧民の支配を受ける

≫ スキタイと匈奴

(1) [④　　　　　　　]…南ロシア草原に形成された最初の遊牧国家(前7世紀ごろ～)

・黒海北岸のギリシア植民市などを支配，アケメネス朝ペルシアと対抗

・スキタイ文化…独特な動物文様，馬具・武具

(2) 中央ユーラシア東方…前4世紀ごろから騎馬遊牧民の活動活発化

・烏孫(天山山脈北麓)，[⑤　　　　　](河西地方)，[⑥　　　　　](モンゴル高原南部)

(3) [⑥]…[⑦　　　　　　　]のもとでモンゴル高原を統一→漢の高祖を破り全盛期をむかえる

→漢の武帝に攻撃されて後退→内紛で東西分裂(前1世紀なかごろ)

→東匈奴，南北に分裂…南匈奴：漢に服属して華北に移住

北匈奴：西走してフン人の移動をひきおこす

(4) [⑤]…[⑥]に敗れて西走→烏孫に追われてアム川上流へ→[⑧　　　　　　]とよばれる

≫ オアシスの道の都市と国家

(1) [⑨　　　　　　]**人**…ソグディアナ地方でサマルカンドなどのオアシス都市に居住

・東西交易の中継商人として活躍

・[⑨]語・[⑨]文字…中央ユーラシアの共通語・文字に

(2) タリム盆地のオアシス諸国…匈奴の支配下(前2世紀前半)→漢の勢力が及ぶ(武帝以降)

≫ モンゴル・チベット系諸民族の動向

(1) モンゴル高原…モンゴル系狩猟遊牧民の[⑩　　　　　]が2世紀なかごろ台頭→後漢をおびやかす

→モンゴル系の[⑪　　　　　]が[⑩]の北魏と対抗→君主はカガン(可汗)と称す

(2) 青海地方から河西地方…チベット系の[⑫　　　　]・[⑬　　　　]が活動

≫ トルコ系諸民族の動向

(1) 5世紀末…トルコ系の[⑭　　　　　](モンゴル高原西部)，[⑮　　　　　　　](中央アジア)，

[⑪](モンゴル高原東部)が中央ユーラシアを三分

(2) 6世紀なかば…高車の一派[⑯　　　　　]が強大化→[⑪]を滅ぼし，北周・北斉を服属

→ササン朝と協力して[⑮]を攻め，モンゴル高原から中央アジアにいたる大帝国となる

→東西分裂(6世紀末)…東突厥・西突厥，ともに唐に併合される(7世紀)

→東突厥…再興後，遊牧民族最古の突厥文字を残す

(3) 8世紀なかごろ…トルコ系[⑰　　　　　　　]…唐を助けて安史の乱を鎮圧後，唐を屈服させる

・ウイグル文字使用，マニ教受容，キルギスの攻撃で解体(9世紀なかば)

吐蕃と南詔

(1) ［⑱　　　　］(チベット高原)…ソンツェン=ガンポが建国(7世紀前半)，唐・ウイグルと抗争

・［⑲　　　　］**仏教**成立，チベット文字の作製

(2) ［⑳　　　　］(雲南地方)…チベット=ビルマ系，建国(7世紀なかごろ)

・唐から漢字・儒教・律令制をとりいれる，仏教がさかん，9世紀に全盛期

MEMO

Check 630年に唐に併合された突厥はどのような状況におかれたのだろうか。p.42の文字資料『唐支配下の突厥』を読んで考えよう。

［　　　　］

Try 中央ユーラシアの諸民族が中国の歴史に与えた影響について，次の語句を用いてまとめてみよう。【冒頓単于　鮮卑　突厥　安史の乱】

［　　　　］

4　胡漢融合帝国の誕生(1)

教科書　p.43～45

胡漢融合帝国

(1) 3～7世紀：分裂と再統合の時代…華北では遊牧民(胡)と漢人が抗争(4～5世紀)
(2) 北魏から唐：鮮卑の拓跋部出身者が漢人貴族と協力→胡漢融合帝国形成(唐など)

中国の分裂

(1) [①　　　　]**時代**(220～280)
・[②　　　　]が華北を制圧→曹丕(曹操の子)が**魏**を建国…都：洛陽
・劉備が四川に**蜀**(蜀漢)を建国…都：成都　　・孫権が江南に**呉**を建国…都：建業
(2) [③　　　]（西晋)(265～316)
・魏が蜀を滅ぼしたのち，禅譲された[④　　　　　]（武帝)が建国→呉を滅ぼし中国統一(280)
→司馬氏一族の権力争い(八王の乱)で混乱→南匈奴が自立して[③](西晋)を滅ぼす
(3) [⑤　　　　　　　]**時代**(304～439)
・華北，河西地方に**五胡**(**匈奴・羯・鮮卑・氐・羌**)が王朝を乱立して興亡をくり広げる
(4) [⑥　　　　]（317～420)…江南に晋の一族の司馬睿(元帝)が[③]を再興…都：建康
(5) 新しい制度
・魏の文帝が[⑦　　　　　　]**制度**(九品官人法)を採用→[⑧　　　　　]**貴族**を形成
・魏：屯田制　　・西晋：占田・課田制…土地所有を制限し，田租と戸調を徴収

南北の対立

(1) **北魏**…鮮卑の拓跋部のたてた王朝，太武帝が華北統一(439)
・[⑨　　　　　]（位471～499)時代…洛陽遷都(平城から)，漢化政策(胡服の禁止など)
土地と農民の把握，税の確実な徴収をはかるため→[⑩　　　　　]，三長制施行
(2) **北朝**(439～581)…北魏以後の華北の5王朝
・軍隊の反乱で北魏分裂→東魏・西魏→東魏が北斉，西魏が北周にかわる→北周が北斉を併合
(3) **南朝**(420～589)…**宋・斉・梁・陳**の4王朝→呉・東晋を加えて[⑪　　　　]と総称
・北朝と南朝が対立した時代…[⑫　　　　　]**時代**
・華北から移動した人々が江南を開発…貴族らが水田をひらいて大土地経営

魏晋南北朝時代の文化

(1) **魏晋南北朝時代**…三国時代から[⑫]時代まで…文化面で新しい息吹，独特の貴族文化
・老荘思想にもとづく超世俗的で自然な生き方，自由で奔放な議論をする[⑬　　　　]が流行
(2) 宗教
・仏教…西域僧の[⑭　　　　　]や[⑮　　　　　　]が大乗仏教を伝える(4～5世紀)
東晋時代の[⑯　　　　　]がインド留学…『仏国記(法顕伝)』をあらわす
仏教美術…**雲崗・竜門・敦煌**などの石窟寺院造営
・**道教**…神仙思想，道家思想，民間信仰から成立
北魏の[⑰　　　　　]が五斗米道を改革し教団を組織→太武帝が信奉し，仏教弾圧
(3) 文学・芸術…都の建康中心に貴族文化が栄える([⑪]**文化**)
・梁の昭明太子編纂『[⑱　　　　　]』…周代以来の名詩・名文，東晋の**陶淵明**(陶潜)・謝霊運の詩
四六騈儷体の美文おさめる
・書…東晋の[⑲　　　　　]（書聖)，絵画…東晋の[⑳　　　　　]（画聖)：「女史箴図」描く

MEMO

Check ① p.44 1 の写真「北魏の礼仏図」(6世紀前半)において，鮮卑の北魏の皇帝や皇后らが漢人の様式の服装をしているのはなぜだろうか。

〔　　　　　　　　　　　　　　　　　　　　〕

Check ② p.45 3 の写真「雲崗の石窟」に関する次の説明文の空欄に入る語句を答えよう。

雲崗の石窟は，北魏が洛陽に都を移す前の都〔①　　　　　〕(現在の大同市)の西に造営された。雲崗の大仏は〔②　　　　　〕のガンダーラ・グプタ両様式の影響がみられる。都が洛陽に移されたのち，洛陽の南に〔③　　　　　〕の石窟寺院が造営されたが，大仏には中国的な様式がみられる。

Point≫ 門閥貴族は，魏晋南北朝時代の歴史にどのような役割をはたしたのだろうか。

〔　　　　　　　　　　　　　　　　　　　　〕

4　胡漢融合帝国の誕生(2)

教科書　p.46~48

隋の中国統一

(1)〔①　　　〕(**文帝**)(位581~604)…北周の外戚
- **隋**建国(581)…都：大興城(唐では長安と改称)→南朝の陳を併合して中国統一(589)
- 律令制定，北朝の均田制・租庸調制・府兵制導入
- 学科試験による官吏登用法(〔②　　　〕)導入→貴族の勢力をおさえて中央集権化
- 北方の突厥を，その内紛に乗じて東西に分裂させる

(2)〔③　　　〕(位604~618)
- 華北と江南を結ぶ〔④　　　〕を完成させる→南北の結合を強化，高句麗遠征に利用
- 東突厥と高句麗の連携を防止するための3次にわたる高句麗遠征は失敗→外征・大土木事業に対する不満→各地で反乱→隋滅亡

唐の成立とその支配体制

(1)〔⑤　　　〕(高祖)(位618~626)…隋の煬帝のいとこ，山西で挙兵して大興城に入る
- **唐**建国(618)…都：〔⑥　　　〕(隋の大興城)

(2) **太宗**(〔⑦　　　〕)(位626~649)…中国国内を再統一
- 東突厥を服属させ，中央アジアへ勢力を拡大，太宗の治世…「〔⑧　　　〕**の治**」

(3) 高宗(位649~683)
- 西突厥服属，高句麗・百済を破る→ユーラシア大陸東部の大部分を支配する大帝国に

(4) 唐の制度…隋の制度を受けつぐ
- 法体系…律・令・格・式からなる法体系(〔⑨　　　〕)を完成
- 中央官制…〔⑩　　　〕(中書省・門下省・尚書省)・〔⑪　　　〕(吏・戸・礼・兵・刑・工)
監察をつかさどる〔⑫　　　〕
- 地方…州県制
- 〔⑬　　　〕…成人男子に均等に土地を支給
- 税役…〔⑭　　　〕**制**
- 兵役…〔⑮　　　〕**制**

唐の社会と経済

(1) 門閥貴族…均田制下でも大土地所有(**荘園**)が認められる
〔②〕によって官吏に登用されて高官になる者は少数(唐中期まで)

(2) 都市…政治都市・軍事都市，商業活動は特定の地区(市)に許可
→唐中期以降…市や都市の外でも商業活動→手工業も活発化→経済都市・商業都市に変化

(3) 対外交易…内陸：ソグド商人らによる西域経由の内陸貿易
海路：アラブ系とイラン系の〔⑯　　　〕**商人**来航
→港湾都市繁栄(広州，揚州，交州(現ハノイ)など)
広州には海上貿易を管理する〔⑰　　　〕設置
長安・洛陽…東西の商人や使節が集まる国際都市に成長

(4) 農業…華北：小麦の普及，二年三毛作
華中・華南：水田開発が進む，田植えの技術広まる

MEMO

Check ① なぜ大運河が建設されたのだろうか。p.46**1**の地図「隋の領域と大運河」をみて考えよう。

〔　　　　　　　　　　　　　　　　　　　　　　　〕

Check ② p.46**3**の図「唐代の中央官制」に関する次の説明文の空欄に入る語句を答えよう。

詔勅は〔①　　　　〕省で起草し，〔②　　　　〕省で審議されたが，その際〔①〕省の案文を〔②〕省が拒否することもできた。こうして決定した皇帝の詔勅にもとづく政治は，〔③　　　　〕省のもとにおかれた六部で執行された。六部には，人事を担当する〔④　　　　〕部や財政を担当する〔⑤　　　　〕部のほか，礼部・兵部・刑部・工部がある。また，中央には監察をつかさどる〔⑥　　　　〕が設けられた。

Check ③ p.47**5**の写真「黒人像」から，唐が国際的な帝国であったことがわかる。国際的帝国である唐に関する説明文として誤っているものを一つ選ぼう。　〔　　　〕

① ソグド商人は西域経由の内陸貿易で活躍した。
② 海路からアラブ系やイラン系のムスリム商人が来航した。
③ 市舶司は，貿易だけでなく商人の出入国の管理もおこなった。
④ 長安は政治都市なので，商業都市としては発展しなかった。

4　胡漢融合帝国の誕生(3)

教科書　p.48〜51

唐の文化と生活

(1) 唐の文化の特徴…北朝の遊牧民系の文化と南朝の貴族文化，および外来文化の融合
(2) 思想・宗教…儒教・仏教・道教の三教が密接に関係しあいながら独自に発展
・儒教…〔①　　　　　〕らによる官撰注釈書『〔②　　　　　〕』編集→五経の解釈統一
・仏教…〔③　　　　〕：陸路からインドへ…『大唐西域記』
〔④　　　　〕：海路からインドへ…『南海寄帰内法伝』(シュリーヴィジャヤにて)
→仏典の漢訳，教理の研究→密教・中国独自の浄土宗・禅宗などの宗派成立
・道教…帝室の保護のもとに発展，民衆に浸透
・外来宗教…ゾロアスター教(**祆教**)・マニ教・ネストリウス派キリスト教(**景教**)・イスラーム(**回教**)
(3) 文学…詩が科挙の科目となる→詩作がさかんになる
・詩…〔⑤　　　　〕・**杜甫**・**王維**・**白居易**(**白楽天**)などの詩人が活躍
・文…唐中期以後，**韓愈**・**柳宗元**が簡素で力強い古文復興を唱える
(4) 芸術・工芸
・書道…唐初期：欧陽詢らが楷書を完成，唐中期：〔⑥　　　　　〕…力強く生命感あふれる書風
・絵画…唐中期：**呉道玄**…山水の名手，唐後半：水墨山水画も登場
・音楽…西方系の胡楽が大流行
・工芸…緑・褐・白釉などで彩色した〔⑦　　　　　〕
(5) 生活面
・騎馬…北方遊牧民の騎馬の風習が広まる，ペルシア伝来のポロ(馬上ホッケー)が貴族で流行
・食事…小麦と挽き臼の技術の普及で粉食が定着，喫茶の習慣が庶民にも普及

唐と周辺諸民族

(1) 服属下の諸民族…首長に統治をまかせ，〔⑧　　　　　〕が監督…間接統治策(〔⑨　　　　　〕**政策**)
→北ベトナムの**安南**〔⑧〕以外は，諸民族の勢力の伸張で後退・廃止
(2) 周辺諸国(渤海・新羅・南詔など)…首長に爵位や官位を与えて臣従・朝貢させる
(3) 強国(ウイグル・吐蕃など)…兄弟・婿・舅などの関係になぞらえる関係を結ぶ
(4) 遠方(日本・チャンパー・カンボジア・シュリーヴィジャヤなど)…不定期な朝貢のみ
(5) 〔⑩　　　　　〕**体制**…唐中心の国際秩序→漢字・儒教・仏教・律令制・都城制などが東アジアへ広がる→諸民族…取捨選択し変形しながら受容→独自の民族文化形成

唐の変動と滅亡

(1) 〔⑪　　　　　〕(位690〜705)…高宗の皇后，高宗死後，中国史上唯一の女帝に即位
→国号を周と改称，科挙によって新興の商人層・地主層出身者を官僚に登用
(2) 〔⑫　　　　　〕(位712〜756)…国政の安定につとめる(〔⑬　　　　　〕**の治**)
(3) 社会変動(8世紀なかごろ)…没落農民増大→均田制・租庸調制・府兵制が維持できない，周辺諸民族の自立化
→府兵制にかえて傭兵による〔⑭　　　　　〕を採用…**節度使**(軍団の指揮官)配置
(4) 政治の動揺…〔⑫〕は楊貴妃を寵愛→楊貴妃の一族が実権掌握
→ソグド系節度使の〔⑮　　　　　〕とその武将史思明の反乱…〔⑯　　　　　〕**の乱**(755〜763)

→節度使やウイグルの援軍により鎮圧→中国内地にも節度使設置→軍閥（〔⑰　　　〕）の割拠

(5) 財政再建…塩の専売制，現住地課税の〔⑱　　　〕を宰相楊炎の提言により施行（780）

(6) 衰退・滅亡…ウイグルや吐蕃の侵入で唐の領土は大幅縮小

・〔⑲　　　〕**の乱**（875～884）…塩の密売商人の〔⑲〕らの反乱

・節度使の〔⑳　　　〕が唐を滅ぼす（907）

MEMO

Check ① **景教の僧は長安でどのような活動をおこなったのだろうか。p.48の文字資料『大秦景教流行中国碑』を読み，次の説明文の空欄に入る語句を答えよう。**

皇帝に迎えられた宮中で〔①　　　〕を翻訳し教義を伝えた。さらに，寺院を建立して僧や信徒を集め，貧しい人や病人に対する〔②　　　〕事業の集会を開催した。また，〔③　　　〕の乱の際には，鎮圧軍に従軍した。

Check ② **p.50❶の図「東アジアの都城の構造」について，これらの都城の共通点は何か。また，なぜ同じ構造をもつのだろうか。**

●共通点

〔　　　〕

●同じ構造をもつ理由

〔　　　〕

Check ③ **両税法が施行された理由として，どのような社会の状況があったと考えられるだろうか。p.51の文字資料『両税法の施行』を読んで考えよう。**

〔　　　〕

4　胡漢融合帝国の誕生(4)

教科書　p.51～53

≫ 朝鮮半島情勢の変化

(1) **三国時代**

・〔①　　　　　〕: 紀元前後に王国形成，朝鮮北部から中国東北部に勢力拡大
　4世紀に楽浪郡・帯方郡を滅ぼす→最盛期…〔②　　　　　〕(好太王)(位391～413)
　→7世紀はじめ，隋の煬帝による高句麗遠征を撃退

・〔③　　　　〕: 4世紀，朝鮮西南部の馬韓からおこる

・〔④　　　　〕: 4世紀，朝鮮東南部の辰韓からおこる

(2) 朝鮮半島南部(かつての弁韓の地)

・伽耶諸国：朝鮮中南部(旧弁韓)…倭と密接に交流→6世紀，新羅に滅ぼされる

(3) 新羅の朝鮮統一

・隋の中国統一→高句麗・百済・新羅は隋の冊封を受ける

・新羅…唐と連合→百済・高句麗滅ぼす→唐軍を排除し半島を統一(676)，都：慶州

(4) 新羅の支配…唐の制度・文化を摂取…律令制，〔⑤　　　　　〕…王族・官僚貴族の厳格な身分
　仏教を国教とする→慶州に仏国寺建立
　日本との関係重視→8世紀，両国の関係悪化

≫ 日本列島の動向

(1) 〔⑥　　　　　〕(3世紀): 女王〔⑦　　　　　〕
　…『魏志倭人伝』によると，魏に朝貢し，「親魏倭王」の称号と金印を受けたとされる

(2) 〔⑧　　　　　〕**政権**(3世紀後半～): 倭国を中心とする政治的連合

・朝鮮半島南部から鉄資源確保，4世紀後半以降百済と密接に連携

・5～6世紀はじめに，倭の五王が中国の南朝に朝貢，冊封される

(3) 倭の外交…背景：伽耶滅亡，隋の中国統一，朝鮮三国の争い

・隋に対等外交を求めて〔⑨　　　　　〕派遣，唐に〔⑩　　　　　〕派遣

・〔⑪　　　　　〕**の戦い**(663)…倭が百済を救援し，唐・新羅連合軍と戦い敗退

(4) 中国南北朝文化の影響…渡来人が技術や文化を伝える→飛鳥文化…寺院や仏像などの仏教文化

≫ 8～9世紀の日本と東アジア

(1) 日本

・律令制の整備…唐の律令制→〔⑫　　　　　〕(701)完成…中央集権的政治体制の確立

・都…長安の模倣→〔⑬　　　　　〕(710)(奈良時代)→〔⑭　　　　　〕(794)(平安時代)

・奈良時代…〔⑮　　　　　〕**文化**…貴族文化，仏教文化(国家による仏教保護)
　国際色豊かな文化…正倉院(唐・新羅からの渡来物，ササン朝ペルシアやインドなどの影響)

・9世紀…唐の弱体化，唐・新羅商人の来航→遣唐使(838)が最後となる

(2) 〔⑯　　　　　〕(698～926)…中国東北部からロシア沿海地方・朝鮮半島北部

・靺鞨族の大祚栄が高句麗の遺民を率いて建国(698)，都：上京竜泉府

・外交…唐の冊封のもと，唐の制度・文物を受け入れる(都城制など影響を受ける)，日本との交流を重視

MEMO

Point» 7世紀なかばごろ，唐はなぜ新羅を援助したのだろうか。

［　　　　］

Check p.52**1**の写真「仏国寺」をみて，次の説明文の空欄に入る語句を答えよう。

仏国寺は，百済と〔①　　　　　〕を滅ぼして朝鮮を統一した〔②　　　　　〕の都〔③　　　　　〕に建立された。伽藍配置が奈良の〔④　　　　　〕と同じであるが，現存の建物は朝鮮王朝時代中期に再建されたものである。

Try 唐代の文化の特徴について，魏晋南北朝時代の文化と比較しながら，次の語句を用いてまとめてみよう。【仏教　儒教　ゾロアスター教　詩】

［　　　　］

ACTIVE② 漢〜唐代の国際関係

歴史を資料から考える

教科書 p.54〜55

1

教科書p.54の資料①は，前漢の時期に匈奴や烏孫に嫁がされた公主(皇帝の娘)を，漢の皇帝と異民族の君主ごとにまとめたものである。

STEP 1　公主が嫁がされた目的は何だろうか，考えてみよう。

〔　　　　　　　　　　　　　　　　〕

STEP 2　武帝の時代に，公主が嫁がされた相手が変化している理由をまとめた，次の文章の空欄に入る語句を答えよう。

武帝は強大化した〔①　　　　　〕を挟撃する交渉のために張騫を〔②　　　　　〕へ派遣した。同盟は不成立に終わったが，張騫は〔③　　　　　〕を〔①〕と引き離して漢に服属させるため，〔③〕を訪れた。これをきっかけに漢に接近した〔③〕に，漢は〔①〕にかわって公主を嫁がせた。

2

教科書p.54の資料②〜④は，後漢と周辺民族・諸国との関係を示したものである。

STEP 1　**資料**②・③を参考に，後漢と周辺民族や諸国との間にみられた関係を，教科書p.39の記述を使ってまとめてみよう。

〔　　　　　　　　　　　　　　　　〕

STEP 2　**資料**④の後漢の時代に匈奴に与えられた印をもとに，前漢から後漢にかけて漢と匈奴の関係がどのように変化したのかを，次のように考えてみよう。

1　**資料**①をもとに，前漢の武帝時代までと武帝の時代の漢と匈奴の関係をまとめてみよう。

武帝時代まで	
武帝の時代	

2　**資料**④をもとに**STEP 1**も使って，後漢における漢と匈奴の関係を考えてみよう。

〔　　　　　　　　　　　　　　　　〕

3

教科書p.55の資料⑤～⑦は，隋・唐代の中国と周辺民族・諸国との関係を示したものである。

STEP 1 **資料⑤**や教科書p.46，52の記述をもとに，次の文章の空欄に入る語句を答えよう。

『隋書』倭国伝によると，日本の天皇が隋の皇帝である〔①　　　　〕に送った書状の中で自らを「日出づる処の天子」，隋の皇帝を「日没する処の天子」とよんでいるように，隋に〔②　　　　〕関係を求めている。この書状をみて〔①〕は不快になったが，当時朝鮮半島北部を支配する〔③　　　　〕との関係が悪化していることを背景に，翌年には日本に〔④　　　　〕を使節として派遣した。

STEP 2 **資料⑥**から，唐と渤海はどのような関係であったかを読みとってまとめてみよう。

〔　　　　〕

STEP 3 **資料⑤～⑦**を参考に，唐が東アジアにつくりあげた国際関係をまとめてみよう。

〔　　　　〕

4

教科書p.55の資料⑧は，北魏・唐・日本の均田制（班田収授法）を比較した表である。

STEP 1 **資料⑧**をもとに，北魏から唐への均田制の変化を，理由とともにまとめてみよう。

〔　　　　〕

STEP 2 北魏や唐の均田制と日本の班田収授法を比較し，共通点や相違点をまとめてみよう。

共通点	
相違点	

Try **日本の班田収授法のように，唐代の東アジアの国際関係を通じて，中国から周辺諸国に伝わったものをあげてみよう。さらにそれらが，その後の周辺諸国の文化・制度に与えた影響は何だろうか。考えてまとめてみよう。**

〔　　　　〕

1　インド古典文化の形成(1)

教科書　p.56~58

新しい思想・宗教

(1) ガンジス川流域(前7~前5世紀)…多数の王国がうまれる

・**マガダ国**…コーサラ国を滅ぼし，最有力に(前5世紀)

(2) 新しい思想・宗教運動…祭式中心のバラモン教を反省し克服しようとする

・哲学書「〔①　　　　　　　　〕(奥義書)」(前7~前4世紀ごろ)成立

輪廻転生，カルマ(業)，ブラフマン(梵)とアートマン(我)の同一を悟る(梵我一如)→解脱

・〔②　　　　　　〕：開祖〔③　　　　　　　　〕…禁欲的な苦行の実践，徹底的な不殺生

・〔④　　　　〕：創始者〔⑤　　　　　　　　　　〕…出家してブッダ(仏陀)となった

…自己や私物への執着や煩悩を捨てる，八正道の実践→生老病死(人生の苦)からの解脱

…すべての人の平等，すべての生き物への慈悲を唱えた

マウリヤ朝のインド統一

(1) 建国…アレクサンドロスの西北インド進出(前326)→インドの政治的統一をうながす

・マガダ国の武将〔⑥　　　　　　　　　　〕が〔⑦　　　　　　　〕**朝**を建国(前317ごろ)

・西北インドのギリシア勢力を一掃，セレウコス朝軍の侵攻を阻止，アフガニスタン東部確保

(2) 最盛期…第3代〔⑧　　　　　　　　〕**王**時代(前3世紀なかごろ)

・南端部をのぞく全インド支配，征服時の虐殺行為への反省→仏教に帰依

・不殺生や慈悲など守るべき社会道徳(ダルマ，法)を刻んだ磨崖・石柱を各地につくらせた

・仏教教団の保護，仏典の編纂(〔⑨　　　　　　〕)，スリランカ布教援助

(3) 衰亡…〔⑧〕王の死後，仏教優遇へのバラモンの反発，過度の寄進による財政破綻→帝国分裂

クシャーナ朝と大乗仏教

(1) 建国(西北インド)

・バクトリアのギリシア人が進入(前2世紀)→ヘレニズム文化をもたらす

・イラン系のサカ人やパルティアが進入(前1世紀)

・大月氏から自立したイラン系のクシャーナ人が，〔⑩　　　　　　　〕**朝**を建国(1世紀)

(2) 繁栄…〔⑪　　　　　　〕**王**時代(2世紀)…都：プルシャプラ(現ペシャワール)

・中央アジアからガンジス川中流域までを支配

・オアシスの道や西北インドの海港をおさえて東西交易で栄える→国際色豊かな文化

(3) 仏教の改革運動(前1世紀ごろ)

・菩薩信仰を中心に衆生の救済を重視…〔⑫　　　　　〕**仏教**→部派仏教を小乗と批判

ナーガールジュナ(竜樹，2~3世紀ごろ)が教理を体系化，〔⑪〕王が厚く保護

・〔⑬　　　　　　　〕**美術**…ギリシア式彫像の影響で仏像制作→中央アジア，東アジアに広がる

モンスーン航海と南インドの発展

(1) 海上交易…アラビア半島からインド西岸…**モンスーン**(**季節風**)を利用した航海が確立(1世紀)

→紅海経由で地中海世界と直接結ばれて，ローマ帝国と交易

→地中海のローマ金貨・ガラス・金属細工やワイン，インドの胡椒・宝石・象牙などを交易

(2) 南インド…ドラヴィダ系の王国が北インドの文化を摂取して栄える

・デカン高原…〔⑭　　　　　　　　　　〕**朝**(前1世紀ごろ成立)…海上交易に参入して興隆

・南端部…チョーラ朝やパーンディヤ朝などが栄える(紀元前から)…タミル語文学がさかん

(3) スリランカ…アーリヤ系の〔⑮　　　　　〕**人**が進出していた

・仏教が伝来(前3世紀)→〔⑯　　　　　〕**仏教**の中心地となる

・ベンガル湾・南シナ海におけるモンスーン航海の確立(4世紀)→インド洋交易の中心として繁栄

MEMO

Check p.56の写真「ヴァルダマーナ」について説明した文として誤っているものを一つ選ぼう。

〔　　　〕

① ヴァルダマーナは，偉大な勇者マハーヴィーラともよばれる。

② ヴァルダマーナは，苦の原因であるカルマを除去するための修行をおこなった。

③ ヴァルダマーナの開いたジャイナ教は，禁欲的な苦行の実践を説く。

④ ヴァルダマーナの開いたジャイナ教は，バラモンに広まった。

Point≫ アショーカ王はなぜ仏教を保護したのだろうか。その理由と具体的な保護政策を説明した次の説明文の空欄に入る語句を答えよう。

アショーカ王は，南端部を除く全インドを支配したが，その征服時の〔①　　　　　〕行為の反省から仏教への帰依を深めて仏教保護政策をはじめた。不殺生や慈悲，父母への従順などの社会道徳である〔②　　　　　　　〕を説き，その詔勅を刻んだ磨崖・〔③　　　　　〕を各地につくらせた。そして，仏教教団を厚く保護し，仏典〔④　　　　　〕や〔⑤　　　　　　　〕布教を援助した。

1　インド古典文化の形成(2)

教科書　p.58~60

グプタ朝とインド古典文化

(1) [①　　　　　]朝(320ごろ~550ごろ)…創始者：チャンドラグプタ1世

・[②　　　　　　　　]（位376ごろ~415ごろ)…北インド大半を支配，南インド進出

(2) [③　　　　　]教…バラモン教に民間信仰が融合して形成された

・シヴァやヴィシュヌといった主神のもとに民間の神々がまとめられた多神教

・ヒンドゥー教の聖典…二大叙事詩『[④　　　　　　　]』『[⑤　　　　　　]』

・ヴァルナごとの義務，生活規範…『[⑥　　　　　]』として体系化

(3) 仏教

・5世紀，[⑦　　　　　　　]**僧院**がたてられ，教学の中心として発展

・インド的な[⑧　　　　　]**様式**…マトゥラーの仏像，[⑨　　　　　　　]**石窟寺院**の壁画

(4) インド古典文化

・バラモン…数学・天文学・医学などを発展させる

・インド数字，十進法，[⑩　　　　]**の概念**→イスラーム圏からヨーロッパへ→近代科学の発展

・[⑪　　　　　　]**語**の文学…[⑫　　　　　　　]の戯曲『シャクンタラー』など

ヒンドゥー国家の分立

(1) グプタ朝の滅亡…地方勢力の自立，遊牧民エフタルの侵入→弱体化して滅亡(6世紀なかば)

(2) [⑬　　　　　]**朝**(606~647)…[⑭　　　　　　　　　]が北インド統合

→王の死後，王朝崩壊

(3) 北インド

・ヒンドゥー国家が分立抗争するラージプート時代(8~13世紀)

…王はクシャトリヤ身分のラージプート(王の子)を称する者が多い

(4) 南インド

・パーンディヤ朝，パッラヴァ朝…東南アジアなどとの海上交易で発展(5世紀ごろ)

…南インド土着の文化と北インドのヒンドゥー教文化が融合

…一つの神への絶対的帰依を説く[⑮　　　　　]**運動**がさかんになる

・[⑯　　　　　]**朝**…スリランカやマラッカ海峡に支配拡大，北宋とも通交(10世紀~)

…[⑮]運動が広まり，シヴァ・ヴィシュヌ両派台頭→チョーラ朝美術発達

ラージプート時代の社会と宗教

(1) 社会

・北インドの陸上交易衰退，都市と商業衰退

・農村地域の自給自足化がすすむ→地方領主層の形成

(2) 宗教

・バクティ運動→ヒンドゥー教が一般大衆の間に定着

・職業の世襲化・固定化→ヒンドゥー教と結びついた**カースト**([⑰　　　　　　])**制度**成立

・仏教…都市の商工業者の没落により経済的支援を失う→ヒンドゥー教に吸収されて消滅

・ジャイナ教…バクティ運動によって打撃を受ける

MEMO

Check ナーランダー僧院ではどのような学問が研究されていたのだろうか。また，国王とはどのような関係にあったのだろうか。p.59の文字資料『玄奘の伝記に記されたナーランダー僧院』を読んで考えよう。

●研究されていた学問

[　　　　]

●国王との関係

[　　　　]

Try あなたは，古代インドで仏教が栄えた最も大きな理由は何だと考えるか。

[　　　　]

2　古代の東南アジアと海のシルクロード

教科書　p.61～63

東南アジアの自然環境と基層文化

(1) 自然環境…熱帯・亜熱帯のモンスーン(季節風)帯
・大陸部：平原地帯，ホン川下流部が歴史のおもな舞台
・諸島部：赤道直下の熱帯雨林で竜脳や沈香などの高価な国際商品を産出
　ジャワ島…水稲耕作にもとづく社会と国家が発達
(2) 基層文化
・海上交易路…[①　　　　　　　　　　](**海の道**)…マラッカ海峡とベトナム中部が交易拠点
・民族…中国方面から南下する民族移動→大陸部・諸島部に多様な民族が広がる
・前3000年紀まで…タロイモ・ヤムイモ・バナナなどの根栽農耕
・前2000年紀…稲作が中国から大陸部に伝わる→前1000年紀には諸島部に伝わる
・生活文化…巻きスカートの着用・米飯・高床式家屋・精霊崇拝

海のシルクロードと初期国家

(1) [②　　　　　　　]**文化**…前1000年紀後半，北部ベトナムで青銅器・鉄器文化
・青銅製の[③　　　　　]…祭器，権威を示す品物→東南アジア各地に輸出
(2) [①](海の道)
・漢がベトナム中部においた[④　　　　　]**郡**…南海交易の窓口→南インド，ローマに通じる
(3) [⑤　　　　　]**国家**の誕生…[⑥　　　　　](香辛料・香料)・象牙・真珠・錫などを供給
・[⑦　　　　　](1～7世紀)…メコン川下流部→マレー半島やベンガル湾岸と交易ネットワーク
　→外港のオケオ遺跡…ローマの金貨・インドのヴィシュヌ像・後漢の鏡・南朝の仏像など
・[⑧　　　　　](192～19世紀)…チャム人が日南郡から独立，南シナ海で交易ネットワーク拡大
　→中国文化摂取からインド文化に方向転換→国名をインド風の[⑨　　　　　　　]とする
(4) [⑤]国家の繁栄(4世紀ごろ)…モンスーン航海の確立→東西交易の拡大
・インドからバラモン渡来…インド化(サンスクリット語・文字，ヒンドゥー教，仏教など)

大陸部平原の開発と諸国家

(1) エーヤーワディー川中流域…[⑩　　　　　　](5～9世紀)の都市国家群発達
(2) チャオプラヤー川中・下流域…モン人の[⑪　　　　　　　　　　　　　　](6～11/13世紀)台頭
(3) カンボジア内陸…クメール人の[⑫　　　　　](6～15世紀)…扶南併合(7世紀)
　→8世紀初頭南北分裂→9世紀初頭再統一…アンコール地方に都をおく→15世紀まで繁栄

マラッカ海峡とジャワの発展

(1) マラッカ海峡
・マレー半島横断ルートにかわり主要路に(7～8世紀)→主要路からはずれた[⑦]が衰退
・[⑬　　　　　　　　　　　　]台頭…スマトラのパレンバン中心
　…港市国家を従える交易帝国として繁栄，大乗仏教教学の中心地
・[⑭　　　　　　　　　　　]**朝**…[⑬]に君臨…マレー半島・カンボジア・チャンパーに進出
　→唐の安南都護府を陥落させる
(2) ジャワ島…諸島部で唯一農業国家が発達，交易にも進出
・中部ジャワ…大乗仏教徒の[⑭]朝優勢(8世紀後半)→[⑮　　　　　　　　　　]**寺院**造営
　→ヒンドゥー教徒が[⑭]朝を追放(9世紀なかば)，中部ジャワ統一

MEMO

Point≫ マラッカ海峡は，なぜ海のシルクロードの重要な拠点になったのだろうか。

Check p.62**2**の写真「オケオ出土のローマ金貨」について，なぜ東南アジアのオケオでローマの金貨がみつかったのだろうか。また，ローマの金貨以外にオケオ遺跡でみつかったものにどのようなものがあるだろうか。

●**ローマの金貨がみつかった理由**

●**ローマの金貨以外にみつかったもの**

Try 東南アジアにおける中国文化とインド文化の影響を，次の語句を用いてまとめてみよう。

【ドンソン文化　扶南　シュリーヴィジャヤ】

1　オリエントの統一

教科書　p.64〜65

» アッシリア

(1)〔①　　　　　　　　〕(前19世紀〜前612)…メソポタミア北部
・小アジア方面との交易によって栄える→鉄製の武器，馬と戦車などで強力に(前9世紀〜)
・前8世紀…ニネヴェに遷都
・前7世紀前半…メソポタミア，エジプトを征服→オリエント最初の統一帝国に
・支配…征服地を州にわけて総督を派遣
・滅亡…住民の強制移住，重税→諸民族の反発→ニネヴェ陥落，滅亡(前612)

(2) 四つの王国分立
・メソポタミア：バビロンに〔②　　　　　　　　〕(**カルデア**)**王国**(前625〜前538)
…〔③　　　　　　　　〕がユダ王国を滅ぼす
・小アジア：〔④　　　　　　　　〕**王国**…世界史上はじめての貴金属製の貨幣をつくる
・イラン高原：イラン系の〔⑤　　　　　　　　〕**王国**勃興
・エジプト：第26王朝…ナイル川下流のデルタ地帯を拠点として力をもりかえした

» アケメネス朝ペルシア

(1)〔⑥　　　　　　　　〕**朝ペルシア**(前550〜前330)
・民族…インド=ヨーロッパ系ペルシア人(イラン人)
・成立…〔⑦　　　　　　　　〕がメディアから自立→リディア・新バビロニアを滅ぼす
・オリエント統一…エジプト併合
・全盛期…〔⑧　　　　　　　　〕…エーゲ海北岸からインダス川にいたる大帝国を築く
・行政の中心はスサ，祭儀の場として新たに〔⑨　　　　　　　　〕建設

(2) 統治政策…中央集権的
・全領土を約20の州(サトラ)に分割，各州の〔⑩　　　　　　　　〕(知事)を任命
・監察官「〔⑪　　　　　　〕」「〔⑫　　　　　　〕」…〔⑩〕を監視
・「〔⑬　　　　　　〕」…スサ〜サルディス間，駅伝制などの交通網を整備
・異民族支配…貢納と軍役を課す，法や宗教を尊重して寛容に扱う
フェニキア人やアラム人などの貿易活動保護

(3) 衰退と滅亡
・ペルシア戦争…原因：小アジアのギリシア人ポリスとの紛争→結果：ギリシアに敗れる
・混乱…エジプトの独立，〔⑩〕の反乱など
・滅亡…マケドニアのアレクサンドロスの遠征により滅亡(前330)

(4) 文化…各民族の文化が融合
・文字…楔形文字を発展させたペルシア文字
・言語…公用語：バビロニア語，商用語：アラム語とアラム文字
・宗教…〔⑭　　　　　　　　〕**教**を信仰…〔⑭〕が創始
…善神〔⑮　　　　　　　　〕と悪神〔⑯　　　　　　　　〕との闘い(善悪二元論)
→終末に最後の審判で善が勝利
→ユダヤ教・キリスト教・イスラームなどの一神教に影響を与える

MEMO

Check p.65**5**の写真および文字資料『ベヒストゥーン碑文』からわかるアケメネス朝の支配の特徴は何だろうか。また，アケメネス朝がこのような支配を長く存続できたのはなぜだろうか，教科書本文も参照して考えよう。

●**資料から読みとれる支配の特徴**

［　　　　　　　　　　　　　　　　　　　　］

●**支配を長く存続できた理由**

［　　　　　　　　　　　　　　　　　　　　］

Try アケメネス朝の支配の特徴を唐代までの中国王朝と比較して，共通点をあげよう。

●**秦との共通点**

［　　　　　　　　　　　　　　　　　　　　］

●**唐との共通点**

［　　　　　　　　　　　　　　　　　　　　］

2　ギリシア文明(1)

教科書　p.66〜68

エーゲ文明

(1)〔①　　　　　〕**文明**(ミノス文明)…〔①〕島(前2000ごろ〜)，民族系統不明
・特徴…開放的な性格の海洋文明，複雑な構造の宮殿建築(クノッソス宮殿)，線文字A(未解読)
・発掘…エヴァンズ(イギリス)

(2)〔②　　　　　〕**文明**…ギリシア本土で形成(前1600ごろ〜)
・民族…インド=ヨーロッパ系のギリシア人，線文字B…ヴェントリス(イギリス)解読
・発掘…シュリーマン(ドイツ)
・小王国…ミケーネ・ティリンス・ピュロスなど，堅固な巨石城塞に囲まれた宮殿
　　専制的な権力をもつ王，農民から農産物や家畜などを貢納させる
・滅亡…「海の民」などの民族の移動による激動→諸王国崩壊，ミケーネ文明滅亡(前1200ごろ)

(3) 混乱期(暗黒時代)…鉄器時代に移行，約400年にわたる文字史料のない混乱期
・ギリシア人…エーゲ海の島々に移動→イオニア人・アイオリス人・ドーリス人(方言の違い)

ポリスの成立と発展

(1) 都市国家の形成(前8世紀)
・有力貴族のもとに集落が連合(〔③　　　　〕，シノイキスモス)→〔④　　　　〕(都市国家)
・〔⑤　　　　　〕(城塞)に神殿，麓の〔⑥　　　　〕(広場)が政治の中心

(2) 植民活動…人口増加→大規模な植民活動にのりだす(前8世紀なかば〜)
・地中海や黒海の沿岸に〔⑦　　　　〕**市**建設→地中海全域でギリシア人の交易活動活発化
・フェニキア人との交流→フェニキア文字を改良したギリシア文字(ギリシア=アルファベット)

(3) 民族意識…各ポリスは独立した国家，統一国家にはならず
・共通の言語と神話…ホメロスの英雄叙事詩，オリンピアの祭典，デルフォイのアポロン神の神託
・異民族との区別…みずからを〔⑧　　　　　〕，異民族を〔⑨　　　　　〕とよぶ

(4) 社会…住民は自由人の〔⑩　　　　〕と隷属身分の〔⑪　　　　〕からなる
・〔⑩〕…貴族・平民の別，世襲の農地(クレーロス)を所有

(5) 貴族政から民主政への移行…貴金属貨幣，交易活動・手工業の活発化が背景
・富裕な平民が自費で武具調達→〔⑫　　　　〕**歩兵**…密集隊形(ファランクス)で防衛の主力に
　→経済力，軍事力をもつ平民→貴族による政権独占に反発する→貴族政から民主政へ

アテネとスパルタ

(1) **アテネ**…民主政が典型的に発展したイオニア人の〔④〕
・ドラコン…慣習法の成文化(前7世紀)
・〔⑬　　　　〕の改革(前6世紀はじめ)
　…負債帳消し，身体抵当の借財禁止→平民の債務奴隷転落防止
　…財産額に応じた政治的権利義務(〔⑭　　　　　〕)→平民の国政参加への道ひらく
・〔⑮　　　　〕…平民の不満を背景として非合法に政権掌握
・〔⑮〕の〔⑯　　　　　　　〕(前6世紀なかば)…中小農民の保護，商工業の奨励など
・〔⑰　　　　　〕の改革(前508)
　…デーモス(区)を基礎とする10部族制，500人評議会創設→民主政の制度的な基盤固める
　…〔⑱　　　　　〕(オストラキスモス)で〔⑮〕の出現を防止

(2) **スパルタ**…少数のスパルタ市民(ドーリス人)が先住民[⑲　　　　　　]（隷属農民)を支配

・劣格市民…[⑳　　　　　　]（周辺民)…商工業に従事，従軍義務を負う，参政権はなし

・スパルタ市民のリュクルゴス制→国力を強め，ギリシア随一の陸軍国に

…少年期から軍事訓練，厳格な規律のもとに集団生活→強力な軍事力維持

…土地の譲渡，貴金属貨幣の使用禁止，鎖国政策→貧富の差の拡大防止

MEMO

Check ① **p.66❷の写真「クノッソス宮殿の復元された壁画」と，❹の写真「ミケーネの獅子門」をみくらべ，それぞれの説明文を参考にして，クレタ文明とミケーネ文明の違いを考えよう。**

[　　　　　　]

Check ② **p.68❶の写真「ギリシアの重装歩兵」に関する次の説明文の空欄に入る語句を答えよう。**

この絵に描かれているように，重装歩兵は[①　　　　　]隊形(ファランクス)を組んで戦った。重装歩兵たちがもっている大きな丸(②　　　　)と突き[③　　　　]などの武具は，交易活動の活発化を背景として富裕になった平民が[④　　　　　]で調達した。重装歩兵の部隊はポリス防衛の主力となり，ポリスが貴族政から[⑤　　　　　]政に移行する要因となった。

Point» **スパルタは，なぜギリシア随一の陸軍国になれたのだろうか。**

[　　　　　　]

2　ギリシア文明(2)

教科書　p.69〜71

ペルシア戦争とアテネの繁栄

(1) **ペルシア戦争**(前500〜前449)…イオニア地方のミレトスなどの反乱がきっかけ
・〔①　　　　　　〕**の戦い**(前490)…アテネ市民の重装歩兵軍がペルシア軍を撃退
・〔②　　　　　　〕**の海戦**(前480)…〔③　　　　　　　　〕指導…アテネ海軍の勝利
・プラタイアイの戦い(前479)…スパルタ軍が中心となりペルシア軍を撃退
・結果…ギリシア側の勝利→ギリシア人がポリスの自由と独立を守りぬいたという自信をもつ
(2)「アテネ帝国」の確立…アテネはペルシア戦争の勝利に大きく貢献
・〔④　　　　　〕**同盟**(前478)結成…ペルシア軍の再来にそなえて結成
(3) 民主政の完成(アテネ)…三段櫂船の漕ぎ手として活躍した下層市民の政治的発言力高まる
・政治家〔⑤　　　　　　　　〕の指導のもとで民主政完成(前5世紀なかばごろ)
(4) 民主政の制度…成年男性市民による徹底した〔⑥　　　　　〕**民主政**の実現
・〔⑦　　　　〕…国政の最高決定機関　・役職は市民のなかから抽選で選出(将軍などをのぞく)
・裁判…民衆裁判所　・参政権…成年男性市民のみ，女性・奴隷・在留外国人は政治から排除

ポリス社会の変容

(1) **ペロポネソス戦争**(前431〜前404)…アテネ(デロス同盟)対スパルタ(ペロポネソス同盟)
・結果…ペルシア支援のスパルタの勝利，アテネ全面降伏(疫病の流行でペリクレスが死亡)
(2) ポリス間の抗争…ペルシアが資金援助によってポリスどうしの争いを助長
・スパルタの変化…貨幣経済の導入→リュクルゴス制が動揺し，弱体化→テーベの台頭
(3) マケドニア王国の台頭
・〔⑧　　　　　　　　　　〕(位前359〜前336)…軍事改革や鉱山経営で国力増強→勢力拡大
→〔⑨　　　　　　　　　〕の戦い(前338)…ギリシア連合軍を破り，ギリシアの覇権掌握

ギリシアの文化

(1) 特徴…オリエントの先進文明の影響を受けつつ，人間中心で合理的な独自の文化
(2) 宗教…多神教，ゼウスを中心とする**オリンポス12神**
(3) 文学(叙事詩，悲劇，喜劇)
・叙事詩…〔⑩　　　　　　　　〕: 英雄叙事詩『イリアス』『オデュッセイア』
〔⑪　　　　　　　　〕:『神統記』『労働と日々』
・三大悲劇詩人…**アイスキュロス・ソフォクレス・エウリピデス**
・喜劇詩人…**アリストファネス**
(4) 哲学
・イオニア地方の〔⑫　　　　　　〕…自然現象を合理的に説明，**タレス**など
・アテネでの直接民主政発展→〔⑬　　　　　　　　〕(弁論術の教師)があらわれる
・〔⑭　　　　　　　〕: 真理の主観性を主張したソフィストに対し，真理の絶対性を説く
・〔⑮　　　　　　〕:〔⑭〕の弟子，イデア論を唱える，『国家』で哲人政治を理想とする
・〔⑯　　　　　　　　　〕:〔⑮〕の弟子，諸学問を集大成
→イスラームの学問や中世ヨーロッパのスコラ学に多大な影響
(5) 歴史
・〔⑰　　　　　　　〕:『歴史』(ペルシア戦争史，「物語的」叙述)

・〔⑱　　　　　　　　　　〕:『歴史』(ペロポネソス戦争史，「実証的」叙述)

(6) 建築・美術…調和と均整の美しさを追求

・建築…ペリクレスのもとで造営されたアテネの〔⑲　　　　　　　〕**神殿**

・彫刻…理想的な人体美を重視，〔⑳　　　　　　　　　〕などが活躍

MEMO

Check ペリクレスが理想としている政治とはどのようなものだろうか。p.70の文字資料『ペリクレスの演説』を読んで考えよう。

〔　　　　　　　　　　　　　　　　　　　　〕

Point» ペロポネソス戦争の前後で，ポリスの戦争の主力はどのように変化しただろうか。

〔　　　　　　　　　　　　　　　　　　　　〕

Try アテネの直接民主政は，現代の民主政と比べてどのような違いがあるだろうか，その違いをうみだした理由も含めて説明しよう。

〔　　　　　　　　　　　　　　　　　　　　〕

3 ヘレニズム時代

教科書　p.72~73

アレクサンドロスの東方遠征

(1) フィリッポス2世…スパルタ以外のギリシアのポリスを集めてコリントス同盟(ヘラス連盟)結成
→ペルシア遠征をくわだてたが前336に暗殺される

(2) [①　　　　　　　　　　](位前336~前323)
…フィリッポス2世のあとをついでマケドニアの王に即位
・東方遠征(前334~)→イッソスの戦い(前333)でペルシア王ダレイオス3世を破る
→アケメネス朝ペルシア滅ぼす(前330)
・大帝国の領域…ギリシア・西アジア・エジプトからインダス川流域
・統治…各地にアレクサンドリア(都市)を建設，ペルシアの支配体制を踏襲
・バビロンで急死(前323)

ヘレニズム世界とその文化

(1) ディアドコイ(後継者)の争い…アレクサンドロスの死後，領土をめぐって部下の将軍たちが争う
・[②　　　　　　　　　　]**朝マケドニア**(前277ごろ~前168)
・[③　　　　　　　　]**朝シリア**(前312~前63)→バクトリア王国，パルティア王国，ペルガモン王国が独立
・[④　　　　　　　　　　]**朝エジプト**(前304~前30)
…首都：[⑤　　　　　　　　　　]…ヘレニズム世界最大の都市に成長，繁栄
・ギリシア…ポリスを基盤とする人々の生活はローマ時代まで存続

(2) [⑥　　　　　　　　]**時代**
…アレクサンドロスの東方遠征からプトレマイオス朝滅亡まで(約300年間)

(3) [⑥]**文化**…諸王国の王がギリシア文化を奨励，各地域の文化の影響を受けたギリシア文化が発展
・言語…[⑦　　　　　　　　](共通語のギリシア語)
・[⑧　　　　　　　　]…[⑤]に設立された王立研究所(大図書館を併設)
著名な学者(特に自然科学)が研究活動に従事
[⑨　　　　　　　　](ユークリッド)：平面幾何学を大成
[⑩　　　　　　　　]：浮体の原理を発見
[⑪　　　　　　　　]：地球の周囲の長さを計測
[⑫　　　　　　　　]：地球の自転と公転を唱える
・哲学…[⑬　　　　　　　　]主義(コスモポリタニズム)…ポリスの枠にとらわれない，個人重視
個人の内面的幸福を追求する哲学
[⑭　　　　　　]**派**…禁欲を説くゼノンが創始
[⑮　　　　　　　　]**派**…精神的快楽を最高善とする
・美術…感情や運動の表現にすぐれた彫刻作品→西アジアに波及，インドや中国，日本に影響
「サモトラケのニケ」・「ミロのヴィーナス」など

MEMO

MEMO

Check p.72**1**の図「アレクサンドロスとダレイオス3世の戦い」について，次の説明文の空欄に入る語句を答えよう。

この絵画は，イタリアの〔①　　　　　　〕で出土した〔②　　　　　　〕画である。左に描かれているアレクサンドロスは，前334年に〔③　　　　〕遠征に出発した。中央やや右に描かれているダレイオス3世は，〔④　　　　　　　〕朝ペルシアの王である。アレクサンドロスはダレイオス3世を前333年に〔⑤　　　　　　〕の戦いで破ったが，この絵画がその戦いを描いたものではないと考えられている。

Try あなたは，この時代にうまれた文化のうち，のちの時代に重要な影響を与えたものは何だと考えるか。理由も含めて説明しよう。

4 ローマ帝国(1)

教科書　p.74~76

都市国家ローマ

(1)〔①　　　　　　〕**人**…ギリシア人植民市建設の影響で，イタリア半島中西部に都市国家形成

(2) 都市国家**ローマ**…ラテン人の一派がイタリア半島中部のテヴェレ河畔に建設

・ローマ市民…〔②　　　　　　〕(貴族)と〔③　　　　　　〕(平民)

・一時，〔①〕人の王に支配される

(3) **共和政**の樹立…王を追放(前6世紀末)→貴族中心の共和政樹立

・執政官=〔④　　　　　　〕…政治・軍事を統括，任期1年で2名

・〔⑤　　　　　〕…公職を経験した貴族たちからなり，国政上大きな力をもつ

・独裁官=〔⑥　　　　　　〕…非常時に1人で全権を掌握，任期半年

・平民…全市民による民会に参加，政治的影響力は限られていた

(4) 平民の政治的地位の向上…重装歩兵として戦いに参加した平民→貴族との対立が激化

・〔⑦　　　　　〕設置…平民代表として〔④〕や〔⑤〕の決定に拒否権を行使できる

・〔⑧　　　　　〕設置…平民だけが参加できる民会

・〔⑨　　　　　〕…慣習法の明文化(平民の要求で前5世紀なかばに実現)

・〔⑩　　　　　　　　　　〕**法**(前367)…〔④〕の1人を平民とする

・〔⑪　　　　　　　　〕**法**(前287)…〔⑧〕の決議が〔⑤〕の承認なく国法となる

・〔⑫　　　　　〕の台頭…上層の平民が新しい貴族となり旧来の貴族とともに実権をにぎる

地中海沿岸の統一

(1) イタリア半島支配…周囲のラテン人，エトルリア人，山岳部族や南部のギリシア人を征服

・**分割統治**…同盟市：征服した諸都市と内容の異なる権利や義務を定めた同盟関係を締結
協力的な都市：上層市民に〔⑬　　　　　　〕**権**を与える
植民市：重要拠点に市民を入植させて建設

(2)〔⑭　　　　　〕**戦争**(前264~前146)…フェニキア人の都市国家〔⑮　　　　　〕との戦争

・第2次〔⑭〕戦争…カルタゴの将軍〔⑯　　　　　　〕に苦しむ
→スキピオがザマの戦いで〔⑯〕を破る

・第3次ポエニ戦争…カルタゴ完全滅亡(前146年)

・ローマは地中海東半部にも進出し，地中海沿岸のほぼ全域を勢力下に入れる

(3) 社会の変化…**属州**支配(第1次ポエニ戦争で獲得したシチリアが最初)

・各属州…元老院議員が総督，富裕者の**騎士**たちが徴税→富を蓄積して大土地所有者になる
→**奴隷**を使役する大規模な農場経営(〔⑰　　　　　　　　〕)をおこなう

・中小農民(ローマ軍の中核)の没落…長期の海外遠征で農地荒廃，安価な属州産穀物の流入

(4)**「内乱の一世紀」**

・〔⑱　　　　　　〕**兄弟**(護民官)…公有地の再分配で中小農民の再建をめざす→挫折

・政界…元老院の権威を尊重する〔⑲　　　　〕**派**と民衆を基盤とする〔⑳　　　　〕**派**が対立

・〔⑳〕派マリウスの軍制改革…市民を志願兵として活用→〔⑲〕派スラとの対立激化

・同盟市戦争(前91~前88)…イタリア諸都市がローマ市民権を要求して反乱
→イタリアの全自由民にローマ市民権を与えて戦争を収拾

・剣闘士〔㉑　　　　　　〕の反乱(前73~前71)

MEMO

Point≫ アテネの民主政とローマの共和政の違いは何だろうか。

〔　　〕

Check ❶ p.75**4**の地図「ポエニ戦争」について説明した文の空欄に入る語句を答えよう。

ローマは，〔①　　　　　　〕人が建設した北アフリカの都市国家〔②　　　　　　〕と3次にわたるポエニ戦争を戦った。第1次ポエニ戦争で勝利したローマは〔③　　　　　　〕島を獲得し，最初の〔④　　　　〕とした。第2次ポエニ戦争は，カルタゴの将軍〔⑤　　　　　　〕がヒスパニアから〔⑥　　　　　　〕山脈をこえてイタリアに侵入し，前216年に〔⑦　　　　　　〕でローマ軍を破った。しかし，ローマは〔⑧　　　　　　〕を北アフリカに派遣して，前202年に〔⑨　　　　　　〕の戦いで〔⑤〕を破った。そして，第3次ポエニ戦争で，前146年に〔②〕を完全に滅亡させた。地図に示されているように，ポエニ戦争でローマは地中海沿岸のほぼ全域を勢力下におくこととなった。

Check ❷ p.76**1**のモザイク画「剣闘士」について，どのような人々が剣闘士になったのだろうか。

〔　　〕

4　ローマ帝国(2)

教科書　p.76〜80

共和政から帝政へ

(1) 第1回**三頭政治**(前60〜前53)

・**カエサル**(平民派)…ガリアを征服して勢力強める

・[①　　　　　　　　](大富豪)…パルティア遠征中に戦死

・[②　　　　　　　　　　](有力将軍)…閥族派と組んでカエサルに対抗

(2) カエサルの独裁

・カエサル…内戦に勝利し，独裁官として諸改革実施→終身独裁官に→ブルトゥスらが暗殺(前44)

(3) 第2回三頭政治(前43〜前36)→カエサル暗殺者たちを打倒

・カエサルの養子**オクタウィアヌス**，カエサルの部下[③　　　　　　　　　　]，レピドゥス

・オクタウィアヌス…プトレマイオス朝の女王[④　　　　　　　　　　]と結んだ[③]と対立

→[⑤　　　　　　　　　　]**の海戦**(前31)で勝利→エジプト併合，プトレマイオス朝滅亡

(4) [⑥　　　　　　　](プリンキパトゥス)…市民の第一人者(プリンケプス)による政治

・オクタウィアヌス…[⑦　　　　　　　　　　](尊厳なる者)という添え名を元老院が与える

→元老院尊重，軍の最高司令官(インペラトル)→実質的な[⑧　　　　　　]のはじまり

「ローマの平和」

(1)「**ローマの平和**([⑨　　　　　　　　　　　])」…2世紀にわたるローマ帝国の平和維持

・「**パンと見世物**」…皇帝は食糧と娯楽を提供して社会の安定をはかる

・**五賢帝**時代…[⑩　　　　　　　　]**帝**(位98〜117)の時代に，最大版図となる

・繁栄…街道網，各地にローマ風の都市建設→上層市民による自治がおこなわれる

　　公共広場(フォルム)，神殿，公共浴場，水道，劇場などの公共施設の整備

・ローマ市民権…徐々に拡大→カラカラ帝が帝国内の全自由民にローマ市民権付与(212)

・人やモノの交流…パルティアやササン朝ペルシア，アラビア半島やインドと交易，中国とも交流

キリスト教の誕生

(1) [⑪　　　　　　　]…ユダヤ教の律法主義と祭司たちの堕落を批判→神の愛，神の国の到来を説く

→パリサイ派や支配層が危険視して総督ピラトゥスに告発→[⑪]は十字架で処刑される

(2) **キリスト教**の成立と広がり

・復活の信仰…[⑪]を救世主**キリスト**とする**キリスト教**成立

・[⑫　　　　　　　]，[⑬　　　　　　　]らが各地で布教→信者増加

・『[⑭　　　　　　]**聖書**』に含まれる文書の成立

ローマ帝国の変容

(1) [⑮　　　　　　　　]**時代**…軍隊の支持にたよる短命な皇帝が続く

・ゲルマン人の侵入，ササン朝ペルシアがローマへの攻勢を強める

(2) [⑯　　　　　　　　　　　　　　]**帝**(位284〜305)

・四帝統治(四分統治)体制，後期帝政…[⑰　　　　　　　　　　](ドミナトゥス)

(3) [⑱　　　　　　　　　　　　　]**帝**(位副帝306〜，正帝310〜337)…帝国の再統一をはたす

・ソリドゥス金貨発行…混乱していた通貨制度の立て直し

・**コロヌス**(小作人)を用いた[⑲　　　　　　　　　　]拡大→徴税強化のためコロヌスの移動禁止

・新たな都…[⑳　　　　　　　　　　　　　　](コンスタンティノポリス)建設

MEMO

Check ① p.77 2 の地図「ローマ帝国の領域」をみて，次の説明文の空欄に入る語句を答えよう。

ローマの領土は，〔①　　　　　〕戦争終結時において，西はヒスパニア，東はギリシア，南はアフリカ北部に広がった。第1回三頭政治の時期，カエサルは〔②　　　　　〕を征服した。さらに，オクタウィアヌスは，〔③　　　　　　　　〕朝のクレオパトラを〔④　　　　　　　　〕の海戦で破ってエジプトを併合した。その後もローマ帝国の領土拡張がすすみ，五賢帝の〔⑤　　　　　　　〕帝の時代に最大領域となった。領域内には，多くのローマ風の都市が建設されたが，ルテティアは現在の〔⑥　　　　　〕，ロンディニウムは現在の〔⑦　　　　　　〕，コロニア=アグリッピナは現在の〔⑧　　　　　〕である。

Check ② p.78 の文字資料『ある解放奴隷の半生』を読んで，ローマ社会における解放奴隷の位置づけを読み取ってみよう。解放された経緯および解放された後の人生から考えよう。

〔　　　　　　　　　　　　　　　　　　　　　　　　〕

Point≫ キリスト教が誕生した背景は何だろうか。

〔　　　　　　　　　　　　　　　　　　　　　　　　〕

4 ローマ帝国(3)

教科書　p.80〜83

キリスト教の拡大

(1) キリスト教徒の迫害…ディオクレティアヌス帝による大規模な迫害(4世紀初頭)
(2) コンスタンティヌス帝：〔①　　　　　〕**勅令**(313)…信教の自由の保障(キリスト教公認)
　→保護下で**教会**発展→各地で大規模な教会堂建設
(3) 〔②　　　　　〕**公会議**(325)
　・正統…〔③　　　　　〕の説：父たる神と子たるイエスを同一とする説
　・異端…〔④　　　　　〕の説：イエスの人性を強調する説
　　　→〔④〕派…北方のゲルマン人の間に広まる
(4) ユリアヌス帝(「背教者」)…一時的に多神教の復興をはかる
(5) 〔⑤　　　　　〕**帝**：他の神々の祭祀を禁止→キリスト教の事実上の国教化(392)
　→〔⑥　　　　　〕ら〔⑦　　　　　〕(教会指導者)たちの教義をめぐる論争続く
(6) 〔⑧　　　　　〕**公会議**(431)
　・異端…〔⑨　　　　　〕の説：イエスの人性と神性を分離する説
　　　→〔⑨〕派…ササン朝ペルシアを経て東へと伝播→中国では景教とよばれる
(7) 〔⑩　　　　　〕公会議(451)
　・正統…〔⑪　　　　　〕**説**：父たる神，子たるイエス，聖霊→正統教義として確立
　・異端…〔⑫　　　　　〕**論**(シリア，エジプトの諸教会)：イエスに神性のみを認める

古代末期のローマ帝国

(1) テオドシウス帝死去(395)→帝国全体を単独で統治する皇帝は出現せず(ローマ帝国の東西分裂)
(2) 帝国西部…ゲルマン人諸部族侵入(5世紀)→各地に王国をたてる
　→ゲルマン人傭兵隊長〔⑬　　　　　〕…西の皇帝の帝位を東の皇帝に返上(476)
(3) 帝国東部…コンスタンティノープルを中心として中世末まで存続→〔⑭　　　　　〕**帝国**
　→〔⑮　　　　　〕**帝**…地中海規模での支配再建(6世紀)
　→イスラーム勢力拡大(7世紀以降)で支配地域縮小

ローマの文化

(1) 特徴…土木技術，法律など実践的な学問が発達
(2) 土木技術…〔⑯　　　　　〕(円形闘技場)，パンテオン(万神殿)，公共浴場，水道橋，
　　　　アッピア街道など
(3) 法律…**ローマ法**…市民法から万民法へ
　　　トリボニアヌスらが『〔⑰　　　　　〕』大成(ユスティニアヌス帝の命による)
(4) ギリシア語(帝国東部)…ポリュビオス：『歴史』，ストラボン：『地理誌』
　　　プトレマイオス：天動説，〔⑱　　　　　〕：『対比列伝(英雄伝)』
(5) ラテン語(帝国西部)…カエサル：『ガリア戦記』
　　　〔⑲　　　　　〕：ローマ建国叙事詩『アエネイス』
　　　リウィウス：『ローマ建国史』，**プリニウス**：『博物誌』
　　　〔⑳　　　　　〕：『ゲルマニア』『年代記』
(6) 思想…ストア派哲学流行…**キケロ**，セネカ，マルクス=アウレリウス=アントニヌス帝：『自省録』

MEMO

Point» コンスタンティヌス帝以降，公会議が何度も開かれた目的は何だろうか。

［　　　　　　　　　　　　　　　　　　　　　　　　］

Check p.83の文字資料『タキトゥスによるローマ帝国支配批判』を読み，「ローマの平和」は，ローマ帝国の支配下におかれた人々にはどのように受け止められたのかについて考えよう。また，その状況をタキトゥスはどのように考えたのだろうか。

［　　　　　　　　　　　　　　　　　　　　　　　　］

Try あなたは，ローマが広大な帝国を建設することができた最も大きな要因は何だと考えるか，理由も含めて答えよう。

［　　　　　　　　　　　　　　　　　　　　　　　　］

5 西アジアの国々と諸宗教

教科書　p.84～85

» バクトリアとパルティア

(1)〔①　　　　　　〕(前255ごろ～前139)
・アム川上流域のギリシア人がセレウコス朝から自立
・インド北部に勢力拡張→ギリシアの文化と仏教が出会う舞台となる
・北方からの遊牧民の攻撃により衰退

(2)〔②　　　　　　〕(前248ごろ～後224)…中国名「安息」(司馬遷『史記』)
・イラン高原北東部，〔③　　　　　　〕がセレウコス朝の支配から独立した
・メソポタミアに勢力拡大(前2世紀なかば)
　→都：〔④　　　　　　〕(ティグリス川東岸)建設
・クラッスス率いるローマ軍を撃退(前1世紀)→ユーフラテス川をはさんでローマ帝国と対峙
・漢とローマを結ぶ通商路をおさえて繁栄
・言語と文化…アラム語，パルティア語，ギリシア語
　　　　　　…ギリシア系の人々が多い都市ではヘレニズム文化が広まる
・トラヤヌス帝以降ローマ帝国の攻勢→パルティア衰退
・滅亡…〔⑤　　　　　〕**朝ペルシア**の〔⑥　　　　　　　　〕に滅ぼされる(224)

» ササン朝ペルシア

(1)〔⑦　　　　　　　　〕(位241～272)…中央集権体制確立
・戦果…東：クシャーナ朝から領土を奪う
　　　　西：ローマ皇帝〔⑧　　　　　　　〕を捕虜とする

(2) 5世紀…中央アジアの遊牧民〔⑨　　　　　〕の侵入に苦しめられる

(3)〔⑩　　　　　　〕(位531～579)
・突厥と結んで〔⑨〕を滅ぼす
・西：ユスティニアヌス帝と対立して優位にたつ

(4) 文化
・インドやギリシアの文化的影響，アケメネス朝以来の伝統を意識した文化
・言語…ペルシア語

(5) 宗教
・国教：〔⑪　　　　　　〕**教**…経典『〔⑫　　　　　　　〕』が編纂される
・〔⑬　　　　〕**教**…ゾロアスター教の善悪二元論にキリスト教や仏教などの要素を融合
　→ササン朝で弾圧された→ローマ帝国，中国に伝わる
・ユダヤ教，ネストリウス派キリスト教…信徒獲得
・ユダヤ教，キリスト教…アラビア半島からアフリカ大陸の内陸部に広がる
　→〔⑭　　　　　〕王国(エチオピア高原)…キリスト教を受容(4世紀)，独自の文化を発展させる

(6) 衰亡
・衰退…ビザンツ帝国との抗争，宮廷の内紛，イスラームの勢力拡大(7世紀)
・滅亡…〔⑮　　　　　　　〕**の戦い**(642)でイスラーム勢力に敗北→滅亡(651)

MEMO

Check p.84**3**の写真「シャープール1世の戦勝レリーフ」について説明した次の文の空欄に入る語句を答えよう。

馬上のシャープール１世は，〔①　　　　　　　　〕を滅ぼしてササン朝ペルシアを建国した〔②　　　　　　　　〕の跡をついだ王である。シャープール１世は，北西インドの〔③　　　　　　　　〕朝から領土を奪うとともに，写真左奥のローマ皇帝〔④　　　　　　　　〕を捕虜とするなどの戦果をあげた。写真のレリーフには，２人のローマ皇帝が馬上のシャープール１世のもとに描かれており，この時代にササン朝がローマ帝国に対して優位にあったことがうかがえる。

Try パルティアやササン朝が東西文化の交流にはたした役割をまとめてみよう。

〔　　　　　　　　　　　　　　　　　　　　〕

1～2世紀の世界　ユーラシア東西でつながる交易路

教科書　p.86～87

» インド洋(アラビア海)を渡る航海

Check **資料①の空欄にあてはまる風の名を，資料②の下線部を参考に答えよう。また，この風の特徴について調べてみよう。**

1　**資料**①の空欄にあてはまる風の名　〔　　　　　　　　　〕

2　**資料**①の風の特徴

〔　　　　　　　　　　　　　　　　　　　　　　　　　　　　　〕

» 海路と陸路の交易の比較

Check ① **資料③・④(パルミラ出土のレリーフ)を参考に，資料⑤・⑥の空欄A・Bにあてはまる運搬手段が何か考えてみよう。**　A：〔　　　　〕　B：〔　　　　　〕

Check ② **資料⑤・⑥から，それぞれの交易品の特徴を比較して，どちらが近郊との交易に適しているか，理由も含めて考えてみよう。**

1　**資料**⑤で運ばれている輸入品をあげよう。

〔　　　　　　　　　　　　　　　　　　　　　　　　　　　　　〕

2　**資料**⑥で関税が課されている商品をあげよう。

〔　　　　　　　　　　　　　　　　　　　　　　　　　　　　　〕

3　**資料**⑤と**資料**⑥の商品のうち，遠方から運ばれた貴重なものが多いのはどちらか。

〔　　　　　〕

4　遠方との交易に適している運搬手段は，**資料**③と**資料**④のどちらか。　〔　　　　　〕

5　**資料**⑥の商品にはどのような特徴があるだろうか。それらが遠隔地と近郊のどちらで入手するのがよいかも合わせて考えてみよう。

〔　　　　　　　　　　　　　　　　　　　　　　　　　　　　　〕

» 東西をつないだ金貨

Check ① **クシャーナ朝はなぜ資料⑦のような金貨を発行することができたのか，交易という視点で考えてみよう。教科書p.57からクシャーナ朝の交易の様子を抜き出してみよう。**

〔　　　　　　　　　　　　　　　　　　　　　　　　　　　　　〕

→この結果，クシャーナ朝は金貨を発行できるほどの富を得ていたと考えられる。

Check ② **資料⑧の金貨はどこから来たか。また，どうしてこのような金貨が教科書p.86～87の地図上の●の地点でたくさん出土しているのだろうか。**

1　**資料**⑧の金貨に刻まれている「AUGUSTUS」とはだれのことか。　〔①　　　　　　　　〕

→よってこの金貨は，〔②　　　　　　　〕で発行されたものだと考えられる。

2　地図上の●の地点は，おもにクシャーナ朝の首都周辺と，〔①　　　　　　〕の東岸や南部に分布している。

→よって陸路・海路とも〔②　　　　　　　　　　　　〕がさかんであったからと考えられる。

≫大秦国と後漢の通交

Check ①　資料⑨の空欄にあてはまる人物はだれか。また「安息」とはどこの国か。さらに地図や資料⑨・⑩から，東西交易において「安息」のはたした役割を考えてみよう。

1　**資料⑨**の空欄にあてはまる人物はだれか。　〔　　　　〕

2　「安息」とはどこの国か。　〔　　　　　　〕

3　「安息」のはたした役割は何か。

・地図から：安息は〔①　　　　　　　　　　　〕位置にある。

・**資料⑨**から：後漢は大秦国と〔②　　　　　　　　　　〕。

安息西界の人は〔③　　　　　〕で，〔④　　　　　〕の航海について熟知している。

・**資料⑩**から：安息は〔⑤　　　　〕と〔⑥　　　　　〕の貿易を妨害していた。

・よって，安息のはたした役割は〔⑦　　　　〕と〔⑧　　　　　　〕を結ぶ中継貿易を行うとともに，両国の交易を妨げたことで，両国を直接通交させるきっかけも与えた。

Check ②　資料⑩に出てくる「大秦王の安敦」とは，どこの国のだれのことか。また，彼の使者が到達したとみられる「日南郡」はどこか，地図上でさし示そう。

1　**資料⑩**の人物は，〔①　　　　　　　〕の〔②　　　　　　　　　　　　　　　　〕

2　右の地図で「日南郡」の位置にマークしよう。

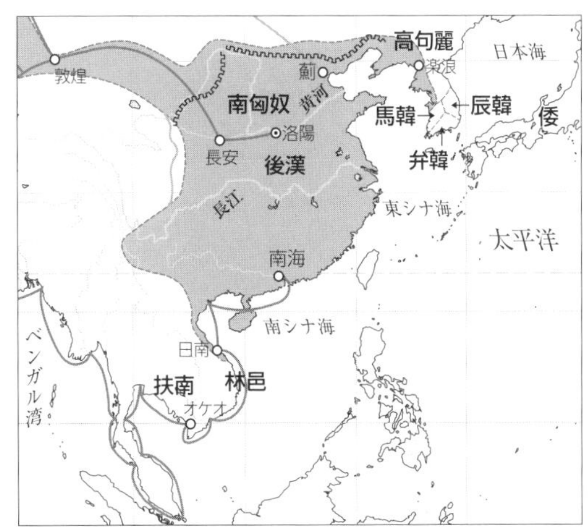

Check ③　資料⑩の下線部の「朝貢」とは，どのような意味をもつものであるか，教科書p.39のKeyWordを確認してまとめてみよう。

〔　　　　　　　　　　　　〕

Try　この時代，ユーラシアの東西を結ぶ遠距離の交易が可能となった理由を考えてみよう。また，次の3世紀のローマや中国，「安息」などの状況をふまえると，陸路と海路のどちらが発展していくと思うか，まとめてみよう。

〔　　　　　　　　　　　　〕

1　ビザンツ帝国とギリシア正教圏

教科書　p.88～91

≫ ビザンツ帝国の盛衰

(1) 〔①　　　　　　　〕**帝国**(東ローマ帝国)…ローマ帝国の東部，**コンスタンティノープル**中心

(2) 〔②　　　　　　　　　　〕**帝**(位527～565)

・ヴァンダル王国，東ゴート王国を滅ぼし，イベリア半島の西ゴート王国南部獲得
→ローマ帝国の旧地中海領土をほぼ回復

・キリスト教君主として…〔③　　　　　　　　　　〕**大聖堂**などの教会堂を建設

・ローマ皇帝として…『〔④　　　　　　　　〕』(古代ローマ以来の法の集成)を編纂させる

・経済政策…中国から養蚕技術を導入，国家主導による農業や商工業の振興

・〔②〕帝死後…ランゴバルド人のイタリア侵入など→西地中海支配後退

(3) 〔⑤　　　　　　　　　　〕(位610～641)

・東方の防衛…ササン朝ペルシア，アヴァール人の侵入をふせぐ

・イスラーム勢力の台頭→領土縮小

(4) 9世紀後半…ブルガリア征服，貴族勢力の台頭で衰退

(5) 十字軍…セルジューク朝にアナトリアを奪われる(11世紀)→ローマ教皇に十字軍の派遣を要請

・第4回十字軍…コンスタンティノープルを占領される(1204)→首都回復(1261)

(6) 滅亡…オスマン帝国によるコンスタンティノープル陥落(1453)

≫ ビザンツ帝国の社会と文化

(1) 〔⑥　　　　　　　〕(**テマ制**，7世紀初頭～)…ヘラクレイオス1世から

・制度…辺境地域の司令官に現地の管理を一任→外敵侵入時，土地を保有する現地の自由農民を徴発
司令官がしだいに世襲貴族化

(2) 〔⑦　　　　　　　　〕**制**(11世紀～)

・国家が軍事奉仕を条件として貴族に土地管理をゆだねる→地方分権化がすすむ

(3) コンスタンティノープル…地中海の商業や文化を支える都市，ユダヤ人やムスリムが往来

・ソリドゥス金貨(ノミスマ)…地中海圏の基軸通貨として帝国の繁栄を支える

(4) 文化…**ギリシア正教**にもとづく文化が発展

・公用語…**ギリシア語**(7世紀～)→古代からのギリシア文化を守り，西ヨーロッパに伝える

・美術，建築…円屋根とモザイク画を特徴とする〔①〕**様式**

・スラヴ人の教化…〔⑧　　　　　　〕**文字**(9世紀)，〔⑨　　　　　　〕(聖画像)作製

≫ ギリシア正教と正教諸国

(1)**スラヴ人**…東ヨーロッパやバルカン半島に定住→ギリシア正教の布教

・〔⑩　　　　　　〕**人**：ポーランド人，チェコ人など→ラテン=カトリック圏に属する

・〔⑪　　　　　　〕**人**：バルカン半島に広がる→〔⑫　　　　　　　〕**人**…ギリシア正教に改宗

・〔⑬　　　　　　〕**人**：ロシア人，ウクライナ人など

(2) **ブルガール人**(トルコ系)…バルカン半島に〔⑭　　　　　　　　〕**王国**建国(7世紀)
→ギリシア正教に改宗後，ビザンツ帝国に併合される→王国再興(12世紀)→南スラヴ人と同化

(3) ダキア(のちのルーマニア)…ワラキア公国，モルダヴィア公国成立(14世紀)

(4) キエフ公国…ロシアに東スラヴ人が定住，ヴァイキングの刺激により国家形成促進

・〔⑮　　　　　　　　　　〕(位978～1015)(キエフ公国の大公)…ギリシア正教を国教に

・大土地所有制進展，農奴制発展(11世紀)→諸侯国の自立化がすすむ(12世紀)

・モンゴルの攻撃(13世紀)…キプチャク=ハン国の支配に服す

(5)〔⑯　　　　　　　〕**大公国**…勢力拡大(14世紀)→〔⑯〕をロシア正教の中心地に

・〔⑰　　　　　　　〕(位1462～1505)…ノヴゴロドなどを併合，モンゴルの支配から独立(1480)

→最後のビザンツ皇帝の姪と結婚し，〔⑱　　　　　　〕(皇帝)の称号を用いる

MEMO

Check p.89**2**の写真「ハギア=ソフィア大聖堂」に関する次の説明文の空欄に入る語句を答えよう。

ハギア=ソフィア大聖堂は〔①　　　　　　　　〕帝が命じて建設された。中央の巨大なドームは，〔②　　　　　　〕様式の特徴である。また，内部にはキリストや聖母マリアが〔③　　　　　　〕画で描かれている。大聖堂のまわりにある4つの尖塔は，1453年にビザンツ帝国が〔④　　　　　　〕帝国に滅ぼされたのち，イスラームのモスクとされたためにつけられたものである。

Point» 7世紀ごろのビザンツ帝国の政治・軍事的な変化は，何が原因だったのだろうか。

〔　　　　　　　　　　　　　　〕

Try あなたは，なぜビザンツ帝国が約1000年間も存続できたと考えるか。理由を説明しよう。

〔　　　　　　　　　　　　　　〕

2　ラテン=カトリック圏の形成と展開(1)

教科書　p.92～95

ヨーロッパの自然環境

(1) 地形…海域に囲まれて河川が複雑に入り組む，河川の源流はピレネー山脈，アルプス山脈など

(2) 気候…寒冷な北極圏，乾燥高温の地中海など多様→変化に富んだ景観

(3) 人間集団の移動…ユーラシア世界の一部として，諸民族と交渉しながら独自の文化を築きあげる

ゲルマン人国家の成立

(1) **ゲルマン人**…バルト海沿岸部が故郷

・戦士階層による〔①　　　〕を最高の意思決定機関とする部族集団

・ヨーロッパに広範囲に定住していた〔②　　　〕**人**の領域へ移動

・ライン・ドナウ川流域でローマと接触→一部はローマ帝国領内へ(家内奴隷，兵士，商人など)

(2) **ゲルマン人の大移動**

・遊牧民族の〔③　　　〕**人**…中央アジアからヨーロッパへ移動(4世紀なかば)

→黒海北岸の〔④　　　〕**人**を服属，ドナウ川沿いの〔⑤　　　〕**人**を圧迫

→〔⑤〕人…庇護を求めてローマ帝国に流入(376)→他のゲルマン諸族も帝国内へ移動

・〔③〕人…**アッティラ王**，パンノニア平原拠点に西方進出→カタラウヌムの戦いで敗北(451)

(3) ゲルマン人の諸王国

・〔⑤〕人…イタリアに侵入→ローマを一時占領→イベリア半島に移動して〔⑤〕王国建設

・〔④〕人…テオドリック王がイタリアに侵入→西ローマ帝国を滅亡させたオドアケルを倒す

→〔④〕王国建国

・〔⑥　　　〕**人**…ガリアからイベリア半島を経て北アフリカに建国(5世紀)

・アングル人，サクソン人…ユトランド半島周辺からブリタニア南部に渡る

→ブリテン諸島各地にウェセックスなど小王国をたてる(6世紀末)

・諸王国の運営…移住先のローマ帝国の法，行政機構，文書制度を継承

フランク王国

(1) 〔⑦　　　〕**人**…ガリア北部に拡大

(2) 〔⑧　　　〕**朝**…〔⑨　　　〕が〔⑦〕人を統合→アタナシウス派に改宗(496)

→**フランク王国**…ローマ教会との結びつきを強め，先住のローマ系貴族を支配者層にとりこむ

・宮宰〔⑩　　　〕

…ウマイヤ朝(イスラーム)を〔⑪　　　〕**の戦い**で破る(732)

(3) 〔⑫　　　〕(〔⑩〕の子)…ローマ教皇の承認のもとに〔⑬　　　〕**朝**を開く

…ランゴバルド王国を破り，ラヴェンナなどをローマ教会に寄進(「〔⑫〕の寄進」)

→〔⑭　　　〕**領**の起源→フランク王国とローマ教会の関係強化

修道院とローマ教会

(1) ローマ教会…教義の統一と組織の整備→〔⑮　　　〕**教会**確立

・使徒ペテロを創建者として全キリスト教会の首位の座を主張…司教は**教皇**と称する

・コンスタンティノープル教会の総主教…ローマ教会と首位権を競う→のちのギリシア正教会

(2) 修道運動…〔⑯　　　〕がモンテ=カッシーノに修道会を創設(529ごろ)

(3) 教皇〔⑰　　　〕…フランク王国に接近，カトリックの拡大をはかる

→ヨーロッパ各地に教会と〔⑱　　　〕建設→ローマ=カトリック教会と教皇の指導力強まる

(4) ローマ=カトリック教会とギリシア正教会の対立

・ビザンツ皇帝〔⑲　　　　　　　〕が〔⑳　　　　　　　〕発布(726)→東西教会の対立決定的

・両教会がたがいに破門することで分離(1054)

→ヨーロッパ…**ラテン=カトリック圏**と**ギリシア正教圏**にわかれる

MEMO

Check① p.93**3**の地図「ゲルマン人の大移動」をみて，ゲルマン人の諸王国がそれぞれどこに建国されたのかを確認して，次の地図中の〔　　〕に王国名を記入しよう

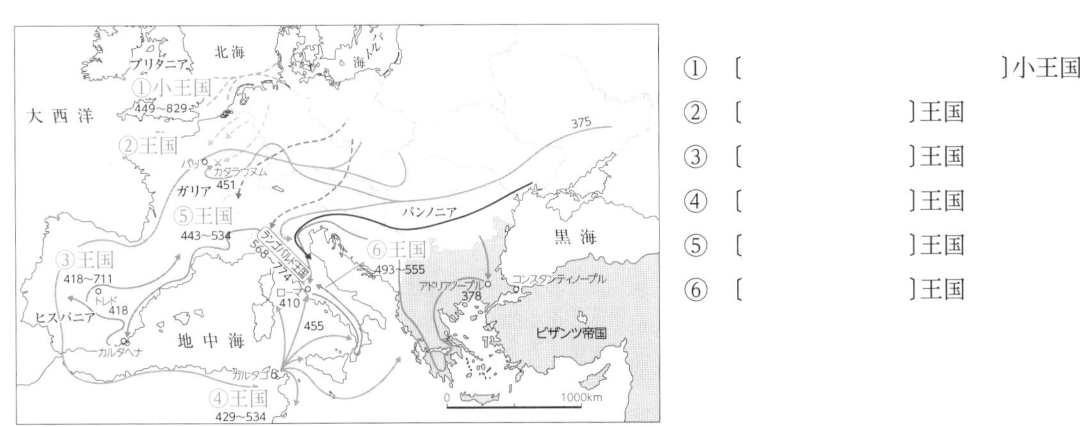

① 〔　　　　　　　　　　〕小王国

② 〔　　　　　　　〕王国

③ 〔　　　　　　　〕王国

④ 〔　　　　　　　〕王国

⑤ 〔　　　　　　　〕王国

⑥ 〔　　　　　　　〕王国

Check② p.94**1**の図「クローヴィスの洗礼」に関する次の説明文の空欄に入る語句を答えよう。

5世紀末，〔①　　　　　　　〕朝のクローヴィスは，フランク人を統合した。他のゲルマン人国家が〔②　　　　　　〕派のキリスト教を信仰するなかで，クローヴィスは〔③　　　　　　〕教会が正統とする〔④　　　　　　〕派のキリスト教の洗礼を受けた。この結果，フランク王国は〔③〕教会との結びつきを強め，ローマ系貴族を支配者層にとりこむこととなった。

2 ラテン=カトリック圏の形成と展開(2)

教科書　p.95〜98

» カール大帝

(1) **カール大帝(シャルルマーニュ)**(位768〜814)…フランク王国を単独で支配(771〜)
・外征：ランゴバルド王国を滅ぼす，ザクセン人，スラヴ人服属，アヴァール人撃退
・統治：在地の貴族を**伯**に任命→現地の司法や行政を委任，巡察使が伯を監督
・文化政策：〔①　　　　　　　　　　　〕(学芸復興)…修道士アルクインらをまねく
(2) カールの戴冠(800)…ローマ教会がビザンツ帝国と対立し，政治上の保護者を求める
・教皇〔②　　　　　　　〕…カールにローマ皇帝の冠を授ける→西ローマ帝国の理念的な復興

» フランク王国の分裂

(1) フランク王国の分裂…〔③　　　　　　　　〕**条約**(843)，〔④　　　　　　　〕**条約**(870)
→イタリア・西フランク・東フランクに分裂→それぞれ，1世紀の間にカロリング家断絶
→外敵の侵入…北方：ヴァイキング，東方：マジャール人，南方：イスラーム勢力
(2) **東フランク**…諸侯の選挙で国王選出
・ザクセン家の〔⑤　　　　　　　　〕(位936〜973)…**マジャール人**を退ける
→教皇によりローマ皇帝として戴冠(962)…〔⑥　　　　　　　〕**帝国**の起源
→領域内の司教，修道院長を任命…帝国教会政策をすすめる
(3) **西フランク**…**ユーグ=カペー**(パリ伯)が〔⑦　　　　　　〕**朝**を開く(987)

» ヴァイキングの拡大

(1) **ヴァイキング**…造船技術と操船術を駆使し，北ヨーロッパ各地に拡大(8世紀末〜)
・キリスト教受容…デンマーク・ノルウェー・スウェーデンの3王国成立
(2) 西方…スコットランド，アイルランド，ウェールズ，イングランドの内陸部に侵入
・ウェセックスが他の王国を統合→〔⑧　　　　　　　　〕**王**がヴァイキングを撃退(9世紀末)
・〔⑨　　　　　　　〕**王国**成立(10世紀)
・デンマークの〔⑩　　　　　　　〕…〔⑨〕王国を征服(11世紀初頭)
→〔⑩〕の死後，アングロ=サクソン王家の支配復活
(3) 東方…ルーシにより〔⑪　　　　　　　〕**国**成立→南下して〔⑫　　　　　　〕**公国**成立

» ノルマン人の展開

(1) 〔⑬　　　　　　　　〕**公国**…西フランク王からロロがセーヌ川河口の領有を認められる
→〔⑬〕公国の出身者=**ノルマン人**
(2) ノルマンディー公ギヨーム(ウィリアム)…イングランド征服(ヘイスティングズの戦い)
→〔⑭　　　　　　　　　〕として即位…**ノルマン朝**の成立(ノルマン=コンクェスト)
(3) 地中海進出…南イタリアとシチリアを占拠→ノルマン朝の〔⑮　　　　　　　〕**王国**成立

» 封建社会の成立

(1) **封建制**…ゲルマン戦士層の〔⑯　　　　　〕**制**とローマ帝国の〔⑰　　　　　　〕**制度**が結びつく
・**封建的主従関係**…国王，聖俗諸侯，**騎士**が土地を媒介としておたがいに義務を負う
主君…臣下に**封土**(領地)を与える　臣下…主君に忠誠を誓い軍事的奉仕の義務を負う
(2) 荘園制…世俗の有力者，教会，修道院が領地を**荘園**として経営
・荘園…**領主直営地**，**農民保有地**，森林や牧草地などの共同利用地(入会地)からなる
・領主…〔⑱　　　　　　〕**権**保持，〔⑲　　　　　　　〕**権**(役人の立ち入りや課税の免除)獲得

・農民…自由農民(農地を所有し領主から独立), **農奴**(不自由な身分)
・農奴…**賦役**(領主直営地で週３日ほど労働), **貢納**(生産物の一部を納入する義務)
移動の自由なし, 結婚税や死亡税, 教会に〔⑳　　　　　〕**税**をおさめる

(3) **封建社会**…封建制と荘園制を基本構成原理とする社会(地域によって多様)

MEMO

Point≫ フランク王国が発展した理由は何だろうか。

〔　　　　　　　　　　　　　　　　〕

Check p.98の文字資料『農夫ボドの生活』を読み, 農夫ボドの義務は何か答えよう。

〔　　　　　　　　　　　　　　　　〕

Try なぜ, 中世の西ヨーロッパではローマ教会が大きな力をもちえたのだろうか。その理由を含めて説明しよう。

〔　　　　　　　　　　　　　　　　〕

3　イスラーム圏の成立(1)

教科書　p.99～101

» イスラーム以前のアラビア

(1) アラビア半島…乾燥地帯(西南部をのぞく)，砂漠にオアシス都市が点在

・[①　　　　　]**人**…遊牧，農耕，ラクダを使った商業活動

(2) アラビア半島の宗教(イスラーム以前)…[①]人は石・木・泉などの精霊を信仰，偶像を崇拝

・**メッカ**(マッカ)…黒石がはめこまれた[②　　　　　]**神殿**，多神教の聖地の一つ

・一神教…ユダヤ教徒：一部がヒジャーズ地方のヤスリブ(のちの[③　　　　　])などに移住

キリスト教徒：中央アラビアやヒジャーズ地方に居住

» イスラームの誕生

(1) **ムハンマド**(570?～632)…メッカのクライシュ族出身

・唯一神=[④　　　　　]の啓示を受け，[⑤　　　　　]を自覚

→従来の多神教と偶像崇拝を否定，[④]への絶対帰依=**イスラーム**を説く

(2) [⑥　　　　　](聖遷)(622)…背景：ムハンマドに対するメッカの有力者たちの迫害

・ムハンマドが[⑦　　　　　]とともに[③]に移住(622)…[⑥]暦(イスラーム暦)元年

→イスラーム共同体＝[⑧　　　　　]樹立→メッカを屈服させる(630)

→アラビア半島の大部分を勢力下に

» イスラームの教え

(1)『[⑨　　　　　](コーラン)』…650年ごろにまとめられる

・ムハンマドが受けた[④]の啓示が口承で伝えられ，その内容をまとめた**アラビア語**の書物

・内容：信仰信条・宗教行為，倫理，世俗生活の規範(結婚や商行為)など

(2) [⑩　　　　　](イスラーム法)…[⑪　　　　　](イスラーム知識人)が規定

・内容：『[⑨]』やムハンマドの言行(スンナ)を伝える伝承(ハディース)などを[⑪]が解釈

(3) イスラームの教え…信徒はすべて平等，預言者は神性をもたない，聖職者を認めない

(4) ムスリムの義務…**六信五行**，ジハード(聖戦)への参加・協力

» アラブ人ムスリムの発展

(1) [⑫　　　　　]**時代**(632～661)…**カリフ**(ハリーファ)が[⑧]を指導

・初代アブー=バクルから第4代まで…[⑧]の合意を得てカリフ位に就任

…ビザンツ帝国からシリアやエジプトを奪う，ササン朝を滅ぼす

・征服地に軍営都市(ミスル)築く…総督(アミール)が軍政→アラブ軍兵士に俸給(アター)支給

(2) [⑬　　　　　]**朝**　(661～750)

・第4代カリフの[⑭　　　　　]が陣営内で暗殺される

→対決していたシリア総督[⑮　　　　　]がダマスクスで政権をにぎる

→[⑬]家がカリフ位を世襲

・[⑭]を支持する党派を起源として[⑯　　　　　]**派**が形成される

・領土拡大…西トルキスタンから西北インド，イベリア半島の西ゴート王国を滅ぼす

→フランク王国領を北進するが，[⑰　　　　　]**の戦い**で敗北(732)

・統治…アラブ人による異民族支配(アラブ帝国)→アラブ支配層は俸給・年金・免税などの特権

被征服民…[⑱　　　　　](人頭税)，[⑲　　　　　](地租)の負担

→生命・財産の安全，従来の信仰の容認

MEMO

Point» ウマイヤ朝のカリフは，正統カリフ時代と比べてどう違うか。

〔　　　　　　　　　　　　　　　　　　　〕

Check ① p.99 **2** の写真「カーバ神殿」の説明として誤っているものを一つ選ぼう。　〔　　　〕

① カーバ神殿は，サウジアラビアのメッカにある。

② イスラーム以前のカーバ神殿は，多神教の聖地だった。

③ ムスリムは，カーバ神殿に向かって毎日数回の礼拝をおこなう。

④ ムスリムは，六信においてカーバ神殿への巡礼が推奨されている。

Check ② p.101 **2** の地図「イスラーム帝国の発展」をみて，イスラーム世界の領土拡大に関する次の説明文の空欄に入る語句を答えよう。

622年，ムハンマドはムスリムとともにメッカから〔①　　　　　　〕に移住した。ムハンマドはメッカを屈服させたのち，ほぼアラビア半島を勢力下においた。正統カリフ時代に〔②　　　　　　〕帝国からシリアやエジプトを奪い，642年に〔③　　　　　　〕の戦いでササン朝に勝利した。さらにシリアの〔④　　　　　　〕で政権をにぎったムアーウィヤにはじまるウマイヤ朝も領土を広げ，711年にイベリア半島の〔⑤　　　　　　〕王国を滅ぼした。さらに，〔⑥　　　　　　〕山脈をこえてフランク王国領を北進したが，732年に〔⑦　　　　　　〕の戦いで敗北した。

3　イスラーム圏の成立(2)　教科書　p.101～103

アッバース朝の成立

(1)〔①　　　　　　〕**朝**(750～1258)の成立
・ウマイヤ朝…イスラームに改宗した非アラブ人=〔②　　　　　　〕の不満，シーア派の反発
→〔①〕家(ムハンマドのおじの子孫)の反ウマイヤ朝運動によりウマイヤ朝滅亡(750)
(2) 第2代カリフ〔③　　　　　　〕(位754～775)
・新都〔④　　　　　　〕(ティグリス川中流域)造営，官僚組織を整備
(3) 最盛期…第5代カリフ〔⑤　　　　　　〕(位786～809)
(4)「アラブ帝国」から「〔⑥　　　　　　〕」へ
・ウラマーによるシャリーアの体系化→シャリーアにもとづく統治確立
・ムスリムは同等の権利をもつ(アラブ人の特権はなし)
→民族の別なくジズヤ免除
→土地をもつ者にはハラージュが課せられる(アラブ人も同様)
・異民族出身のムスリム…政治や学問の世界で活躍
・ムスリムの平等→被征服者の間にイスラームが受容される

国際交通網の発達

(1) 広大な**イスラーム圏**…中央アジアから北アフリカ・イベリア半島までの領域
…陸・海の交通網の整備→都市を結んだ交易圏の成立
(2) イスラーム都市
・中心に〔⑦　　　　　〕(礼拝堂)
・商工業施設…〔⑧　　　　　〕(バザール，市場)，〔⑨　　　　　　〕(隊商宿)など
(3) 国際商業網
・ムスリム商人，キリスト教徒・ユダヤ教徒・ヒンドゥー教徒，中国人，ソグド人などの商人
(4) 技術の伝播…各地の作物や農業技術など
・灌漑技術…運河開削，地下水路=〔⑩　　　　　　〕開掘→北アフリカ・イベリア半島へ伝わる
・〔⑪　　　　〕法…中国から伝わって広まる→紙の普及
(5) 都〔④〕…国際商業の一大中心地
・人口100万人をこえ，イスラーム学芸の中心地に
・ティグリス・ユーフラテス川下流域…灌漑農業が発達→穀類のほかサトウキビの栽培拡大

イスラーム文化の成立

(1) **イスラーム文化**…ギリシア・ローマ文化とイラン文化圏の統合，アラビア語とイスラームの融合
(2)「〔⑫　　　　〕の学問」
・アラビア語の言語学，詩学，『クルアーン』の解釈にかかわる神学や法学，歴史学
(3)「〔⑬　　　　〕の学問」…哲学・論理学・医学・数学・地理学・天文学など
・〔④〕でギリシア語文献のアラビア語訳，イラン・インドの学問摂取
・数学…インド数字，十進法，ゼロの概念→〔⑭　　　　　　〕：天文学や代数学の書物
担い手：当初はキリスト教徒やユダヤ教徒→9世紀なかごろからウラマー
(4) 文学…『〔⑮　　　　　　〕(**アラビアン=ナイト**)』
…インドの影響を受けたササン朝時代の説話を発展させた

MEMO

● p.272 を開いて，この部で学んだことをふりかえってみよう。

Check p.102**1**の地図「バグダードの円城図」に関する次の説明文の空欄に入る語句を答えよう。

バグダードは，〔①　　　　　　　　〕朝第２代カリフの〔②　　　　　　　　〕が，762年から４年間かけて〔③　　　　　　　　〕川中流域に造営した都である。図に示されているように，円形の都市の周囲に４つの門がつくられており，内陸および海洋を結ぶ国際交易都市となるように建設されている。その後，国際商業の中心として発展し，最盛期には人口が〔④　　　　　〕万人をこえるほどになった。また，バグダードでは〔⑤　　　　　　　　〕語文献のアラビア語訳が組織的におこなわれ，学芸の中心地となった。

Try イスラームが短期間で勢力を大きく広げることができたのはなぜだろうか。

〔　　　　　　　　　　　　　　　　　　　　〕

8世紀の世界　多様な人々が交錯する諸地域・諸都市

教科書　p.104〜105

» 三つの勢力が鼎立する地中海周辺

Check ① ギリシア正教圏でビザンツ皇帝が聖画像を破壊するように命じた背景について，教科書p.94〜95を参照して，東方と西方それぞれの状況を確認し，まとめてみよう。

・東方：〔①　　　　　　　　　　　　　　　　　　　　　　　　　　　　〕

・西方：〔②　　　　　　　　　　　　　　　　　　　　　　　　　　　　〕

Check ② 8世紀後半，ローマ教会をとりまく政治状況はどのようなものであったか。地図をみて，イタリア半島と地中海それぞれをとりまく状況についてまとめてみよう。

1　当時のイタリア半島をとりまく状況

〔　　　　　　　　　　　　　　　　〕

2　当時の地中海をとりまく状況

〔　　　　　　　　　　　　　　　　〕

Check ③ 資料②のカールのローマ訪問の歴史的意義は何だろうか。教科書p.95の内容をもとにまとめてみよう。

〔　　　　　　　　　　　　　　　　〕

» 円城都市バグダードの建設と繁栄

Check ① なぜバグダードが円形の都市とされたのかを，資料③から読みとってみよう。

〔　　　　　　　　　　　　　　　　〕

Check ② この都市が国際都市といわれる理由を，資料③から読みとってみよう。また，ここで王とともに座した人々のなかには，イラン系・トルコ系など，アラブ人以外の人々もいたと思われる。彼らはおもにどのような役割を担っていただろうか。

1　国際都市といわれる理由

〔　　　　　　　　　　　　　　　　〕

2　イラン系：〔①　　　　　　　　〕　トルコ系：〔②　　　　　　　　〕

人口100万の国際都市―長安

Check ① 資料⑤の「諸胡」や「商胡」の多くは，西域経由の商業に従事していた人々である。彼らはどのような人々か。また，資料⑥の写真から，「胡人」が中国に何を伝えたのかを想像してみよう。

1　「諸胡」・「商胡」とは：〔　　　　　　　　　　　　　　　　　　　　　　　　　〕

2　彼らが伝えたもの：〔　　　　　　　　　　　　　　　　　　　　　　　　　〕

Check ② 資料⑤の下線部の人々の多くが長安に滞在するようになった理由の一つとして，8世紀なかばの安史の乱との関係を調べてみよう。

〔　　　　　　　　　　　　　　　　　　　　　　　　　　　　　　　　　　〕

海域世界とつながる広州

Check ① 資料⑦の空欄Aにはある宗教の名が，空欄Bにはその宗教が信仰されている地名が入る。それぞれ答えよう。

A：〔　　　　　　　〕

B：〔　　　　　　　〕

Check ② 資料⑦の下線部のように，広州には海外からさまざまな商品がもちこまれた。このため，唐はどのような対応をとっただろうか。教科書p.47，49を参照して考えてみよう。

〔　　　　　　　　　　　　　　　　　　　　　　　　　　　　　　　　　　〕

Try 8世紀は，各地で普遍的な価値をもつ宗教が確立する時代でもあった。どのような宗教がそれぞれの土地にどう根ざしたかを比較してみよう。

1　各地に根ざした宗教を答えよう。

・ヨーロッパ：西は〔①　　　　　　　　　　　〕

東は〔②　　　　　　　　　　　〕

・西アジア・北アフリカ：〔③　　　　　　　　　　　〕

・南アジア：〔④　　　　　　　　　　　〕

・東アジア：〔⑤　　　　　　　　　　　〕

2　1で答えた宗教が各地でどのように定着していったのか，まとめてみよう。

〔　　　　　　　　　　　　　　　　　　　　　　　　　　　　　　　　　　〕

1　イスラーム圏の多極化と展開(1)

教科書　p.110〜113

地方政権の分立

(1)〔①　　　　　　　　〕朝(756〜1031)…イベリア半島でキリスト教勢力の南進を阻止
- ウマイヤ朝の一族が建国，〔②　　　　　　　〕という称号を採用
- 最盛期…アブド=アッラフマーン3世
- 首都〔③　　　　　　　〕…イスラーム交易圏の中心の一つとなる

(2)〔④　　　　　　　　〕朝(875〜999)…アム川の流域，トルキスタンを征服，実質的に独立
- 首都ブハラ…イスラーム文化の中心地の一つとして繁栄

(3)〔⑤　　　　　　　　〕朝(10世紀なかばごろ〜12世紀なかばごろ)
- イスラーム受容(10世紀なかば)→〔④〕朝を滅ぼす(999)

(4) アッバース朝の衰退…中央政府の実質的領域は現在のイラクのみ(10世紀)
- 〔⑥　　　　　　　　〕…トルコ系軍人奴隷が親衛隊として軍の主力になる→カリフを廃立

シーア派国家の台頭

(1)〔⑦　　　　　　　〕朝　(932〜1062)…シーア派，イラン系
- バグダード入城(946)→アッバース朝カリフ位存続，大アミールに任じられて政治の実権掌握
- 〔⑧　　　　　　　〕制導入…軍人に一定の土地の徴税権を与えて土地の管理を任せる

(2)〔⑨　　　　　　　　　〕朝(909〜1171)…シーア派，マグリブで建国
- アッバース朝の正統性を否定→カリフ自称
  →〔①〕朝のアブド=アッラフマーン3世が対抗してカリフ自称(929)→3人のカリフ並立
- エジプト征服(10世紀後半)→新都〔⑩　　　　　　〕建設
- 海上交易ルートの変化…〔⑪　　　　　　　　〕ルート衰退→〔⑫　　　　　　〕ルートが重要に
  →カイロ・アレクサンドリア繁栄→イタリア諸都市が東方貿易で繁栄(11世紀ごろ〜)

西アジアのイスラーム国家

(1)〔⑬　　　　　　　　　〕朝(1038〜1194)…シル川下流域，スンナ派，トルコ系
- 創始者トゥグリル=ベク…バグダード入城(1055)
  →アッバース朝カリフから〔⑭　　　　　　　〕の称号を認められる
- アナトリア(小アジア)東部でビザンツ軍を破る(1071)→シリアにすすむ
  →トルコ系遊牧民の集団西進のきっかけ→十字軍遠征の契機に
- 軍隊…マムルークを中心として〔⑧〕を授与
- 官僚…イラン系の人々を登用，宮廷でペルシア語使用
- 宰相ニザーム=アルムルク(イラン系)…主要都市にマドラサ(ニザーミーヤ学院)建設
  →スンナ派の学問振興
- 分裂(12世紀)
  →〔⑮　　　　　　　　　　　〕朝(1077〜1231)…イランに進出→モンゴル軍に征服される

(2)〔⑯　　　　　　　〕国
- フラグ(モンゴル)…アッバース朝を滅ぼす(1258)→イランに建国
- 第7代〔⑰　　　　　　　　　〕…イスラームを国教に→イラン=イスラーム文化成熟

(3) セルジューク朝の一族…アナトリア西進→ルーム=セルジューク朝の基礎を築く
  →アナトリアのトルコ化・イスラーム化

MEMO ●板書事項のほか，気づいたこと，わからなかったこと，調べてみたいことを自由に書いてみよう。

Check p.110 **2** の地図「10世紀のイスラーム諸王朝」をみて，次の地図の空欄にあてはまる王朝名を記入しよう。

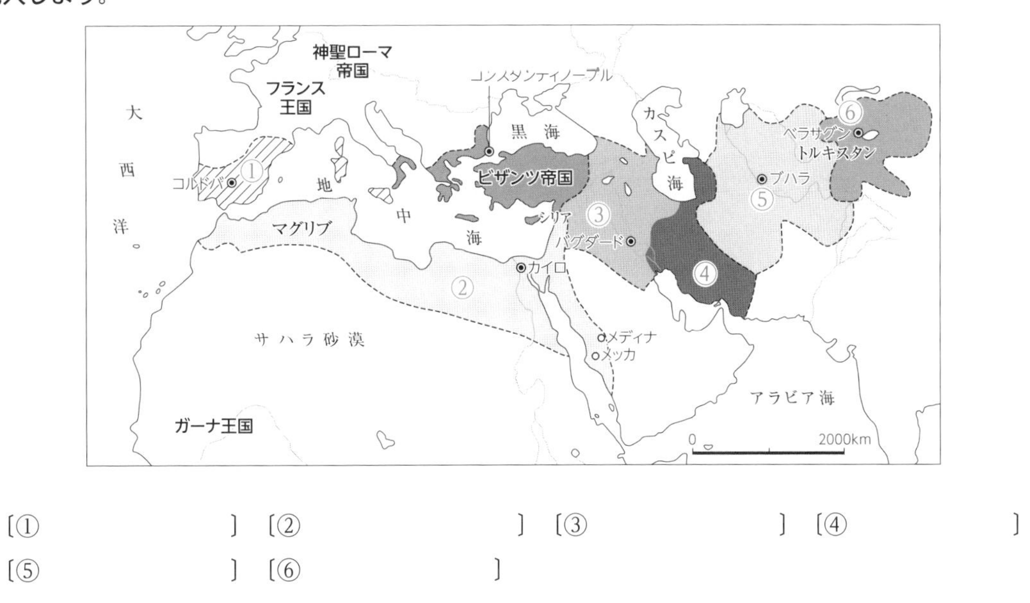

〔①　　　　　〕〔②　　　　　〕〔③　　　　　〕〔④　　　　　〕
〔⑤　　　　　〕〔⑥　　　　　〕

Point≫ ともにバグダードに入城したブワイフ朝とセルジューク朝の共通点と相違点は何だろう。

●共通点

〔　　　　　〕

●相違点

〔　　　　　〕

1　イスラーム圏の多極化と展開(2)

教科書　p.113~115

» エジプトのイスラーム国家

(1)［①　　　　　］朝(1169~1250)

・建国者：クルド系武将［②　　　　　］(サラーフ=アッディーン)

…ファーティマ朝の実権を掌握して建国→スンナ派復興，イェルサレムを十字軍から奪回

(2)［③　　　　　］朝(1250~1517)…マムルーク軍団のクーデターにより樹立

・イル=ハン国軍を撃退→アッバース朝一族をカリフに擁立，メッカ・メディナを支配

・十字軍をシリアから駆逐(1291)，イクター制整備，国際商業繁栄，イスラーム文化円熟

・衰退…ペスト流行，人口激減，マムルーク軍団内部の争い，ティムール朝・オスマン帝国と戦争

» マグリブ・イベリア半島のイスラーム国家

(1)［④　　　　　］朝(1056~1147)…［⑤　　　　　］人がスンナ派の宗教運動で建国

(2)［⑥　　　　　］朝(1130~1269)…［④］朝を批判する宗教運動から成立

(3) 両王朝…都：マラケシュ→西サハラの隊商交易によりサハラ砂漠以南がイスラーム化

・イベリア半島に進出し，キリスト教徒勢力によるレコンキスタに対抗

(4)［⑦　　　　　］朝(1232~1492)…都：グラナダ→イベリア半島南部で独立を保つ

» インドのヒンドゥー社会とイスラーム

(1)［⑧　　　　　］朝(962~1186)…アフガニスタン

・サーマーン朝のトルコ系マムルークが建国→西北インドへの侵入をくりかえす(10世紀末~)

(2)［⑨　　　　　］朝(1148ごろ~1215)…北インドにイスラーム支配の基礎を築く

(3)［⑩　　　　　］朝(1206~1526)…デリーを都とするイスラーム系5王朝

・［⑪　　　　　］王朝(1206~90)…トルコ系マムルーク出身のアイバクが［⑨］朝から自立

・［⑪］王朝，ハルジー朝，トゥグルク朝，サイイド朝，ローディー朝と続く

→ヒンドゥー領主と結びカースト制を利用…ヒンドゥー教徒とムスリムが共存

・ムスリム商人やスーフィーの活動→住民のイスラームへの改宗がうながされる

・バクティの思想とスーフィーの思想…融合しつつ北インド社会に浸透

» アフリカのイスラーム化

(1) スーダン地方からエチオピア

・［⑫　　　　　］王国(前920ごろ~後350ごろ)…スーダン地方に建国

→エジプト征服(前8世紀なかごろ)→アッシリアの侵入により南へ後退(前7世紀前半)

→［⑬　　　　　］遷都(前6世紀なかば)…神殿やピラミッド，メロエ文字使用，製鉄

・［⑭　　　　　］王国(前2世紀初頭~)…コプト派系の独自のキリスト教文化が栄える

(2) 西アフリカ

・［⑮　　　　　］王国(?~1076)…西アフリカのセネガル川上流域，ムスリム商人が訪れる

…塩金貿易(金や象牙，奴隷などと地中海の物資，サハラ産の岩塩の取引)を基盤に成立

・［⑯　　　　　］王国(13~15世紀)→［⑰　　　　　］王国(1473~1591)

…両王国とも金の産地を支配してムスリム商人と交易→王がイスラームを受容

・交易都市［⑱　　　　　］…宗教・学術都市として発展

(3) 東アフリカのインド洋沿岸…ムスリム商人が来航(8世紀~)

・港市国家…マリンディ・ザンジバル・キルワなどにムスリム商人の居留地

→バントゥー系文化とイスラーム文化が融合→〔⑲　　　　　　〕**文化**形成
・ジンバブエ…ザンベジ川流域の巨大な石造建築群，ムスリム商人との交易で繁栄
・〔⑳　　　　　　〕**王国**(11～15世紀，15～19世紀)…インド洋交易で繁栄

MEMO

Check ① p.113の図「サラディン」が開いたアイユーブ朝の説明として誤っているものを一つ選ぼう。
〔　　〕

① アイユーブ朝は，クルド系の武将のサラディンが開いた。
② アイユーブ朝は，エジプトにシーア派を復興した。
③ アイユーブ朝は，十字軍からイェルサレムを奪回した。
④ アイユーブ朝は，マムルーク軍団のクーデタで滅亡した。

Check ② p.113**3**のアルハンブラ宮殿の「獅子の中庭」の写真について，次の説明文の空欄に入る語句を答えよう。

写真のアルハンブラ宮殿は，イベリア半島南部の〔①　　　　　　〕を都とする〔②　　　　　　〕朝の宮殿である。イベリア半島ではキリスト教徒勢力による〔③　　　　　　〕がすすめられ，13世紀はじめに〔④　　　　　　〕朝がキリスト教徒連合軍に敗れたのちは，〔②〕朝だけが，1492年まで独立を保った。

Check ③ p.115**4**の図「マリ国王とムスリム商人」について，マリ国王が右手にもっているものは何か。また，マリ王国とムスリム商人とのどのような関係が描かれているのだろうか。

〔　　　　　　〕

1　イスラーム圏の多極化と展開(3)

教科書　p.116〜117

» イスラーム文化の発展

(1) 建築・デザイン
- ・モスク，マドラサ，墓廟…ドーム(円屋根)と〔①　　　　　　　〕(光塔)をもつ
- ・〔②　　　　　　　〕…偶像崇拝の否定→植物やアラビア文字を幾何学的に配置した装飾文様

(2) 美術・工芸
- ・写本さし絵…中国絵画の影響を受けた〔③　　　　　　　　　〕(細密画)

　アラビア文字の美しい書法が発達
- ・工芸…金属器・陶器・タイル・ガラス器など

(3) 宗教・公共施設…カリフ，スルタン，高官，富商たちが建設
- ・〔④　　　　　　〕(学院)…イスラーム諸学の教育・学術活動
- ・〔⑤　　　　　〕…個人の土地や商業施設を，宗教・公益施設や救貧事業に寄進する制度

　→社会基盤の整備

» イスラームの学問

(1) 各地をめぐり歩いた人物
- ・〔⑥　　　　　　　　　　　〕…メッカ巡礼のためにモロッコを発ち，各地を渡り歩く

　→『〔⑦　　　　　　〕(三大陸周遊記)』
- ・〔⑧　　　　　　　　　　　〕…諸王朝に仕え，マムルーク朝のカイロの〔④〕で教える

　…遊牧民と定住民との関係を中心に歴史の法則を考察→『〔⑨　　　　　　〕(世界史序説)』

(2) 〔⑩　　　　　　　〕(イスラーム神秘主義)…修行にはげむ修道者=〔⑪　　　　　　〕
- ・内面の信仰を重視し，禁欲的な修行を通じて神との一体感を得ようとする
- ・〔⑫　　　　　　〕…スンナ派の代表的ウラマー，〔⑩〕を理論化
- ・〔⑪〕の活動→アフリカ，中央アジア，インド，東南アジアのイスラーム化をうながす

(3) ヨーロッパへの影響
- ・イスラーム圏の学問…イベリア半島のトレド，シチリア島からヨーロッパへ(12世紀)
- ・〔⑬　　　　　　　　　〕(ラテン名アヴィケンナ)

　…ギリシア哲学の研究，イスラーム哲学の体系化，医学の発展にも貢献

　…『〔⑭　　　　　　〕』→ラテン語に翻訳されて中世ヨーロッパの大学で利用
- ・〔⑮　　　　　　　　　〕(ラテン名アヴェロエス)…ムワッヒド朝の法官・医師

　…アリストテレスの哲学書の注釈→スコラ学に大きな影響を与える
- ・中国の製紙法・火薬・羅針盤…イスラーム世界からヨーロッパへ

» ペルシア語の発展

(1) ペルシア語…アラビア文字で書かれる→ペルシア語での文芸活動がさかんになる

　セルジューク朝以降，イラン以東やアナトリアで行政の言語として用いられる
- ・フィルドゥーシー(ガズナ朝時代)…イランの民族叙事詩『〔⑯　　　　　　　　〕(王書)』
- ・〔⑰　　　　　　　　　〕…セルジューク朝に登用される

　…ペルシア語詩『〔⑱　　　　　　　〕(四行詩集)』

MEMO

Check イスラーム圏の都市において，ワクフはどのような役割をはたしていたのだろうか。p.116の文字資料『イブン=バットゥータのみたワクフ』を読んで考えよう。

〔　　〕

Point» イスラームの学問が，その後のヨーロッパの社会や文化にもたらした影響は何だろうか。次の説明文の空欄に入る語句を答えよう。

イスラームで発展した学問は，イベリア半島の〔①　　　　〕や〔②　　　　〕島を通じてヨーロッパにもたらされ，ヨーロッパの社会や文化に大きな影響を与えた。具体的には，〔③　　　　〕の『医学典範』が，〔④　　　　〕語に翻訳されてヨーロッパの医学の進歩に貢献した。また，イブン=ルシュドの〔⑤　　　　〕哲学の注釈書は，〔⑥　　　　〕学に大きな影響を与えた。

Try あなたは，イスラームが世界の歴史にもたらした影響のうち，何が最も重要だと考えるか，理由も含めて説明しよう。

〔　　〕

2　ラテン=カトリック圏の拡大(1)

教科書　p.118〜120

》農業の変化と村落

(1) 農業生産と人口の増大(11世紀ごろ〜)…気候の温暖化にともなう
・森林の開墾→耕地の拡大
・技術革新…水車，鉄製農具，重量有輪犂，〔①　　　　　〕農法
(2) 農村社会の変化
・荘園…細長い開放耕地，水車や山林を共同で利用→共同体意識が強まる

》商業と都市の発展

(1) 都市の成立
・農業生産力の上昇→余剰生産物を〔②　　　　　〕**市**で取引→商業路の結節点に都市が成立
・都市…商人，手工業者が移住して人口増加→〔③　　　　　〕**経済**の浸透
(2) 遠隔地商業の発展
・〔④　　　　　〕**交易圏**
…海港都市：ヴェネツィア・ジェノヴァ・ピサなど
→銀・毛織物などを輸出，香薬・絹織物など(奢侈品)を輸入
…内陸部の都市：ミラノ・フィレンツェなど…商業と〔⑤　　　　　〕**工業**で栄える
・〔⑥　　　　　〕**交易圏**
…〔⑦　　　　　〕**地方**：ブリュージュ・ガンなど…良質の〔⑤〕を生産
…北ドイツ：**リューベック・ハンブルク**・ブレーメンなど…海産物・木材・毛皮・穀物の取引
・内陸都市…南北の交易圏を結ぶ
…〔⑧　　　　　〕**地方**，フランクフルトの定期市，南ドイツの**アウクスブルク**
(3) 〔⑨　　　　　〕…国王・諸侯・司教などから特許状を獲得し，独自の統治組織と法をもつ
・北イタリアのコムーネ都市，ドイツの帝国都市(自由都市)が代表的
(4) 都市同盟…国王や諸侯と対抗
・〔⑩　　　　　〕**同盟**(北イタリア)…神聖ローマ皇帝に対抗
・〔⑪　　　　　〕=〔⑪〕**同盟**(北ドイツ)…リューベックなどが中心
(5) 大商人…保険業や金融業の発達→貸付金や姻戚関係などを背景に君主の政策に介入
・〔⑫　　　　　〕**家**(アウクスブルク)，〔⑬　　　　　〕**家**(フィレンツェ)など

》中世の都市社会

(1) 都市…市壁や都市法によって周囲の農村から区別→共同体意識をもつ住民も
・信仰は教会や修道院，行政は市役所が担う
(2) ギルド
・〔⑭　　　　　〕(大商人)…相互扶助と市場の独占→市参事会に名を連ねて都市を運営
・〔⑮　　　　　〕=ツンフト(手工業者)…工房の親方のみ，職人や徒弟は排除
…商品の製造方法・品質・価格などの統制，市場の独占
…商人層と抗争(ツンフト闘争)→市参事会の席を奪って都市の統治にかかわる
(3) 多様な身分
・下層民…奉公人や日雇い，乞食など
・ユダヤ人…都市内に特別の居住場所(ゲットー)を定められる

MEMO

Check p.118**2**の図「荘園」をみて，荘園の中心には何があるか，耕地にはどのような特徴があるかを答えよう。また，農業生産力が高まった原因は何か，**1**の図「3月の農民の暮らし（『ベリー公の大時禱書』）も参考にして考えよう。

●**荘園の中心にあるもの**

［　　　　　　　　　　　　　　　　］

●**耕地の特徴**

［　　　　　　　　　　　　　　　　］

●**農業生産力が高まった理由**

［　　　　　　　　　　　　　　　　］

Point» 中世都市ではなぜギルドがつくられたのだろうか。商人ギルドと同職ギルド（ツンフト）それぞれについて答えよう。

●**商人ギルド**

［　　　　　　　　　　　　　　　　］

●**同職ギルド（ツンフト）**

［　　　　　　　　　　　　　　　　］

2　ラテン=カトリック圏の拡大(2)

教科書　p.120～123

» グレゴリウス改革と教皇

(1) 精神的な改革運動
- ・背景：司教，修道院長…国王や諸侯の家族・親類がつとめることもしばしば
  →寄進された土地や財産を蓄積…世俗諸侯と変わらない大土地所有者に
- ・運動：〔①　　　　　　　〕**修道院**…清貧・貞潔重視の戒律遵守を求める(10世紀なかごろ～)

(2) 教皇〔②　　　　　　　　　〕の改革…聖職売買や聖職者の妻帯を禁止する改革を断行
- ・聖職叙任権(皇帝や国王などが司教や修道院長などを任命する権利)の否定

(3) **叙任権闘争**
- ・神聖ローマ皇帝〔③　　　　　　　　　〕…〔②〕の改革に反発
  →ドイツとイタリアの諸侯，都市が両陣営にわかれて対立
  →教皇から破門された皇帝…教皇に謝罪＝〔④　　　　　　〕**の屈辱**(1077)→対立続く
  →〔⑤　　　　　　〕**協約**(1122)…皇帝は封土を授与する権利をもつが，聖職叙任権を失う

(4) 教皇庁の権威の高まり…背景：教会法の整備や官僚組織の確立など
- ・〔⑥　　　　　　　　　　　〕(位1198～1216)…教皇権最高潮の時代

(5) 修道院運動…信仰と労働を重視(11世紀後半～)
- ・〔⑦　　　　〕**修道会**…修道士の労働重視，森林や荒れ地の開墾運動をすすめる(12世紀)
- ・〔⑧　　　〕**修道会**…アッシジのフランチェスコ，スペインのドミニコが創設(13世紀)
  …おもに都市民に説教，大学で教鞭，モンゴル帝国にも使節として派遣される

» 十字軍とキリスト教圏の拡大

(1) **十字軍**の背景…終末論や修道院改革運動のような宗教的関心の高まり
  →聖地(イェルサレム，ローマ，サンティアゴ=デ=コンポステラ)への巡礼活発化

(2) 十字軍の契機…セルジューク朝のアナトリア進出→ビザンツ皇帝がローマ教皇に援助を求める
  →教皇〔⑨　　　　　　　　〕…〔⑩　　　　　　〕**教会会議**で十字軍の派遣提唱(1095)

(3) 十字軍の経過
- ・〔⑪　　　　〕**十字軍**…出発(1096)→聖地回復に成功…〔⑫　　　　　　　〕**王国**をたてる
- ・第3回十字軍…イェルサレムを奪回したアイユーブ朝のサラディンに対抗→聖地奪回できず
- ・〔⑬　　　　〕**十字軍**…教皇〔⑥〕が提唱
  …ヴェネツィア商人の要求でコンスタンティノープル占領→〔⑭　　　　〕**帝国**樹立
- ・その後の十字軍…聖地回復実現せず→最後の拠点アッコン陥落(1291)

(4) 修道騎士団…ドイツ騎士団・ヨハネ騎士団・テンプル騎士団など(聖地巡礼の保護が目的)

(5) 非キリスト教徒，異端に対する戦い…教皇により十字軍の一環とされる
- ・〔⑮　　　　　　　〕(再征服運動)…イベリア半島でイスラーム勢力を屈服させる
- ・北方十字軍…バルト海沿岸部の異教徒の改宗
- ・〔⑯　　　　　　　〕十字軍…異端とされたカタリ派(南フランス)の弾圧

(6) 十字軍の影響
- ・王権の伸張，諸侯の疲弊(領地を離れ遠征費用を自弁)
- ・都市の繁栄…遠隔地交易がさかんになり，商業が活性化
- ・ラテン=カトリック圏の拡大…十字軍国家建設，イベリア半島での再征服，東方植民など

MEMO

Point≫ 11世紀後半にはじまる新しい修道院運動がはたした役割は何だろうか。

〔　　　　　　　　　　　　　　　　　　　　　　　　　　　　　　　　　〕

Check p.123の図「フリードリヒ2世」について説明した次の文の空欄に入る語句を答えよう。

フリードリヒ2世は〔①　　　　　　　　〕皇帝である。第5回十字軍では，〔②　　　　　　　　〕朝のスルタンと交渉して，〔③　　　　　　　　〕を一時的に回復し，キリスト教徒による〔④　　　　　　　　〕を可能にした。このような交渉が実現できたのは，フリードリヒ2世が，ローマ=カトリック，イスラーム，ビザンツ，ユダヤなど多文化が混交する〔⑤　　　　　　　　〕で育ち，イスラームに対する理解があり，アラビア語が話せたからであると考えられる。

Try 十字軍運動は成功したか失敗したかと問われれば，あなたはどちらと答えるのが適切だと思うか。また，その理由は何か。

〔　　　　　　　　　　　　　　　　　　　　　　　　　　　　　　　　　〕

ACTIVE ③ キリスト教圏とイスラーム圏―「衝突」と「交流」

歴史を資料から考える

教科書 p.124～125

1

教科書p.124～125の資料①～④から，キリスト教圏とイスラーム圏の関係について考えてみよう。

STEP 1

1　キリスト教徒の巡礼者の話を聞いたラテン＝カトリック圏の人々は，なぜ心に「怒り」と「羨望」をいだいたのだろうか，それぞれの理由がわかる部分を**資料**①から抜き出してみよう。

・「怒り」の理由［　　　　］

・「羨望」の理由［　　　　］

2　ラテン＝カトリック圏やギリシア正教圏の人々にとって，十字軍運動はそれぞれどのような動機にもとづいたものか，**資料**①・②を読んで，次の表の空欄に入る語句を考えてみよう。

ラテン＝カトリック圏	教皇庁	［①　　　　］奪回や［②　　　　］排斥
	民衆	［①］巡礼への憧憬
	領主	［③　　　　］獲得や冒険心
	他にもイスラーム圏から受ける［④　　　　］感を払拭し，豊かな生活や物品に対する［⑤　　　　］から，これらを奪い取ろうとする動機	
ギリシア正教圏	［⑥　　　　］の侵攻に対抗するための援軍要請	

STEP 2　**資料**③から，イスラーム圏の人々が十字軍をどのようなものととらえていたのか，次の文章の空欄に入る漢字二字の語句をそれぞれ考えてみよう。

フランジとの戦争(十字軍運動)は，イスラーム圏とラテン＝カトリック圏が［①　　　　］をめぐって争うような宗教的な動機にもとづくものではなく，降りかかった［②　　　　］でしかなかった。なぜなら，フランジには［③　　　　］のかけらも認められなかったからである。

STEP 3　**資料**④にある「異端派」について，次のチャート図の空欄に入る語句を考えてみよう。

宗教において異端とは，自らを正統と考える宗派(多数派)が，自らの教義と異なる宗派に対して，彼らを排斥する目的で用いた呼称。

→ イスラームの多数派 →［①　　　　］派
少数派 →［②　　　　］派
＝異端

↓

十字軍運動開始の時代(11世紀末)			
	セルジューク朝	都：バグダード	［①］派
	［③　　　　］朝	都：カイロ	［②］派＝異端

STEP 4

1　**資料**④と教科書p.112から，次の文章の空欄に入る語句を考えてみよう。

・セルジューク朝は，アナトリア(［①　　　　　　　］)東部においてビザンツ軍を破り(1071年)，さらに［②　　　　　　］にもすすんだ。

・カイロの宰相アル=アフダル・シャーヒンシャーのもとに，ビザンツ皇帝の使者が来て，フランク戦士の大軍が〔①〕を攻撃しようとしていると告げた。

2　**資料**④の下線部について，なぜ彼らが喜んだのか，考えてみよう。

［　　　］

2

教科書p.125の資料⑤・⑥から，キリスト教圏とイスラーム圏の交流について考えてみよう。

STEP 1　**資料**⑤で「こちらの方が正確だ」とよびかけている人物について，**資料**⑥の内容をふまえ，次の文章の空欄に入る語句を考えよう。

・［①　　　　　　］の科学そのものが…［②　　　　　　　］を自分のものとしたうえ，時にはそれを乗り越えていた。

・プトレマイオスは，2世紀ごろの〔②〕の人物であるから，「こちらのほうが正確だ」とよびかけているのは，［③　　　　　　　　　　　　　　］。

STEP 2　**資料**⑥上段の文章を読んで考えてみよう。

・イスラーム圏では，科学の役割はどのように考えられていたか，そのことがわかる部分を抜き出してみよう。　［①　　　　　　　　　　　　　　　　　　　　　　　　］

・イスラーム圏で科学の内容を決めたのはだれだろうか。　［②　　　　　　］

・科学的知見に対して，西欧にあってイスラーム圏になかったものは何だろうか。
［③　　　　　　　　　　　　　　　　　　　　　　　　　　　　　　　　　　　］

STEP 3　(a)ギリシアやローマの古典がイスラーム圏へ，そして(b)イスラームの学問がラテン=カトリック圏へ，それぞれどの地域を通じて伝播したか，教科書p.102～103，107，117，132を参考に確認してみよう。

(a)　［①　　　　　　　　　］に保存されていたギリシア語文献が，［②　　　　　　　　　］でアラビア語に翻訳され，イスラーム圏に伝播した。

(b)　イベリア半島の［①　　　　　　　］や［②　　　　　　　　　］に伝わったアラビア語文献が，ラテン語に翻訳され，ラテン=カトリック圏に伝播した。

Try　**十字軍運動は，キリスト教圏とイスラーム圏にどのような影響を与えたのだろうか。教科書p.123の記述も参考にして考えてみよう。**

［　　　］

3　ラテン=カトリック圏の動揺と秩序の変容(1)　教科書　p.126~129

» 黒死病と社会の動揺

(1) ヨーロッパの気候変動(14世紀~15世紀)…凶作と飢饉，人々の栄養状態の悪化
(2) [①　　　　] (ペスト)の大流行(1348~50)→都市部に大きな被害，農村部の人口減少
(3) 農村部の変化
・農村の人口減少→労働力確保のために農民の待遇改善
・農村への貨幣経済の浸透→直営地を農民保有地とし，生産物や貨幣で地代をおさめさせる
→農奴身分から解放される農民が増加(荘園制解体の進展)→領主が農民層への支配を強める
(4) 農民層の抵抗
・[②　　　　]**の乱**(フランス)，[③　　　　]**の乱**(イングランド)
(5) イングランドの農民…[④　　　　]とよばれる[⑤　　　　]**農民**の誕生
(6) 領主層の変化…旧領主層の没落
・大砲や小銃，傭兵の普及による騎士層の没落→知識人層や商人層が国王の宮廷で力をもつ

» 教皇権の動揺

(1) アナーニ事件(1303)
・フランス王[⑥　　　　]…王国内の聖職者に課税
⇔教皇[⑦　　　　]が反対→ローマ近郊のアナーニで一時とらえられる
(2) 教皇庁の移転…南フランスの[⑧　　　　]へ(1309~77)→官僚機構，財務制度を整備
…「**教皇のバビロン捕囚**」([⑧]移転を認めようとしないイタリア人からの呼び方)
(3) [⑨　　　　]=大シスマ(1378~1417)…複数の教皇がならびたつ状態
・教皇庁がローマにもどる(1377)→対抗して[⑧]にも別の教皇がたつ
(4) 教会への批判…イングランドの[⑩　　　　]，ベーメンの[⑪　　　　]
・聖書の尊重，教会財産と教皇の権力の否定
(5) [⑫　　　　]**公会議**(1414~18)…ローマの教皇を正統と決定，[⑩]と[⑪]は異端
→ベーメンで[⑪]の火刑に反発した支持者による反乱([⑪]**戦争**)(1419~36)がおこる

» イングランドとフランス

(1) イングランド…[⑬　　　　]**朝**(1154~1399)
・ヘンリ2世(フランスのアンジュー伯)…イングランド王即位後もフランス西部を領有
・[⑭　　　　]**王**…フランス王フィリップ2世に敗れ，フランス内の領土の大半を失う
→戦争続行のための重税に貴族層が抵抗→[⑮　　　　]=大憲章(1215)を認める
・ヘンリ3世…[⑮]を無視→[⑯　　　　]を中心とする貴族の反乱
→聖職者・貴族に加え，騎士・都市代表による会議を招集(1265)=イギリス議会の起源
・エドワード1世…のちに[⑰　　　　]**議会**とよばれる**身分制議会**を招集(1295)
・二院制(14世紀なかば~)…[⑱　　　　](上院)と[⑲　　　　](下院)
…[⑲]：州と都市の代表，騎士が地主化した地方の[⑳　　　　]も含まれる
(2) フランス…カペー朝(987~1328)…当初は国王の直轄領がパリ周辺に限られた弱体な王権
・フィリップ2世…イングランドのジョン王からノルマンディーなどを奪う
・ルイ9世…南フランスの異端[㉑　　　　](**アルビジョワ派**)を制圧
・フィリップ4世…聖職者・貴族・平民の代表による[㉒　　　　]招集(1302)→王権強化

MEMO

Check ① p.126**1**の図「死の勝利」の，骸骨の足元にいる人々は誰だろうか。なぜこのように描かれているのだろうか。

[ ]

Check ② イングランド政府は，なぜユダヤ人を追放すべきと考えたのだろうか。p.127の文字資料『中世イングランドのユダヤ人追放(1290年)』を読んで考えよう。

[ ]

Check ③ p.128の文字資料『マグナ=カルタ』の，第12条の「わが王国の共同の助言」とは何を意味しているのだろうか。

[ ]

3　ラテン=カトリック圏の動揺と秩序の変容(2)　教科書　p.129~131

» 百年戦争

(1) **百年戦争**(1339~1453)
・原因…フランスのカペー朝が断絶し，〔①　　　　　〕**朝**が成立
→イングランド王〔②　　　　　　　　〕がフランスの王位継承権を主張→フランスに侵攻
・背景…〔③　　　　　　〕**地方**(毛織物生産)，ギュイエンヌ地方(ワイン産地)の争奪
(2) 戦局…当初，イングランド優勢…ブルゴーニュ公国(フランスの有力諸侯)と手を結ぶ
・フランス…黒死病流行，ジャックリーの乱で疲弊→〔④　　　　　　　　〕のころ降伏寸前
→〔⑤　　　　　　　　　〕(農民の娘)…オルレアンの包囲を破り戦局逆転
→カレー市をのぞく全領土回復，フランスの勝利で戦争終結(1453)
(3) 結果
・フランス…諸侯，騎士の没落→王権が官僚制，常備軍，租税制度を整備して集権化をすすめる
・インクランド…〔⑥　　　　　〕**戦争**…王位継承をめぐりランカスター家とヨーク家が争う
→ランカスター派の〔⑦　　　　　　〕が〔⑧　　　　　　〕**朝**を開いて終結

» 神聖ローマ帝国とイタリア

(1) ドイツ(神聖ローマ帝国)
・〔⑨　　　　　　　〕(1256~73)…シュタウフェン朝断絶→実質的に皇帝のいない状態
・**カール4世**の〔⑩　　　　　　〕(1356)…聖俗の〔⑪　　　　　　〕が皇帝を選出する制度
→皇帝…諸侯領(**領邦**)や帝国都市に裁判権や関税徴収権などの特権を与える
・〔⑫　　　　　　　　〕**家**(オーストリア)…神聖ローマ皇帝の位を世襲(1438~)
・〔⑬　　　　　　〕…〔⑫〕家の支配に抵抗→事実上の独立を達成(15世紀末)
(2) イタリア
・北・中部：海港都市(ヴェネツィア・ジェノヴァ・ピサなど)…地中海交易で成長
　　　　　内陸都市(フィレンツェなど)…在地産業(毛織物業など)を背景として成長
・南部：シチリア王国とナポリ王国に分裂(13世紀末)
・神聖ローマ皇帝の〔⑭　　　　　　　〕**政策**→**皇帝派**(ギベリン)と**教皇派**(ゲルフ)が抗争
(3) 神聖ローマ帝国東部…西スラヴ人の国家成立
・チェコ人…モラヴィア王国(9~10世紀)，ベーメン(ボヘミア)王国←神聖ローマ帝国に編入
・ポーランド王国，〔⑮　　　　　　　〕**王国**(マジャール人)→ラテン=カトリック圏の一部に

» バルト海とイベリア半島

(1) バルト海周辺…ハンザ(ハンザ同盟)の活性化，〔⑯　　　　　　〕の進展によるドイツ騎士団などが台頭
・〔⑰　　　　　　〕**連合**(1397~1523)…3王国(デンマーク・ノルウェー・スウェーデン)
→デンマーク王女マルグレーテが盟主→スウェーデンが離脱するまで継続
・〔⑱　　　　　　　　　　　　　　　　〕**王国**…リトアニア大公とポーランド王女が結婚
(2) イベリア半島
・〔⑲　　　　　　　　〕(再征服運動)…**カスティリャ・アラゴン・ポルトガル**の3王国成立
・**スペイン王国**成立(1479)←カスティリャ王女イサベルとアラゴン王子フェルナンドが結婚(1469)

→イスラーム勢力最後の拠点グラナダ占領(1492)…レコンキスタ完成

・ポルトガル…ジョアン2世のもと統一国家に(15世紀後半)

MEMO

Point≫1 百年戦争がイングランドとフランスの歴史に与えた影響は何だろうか。

〔 〕

Point≫2 イタリア政策がドイツとイタリアの歴史にもたらした影響は何だろうか。

〔 〕

Check ▶ p.131**4**の地図「レコンキスタの進展」をみて，次の説明文の空欄に入る語句を答えよう。

イベリア半島北西に位置する〔① 〕は，イェルサレム，ローマとともにキリスト教徒が巡礼でめざした聖地であり，レコンキスタをすすめる人々の心の拠り所となった。レコンキスタによって再征服された領土には，〔② 〕・アラゴン・ポルトガルの3王国が成立した。〔②〕は，1236年に後ウマイヤ朝の都でもあった〔③ 〕を征服した。その後，〔②〕はアラゴンと合同して〔④ 〕王国を成立させ，1492年にナスル朝の〔⑤ 〕を占領してレコンキスタを完成させた。

3　ラテン=カトリック圏の動揺と秩序の変容(3)　教科書　p.132〜133

》二つのキリスト教圏と文化の伝播

(1) 二つのキリスト教圏…**ラテン=カトリック圏**と**ギリシア正教圏**

→人々は身分にかかわらず，生誕から死までキリスト教とかかわる生活を送る

(2) ラテン=カトリック圏…ギリシア・ローマの古典文化復興

・〔①　　　　　　　〕**=ルネサンス**…カール大帝の宮廷におけるラテン語と古典文化の復興

・〔②　　　　　　〕**ルネサンス**…アラビア語文献のラテン語への大量翻訳がおこなわれる

…〔③　　　　　〕(イベリア半島)，〔④　　　　　　〕(シチリア)，南イタリアで翻訳

→翻訳されたアラビア語文献はギリシアの古典(アリストテレスなど)，アラビアの学術書など

…法律などを中心とするローマ文化の研究もおこなわれる

(3) ギリシア正教圏…独自に古典文化を保存

・オスマン帝国の圧迫(14世紀以降)→知識人がラテン=カトリック圏に亡命

→西ヨーロッパの学問を刺激→イタリア=ルネサンスを準備

》スコラ学と大学

(1) ラテン=カトリック圏…〔⑤　　　　　〕**語**が公用，ローマ教皇を頂点とした聖職者の階層組織

(2) 〔⑥　　　　　〕**学**…〔⑦　　　　〕がアリストテレスの論理学と結合して発展

・〔⑧　　　　〕**論争**…実在論(アンセルムスなど)と唯名論(アベラールなど)との間の論争

→〔⑨　　　　　　　　　　〕:『神学大全』…信仰と理性の調和につとめ〔⑧〕論争を収拾

→〔⑩　　　　　　　　　　　　　〕: 信仰と理性の分離を唱える

・自然科学…〔⑪　　　　　　　　　　〕: 観察や実験を重視→17世紀の科学革命に影響

(3) **大学**(当初，学問は修道院や司教座付属学校で教授されていた)

・大学(教師と学生による自治組織)が学問の舞台となる(12世紀〜)

…神学：パリ大学，オックスフォード大学

…法学：〔⑫　　　　　　〕大学

…医学：サレルノ大学

・学位を取得した学生→聖職者，学者，行政職で活躍

》造形芸術と俗語文学

(1) 建築・美術…教会や修道院に集積された富→宗教建築や宗教美術に投じられる

・〔⑬　　　　　　　〕**様式**…半円状アーチと重厚な石壁や小窓が特徴(11世紀〜)
　ピサ大聖堂など

・〔⑭　　　　　　〕**様式**…尖塔と〔⑮　　　　　　　　　〕による窓が特徴(12世紀なかば〜)
　シャルトル大聖堂，ノートルダム大聖堂(パリ)，ケルン大聖堂など

(2) 俗語文学

・〔⑯　　　　　〕**文学**…『ローランの歌』，『ニーベルンゲンの歌』，『アーサー王物語』など

・遍歴詩人…トゥルバドゥール(南フランス)，宮廷をめぐり歩いて宮廷風恋愛の抒情詩をうたう

MEMO

Point≫ 12世紀ルネサンスがうまれた背景は何だろうか。

[ ]

Check p.133**2**「ピサ大聖堂」，**3**「シャルトル大聖堂」の写真をみて，それぞれの建築様式と特徴を答えよう。

●**ピサ大聖堂**

[ ]

●**シャルトル大聖堂**

[ ]

Try この時期に王権が伸張した地域の多くに共通してみられた特徴は何だろうか。

[ ]

1　中央ユーラシア諸民族と東アジアの変容(1)　教科書　p.134〜137

≫ トルコ系諸民族の動向と五代十国

(1) トルコ系諸民族…ウイグルの一部が河西地方や天山山脈東部に移動→他のトルコ系の人々が移動
→トルコ系の人々…タリム盆地からアラル海周辺に広がる→イラン系のオアシス住民のトルコ化
→トルコ語とペルシア文化が融合した〔①　　　　　　　　　〕の文化圏形成

(2) 中国…〔②　　　　　　　〕**時代**
・華北…後梁，トルコ系の後唐・後晋・後漢，漢族出身の後周までの5王朝が交替
・華中・華南…節度使が独立し，10国が興亡…比較的平和，唐の文化を温存・継承
→長江下流域，四川・福建・広東の開発がすすむ

≫ ユーラシア東部の変動

(1) 中国社会の変動…門閥貴族の没落→江南を中心に新興の地主が台頭

(2) 中国周辺地域…ウイグル・吐蕃・唐の崩壊によって大きな変動がおこる
・モンゴル高原…モンゴル系狩猟遊牧民の**契丹**(キタイ)の勢力が強まる
・朝鮮半島…新羅衰退→〔③　　　　　〕がおこる
・雲南…南詔滅亡→〔④　　　　　〕がおこる
・北部ベトナム…中国王朝の直接支配から独立→〔⑤　　　　　〕建国

≫ 契丹(遼)と西夏

(1) 契丹(**遼**)…〔⑥　　　　　　　　〕(太祖)が統一・建国→渤海を滅ぼす(926)
・後晋の建国援助→代償として〔⑦　　　　　　　　〕(河北・山西省の北部)を割譲させる(936)
・〔⑧　　　　　　　〕(1004)…宋が毎年多額の銀や絹を贈ることを条件とした和議
・〔⑨　　　　　　　〕**体制**…遊牧・狩猟民には部族制，農耕民には州県制を採用して支配
・**契丹文字**…民族の独自性維持をはかる→都城制，仏教など中国文化の影響を受ける

(2) 〔⑩　　　　　　　　〕(チベット系)…李元昊が**西夏**(大夏)建国
・宋に侵入→銀・絹・茶を要求，中国の文物・制度の影響を受ける
・**西夏文字**…民族独自の文化を発達させる

≫ 北宋の専制政治と形勢戸

(1) 宋(**北宋**)…後周の武将〔⑪　　　　　　〕(太祖)が建国(960)→太宗が中国本土統一
・都：〔⑫　　　　　〕(汴京)…大運河と黄河の接点で物資の大集積地
・〔⑬　　　　　〕**主義**…節度使を廃して文人官僚を重用，皇帝直属軍(禁軍)を強化
・皇帝専制政治の確立…皇帝みずからが審査する〔⑭　　　　　〕を**科挙**に加える
・軍事的に弱体…契丹や西夏と毎年多額の銀や絹を贈ることを条件に和議を結ぶ

(2) 宋代の社会
・〔⑮　　　　　　〕(新興地主層)…土地を〔⑯　　　　　〕(小作農)や自小作農に耕作させる
→経済的，社会的地位の安定・持続のため，科挙に合格して官僚となる道をめざす
・〔⑰　　　　　〕(官僚の家)…特権が与えられ，土地を買い集めることも，資産を築くことも可能
→地主や大商人の子弟が**士大夫**・読書人として地域の指導者層に

(3) 宰相〔⑱　　　　　　　〕(神宗が起用)の〔⑲　　　　　　〕
・背景：財政逼迫…外交費，大量の兵士と官僚の人件費
・内容：中小農民・商工業者の保護育成→国家財政の安定と国防力の強化をめざす富国強兵策

・結果：地主や大商人が反発→〔⑲　　〕党(改革派)と〔⑳　　　　〕らの**旧法党**(反対派)の党争

MEMO

Check p.135**3**の地図「11世紀のユーラシア東部」をみて，契丹(遼)からみた燕雲十六州は，万里の長城とどのような位置関係にあるか，答えよう。

〔　　　　　　　　　　　　　　　　　　〕

Point» 1 唐の滅亡後にユーラシア東部でどのような変動がみられただろうか。次の説明文の空欄に入る語句を答えよう。

かつての支配層であった〔①　　　　〕貴族が経済的基盤である荘園を失って没落し，開発の進んだ〔②　　　　〕を中心に新興の地主が台頭した。モンゴル高原では〔③　　　　〕の勢力が強まり，〔③〕によって渤海が征服された。また，朝鮮半島で〔④　　　　〕，雲南で〔⑤　　　　〕，北ベトナムで〔⑥　　　　〕が新たに建国されるなどの動きがあった。

Point» 2 宋が文治主義を採用した理由と，それがもたらした弊害は何だろうか。

●**理由**

〔　　　　　　　　　　　　　　　　　　〕

●**弊害**

〔　　　　　　　　　　　　　　　　　　〕

1　中央ユーラシア諸民族と東アジアの変容(2)　教科書　p.137～139

金と南宋の抗争

(1) 金(1115～1234)

・〔①　　　　〕(太祖)建国…ツングース系の〔②　　　　〕(女直，ジュシェン)

・燕雲十六州の奪還をめざす宋と結んで契丹を滅ぼす(1125)

→契丹王族の耶律大石…中央アジアでカラ=ハン朝を倒し，〔③　　　　〕(**西遼**)建国

→宋…金に銀や絹を贈る約束を破るなどの背信行為

→〔④　　　　〕**の変**(1126～27)…金が開封を攻めおとし，上皇の徽宗，皇帝の欽宗らを連行

・二重統治体制…〔②〕人に部族制を再編した〔⑤　　　　〕**の制**，漢人に州県制を適用

・〔②〕**文字**…民族意識が旺盛だが，しだいに中国文化に同化

(2) **南宋**(1127～1276)…江南にのがれた欽宗の弟高宗が宋を再建，都：〔⑥　　　　〕(現在の杭州)

・和平派の〔⑦　　　　〕が抗戦派の〔⑧　　　　〕らをおさえて金と和議を結ぶ

→国境は淮河，南宋は金に対して臣下の礼をとり，毎年多額の銀や絹を贈る

農業と手工業の発展

(1) 経済の発展

・人口：北宋末に1億をこえたと推測(唐代は6000万)

・農業：長江下流地域の低湿地や湖の干拓や開発，日照りに強い早稲の占城稲導入(ベトナムから)

→「蘇湖(江浙)熟すれば天下足る」(長江下流域の穀倉地帯)

…茶の栽培(江南)→喫茶の風習が北方民族や朝鮮・日本に広まる→重要な輸出品に

・工業：陶磁器…〔⑨　　　　〕(江西省北部)などで生産→海外へも多量に輸出

・商業：農産物(桑・麻・サトウキビなど)，特産物(絹・麻織物・塩など)の生産量増大

→大運河などを通じて，首都の開封や臨安に集中→全国各地に広まる

商業の発展と対外貿易

(1) 町や都市の発展

・〔⑩　　　　〕(市場町)…唐後半からの農村の定期市=〔⑪　　　　〕が発展

・〔⑫　　　　〕…節度使がおいた支配管内の拠点(唐末～五代)→地方小都市に発展(宋代)

→〔⑩〕・〔⑫〕により村落が全国市場につながる→自給的・孤立的な村落は姿を消す

(2) 商業の躍進と貨幣経済

・同業組合…〔⑬　　　　〕(商人組合)・〔⑭　　　　〕(手工業組合)が相互の利益をはかる

・貨幣経済…売買の取引に銅銭(宋銭)を使用，高額な場合は金・銀を使用

→紙幣…手形としてはじまった〔⑮　　　　〕・〔⑯　　　　〕の使用

(3) 貿易

・内陸…宋の北辺の貿易場を通じた契丹・金や西夏との内陸貿易

・海路…高麗・日本方面の貿易

東南アジア・インド洋方面の南海貿易(ムスリム商人を含む外国商人が来航)

→〔⑰　　　　〕の実用化などにより，中国の外洋船(ジャンク船)が南インドへ

→市舶司のおかれた〔⑥〕・〔⑱　　　　〕(**寧波**)・〔⑲　　　　〕・〔⑳　　　　〕が繁栄

・輸出品：絹織物・陶磁器・銅銭(高麗・日本向け…茶・書籍も重要)

・輸入品：北方諸国…朝鮮人参・毛皮・馬　　南海諸国…香薬・象牙・犀角など

MEMO

Point» 契丹（遼）と金の統治政策にみられた共通点は何だろうか。

［　　］

Check ① p.138 **1** の図「清明上河図（模写）」では，どのような商業活動の様子が描かれているだろうか。

［　　］

Check ② p.139の文字資料『海商の大船』を読み，**3**「南宋のジャンク船」の写真も参考にしながら，航海・造船技術の発達を読み取ってみよう。

［　　］

1　中央ユーラシア諸民族と東アジアの変容(3)

教科書　p.139〜141

朱子学と宋代の文化

(1) 宋代の文化…担い手は士大夫(官僚・地主)，都市の繁栄を背景とする庶民
　・特徴…内面的・実用的・庶民的
(2) 〔①　　　　〕(宋代の儒学)…客観的な事物の原理(理)を追求
　・北宋の〔②　　　　〕にはじまり，南宋の〔③　　　　〕(朱子)が大成→〔④　　　　〕
　・四書(『論語』『孟子』『中庸』『大学』)重視→儒学の主要なテキストに(五経にかわる)
　・大義名分論…中華と夷狄の区別，君臣間の区別を強調
(3) 〔⑤　　　　〕(陸象山)…主観的な自己の主体性(心)の確立を強調→明の王陽明に影響
(4) 宗教
　・仏教：**禅宗**…士大夫の間に広がる，**浄土宗**…民間に普及
　・〔⑥　　　　〕…華北で王重陽が儒教・仏教・道教3教を調和させて道教を革新
(5) 歴史学…北宋の司馬光が編年体の通史『〔⑦　　　　〕』を編纂
(6) 文学など
　・名文家…〔⑧　　　　〕・〔⑨　　　　〕(蘇東坡)など
　・**詞**(宋詞)，雑劇・小説…民衆に広がり，都市の繁華街に劇場が出現
(7) 美術
　・〔⑩　　　　〕…宮廷画院の職業画家による，写実と色彩を重視
　・〔⑪　　　　〕…士大夫や禅僧らによる，精神性を重視
(8) 工芸…〔⑫　　　　〕や〔⑬　　　　〕の名品→外国へ輸出
(9) 科学技術…〔⑭　　　　〕**印刷**の普及，〔⑮　　　　〕・羅針盤の実用化
　→イスラーム圏を通じてヨーロッパに伝わる

高麗の成立と日本の武家社会

(1) **高麗**(918〜1392)…王建が建国→半島統一(936)，都：開城
　・官僚制度…科挙を採用，〔⑯　　　　〕(文班と武班にわかれた特権身分)中心の国家運営
　・武臣政権…武官のクーデタ(文官優位の風潮に対する不満)による政権(12世紀)
(2) 高麗の文化
　・仏教が国教に→すぐれた印刷技術による高麗版『〔⑰　　　　〕』の刊行
　・**高麗青磁**，世界最古の〔⑱　　　　〕**活字**
(3) 高麗の対外関係
　・北方…契丹(遼)や女真と対立
　・中国…五代諸国，宋から冊封を受ける
　・日本…国交を結ぶことを求めるが，日本側が拒否
(4) 日本
　・〔⑲　　　　〕**文化**…遣唐使派遣停止後，かな文字などの新しい文化がつくられる
　・11世紀…武装化した地方豪族が中央政界に進出
　・12世紀…平清盛が実権掌握→源頼朝などが平氏を滅ぼす(1185)
　・〔⑳　　　　〕**幕府**…頼朝が東国をおさえて成立させる→武家中心の社会成立
　　…宋銭の輸入・流通により貨幣経済が浸透，朱子学(宋学)や禅宗・浄土宗などが広がる

MEMO

Point≫ 宋で朱子学(宋学)が成立した背景は何だろうか。

〔　　〕

Check▶ p.140❶「桃鳩図」，❷「観音猿鶴図」の絵画についての次の説明文の空欄に入る語句を答えよう。

❶「桃鳩図」は，北宋が金に攻撃された〔①　　　　〕の変の際，当時の皇帝欽宗とともに東北奥地に連行された〔②　　　　〕の作と伝えられている。「桃鳩図」は，装飾性と写実性のバランスがとれた〔③　　　　〕画の名品である。❷「観音猿鶴図」の作者，牧谿は南宋末の禅僧である。このような禅僧や士大夫による精神性を重視する絵画を〔④　　　　〕画という。

Try 宋の政治・社会・文化の特徴について，次の語句を用いてまとめてみよう。

【文治主義　形勢戸　士大夫】

〔　　〕

2　モンゴル帝国の成立(1)

教科書　p.142~145

» トルコ人の拡大とイスラーム化

(1) 西トルキスタンのトルコ人…〔①　　　　　　〕**朝**(イラン系)支配下でイスラームに改宗
- 〔②　　　　　　〕**朝**(イスラームを受容)→カラ=キタイに服属(12世紀なかごろ)
- 〔③　　　　　　〕**朝**…〔②〕朝の内紛で一部のトルコ人部族が南西に移動して建国

(2) 東トルキスタン…〔②〕朝の支配下に入りイスラーム化
- 東部…ウイグル文字文化，マニ教・仏教文化が栄える→14~15世紀までにイスラーム化

» モンゴル帝国の成立

(1) モンゴル部のテムジン…モンゴル高原西部のトルコ系遊牧民ナイマンを征服(1204)
- クリルタイで大ハンに推戴→〔④　　　　　　〕(成吉思汗)として即位(1206)
  →モンゴル・トルコ系諸部族をまとめて〔⑤　　　　　　〕(モンゴル=ウルス)が成立
  →千戸制…支配下の遊牧民を組織化

(2) 巨大な帝国=〔⑥　　　　　　〕に発展
- 西…カラ=キタイを奪ったナイマンの残存勢力を滅ぼす→ホラズム=シャー朝を滅ぼす
- 東…西夏を滅ぼす(1227)

» モンゴル帝国の拡大

(1) 〔⑦　　　　　　〕(大ハンに即位)…新首都〔⑧　　　　　　〕を拠点に帝国の拡大戦略
- 東…金を滅ぼす(1234)→華北領有
- 西…ジュチ家〔⑨　　　　　　〕の西征(ヨーロッパ遠征)→キエフ公国などを服属
  →〔⑩　　　　　　〕(**リーグニッツ**)**の戦い**…ドイツ・ポーランド諸侯軍を撃破
  →ロシア南部に〔⑪　　　　　　〕**国**をたてる
- 中央アジア…チャガタイの一族が中央アジアに〔⑫　　　　　　〕**国**の基をつくる

(2) 〔⑬　　　　　　〕(第4代大ハン)…南宋を攻撃
- 弟〔⑭　　　　　　〕…西アジア遠征→バグダードを占領し，アッバース朝を滅ぼす
  →〔⑮　　　　　　〕**国**建国
- 〔⑥〕…大ハンのもと複数のハン国が並びたち，主導権を争いながらもゆるやかに連合

(3) 〔⑯　　　　　　〕(第5代大ハン)…都：〔⑰　　　　　　〕(カンバリク，現北京)
- 国号：**元**に改称(1271)→南宋を滅ぼし，中国全体に支配拡大
- 「大元ウルス」…ウルス(遊牧民の共同体，「くに」)やハン国への宗主権を唱える
- ハイドゥの乱(1266~)…ハイドゥ(オゴタイ家)がキプチャク・チャガタイ両ハン国と組む
  →約40年続き鎮圧される

» 元の中国支配

(1) 中国支配…中央：中書省　地方：行中書省(行省)…中書省の出張所，モンゴル人が支配の中核
- 中央アジア・西アジア出身の〔⑱　　　　　　〕を重用
- 実力主義…儒学の軽視，士大夫優遇せず，科挙廃れる(1313年に立て直し)
- 〔⑲　　　　　　〕(金支配下の契丹・女真・漢人)・〔⑳　　　　　　〕(旧南宋支配下の住民)は従属的

(2) 経済的基盤として中国重視
- 大運河の補修…大都までのばす(江南地方からの物資を効率よく運ぶため)
- 徴税はきびしいが農耕社会には介入しない→宋代以来の大土地所有は拡大

MEMO

Point≫ 1 三つのハン国はどのようにして成立したのだろうか。

●キプチャク=ハン国

[ ]

●チャガタイ=ハン国

[ ]

●イル=ハン国

[ ]

Point≫ 2 元の中国支配の特徴は何だろうか。

[ ]

2　モンゴル帝国の成立(2)

教科書　p.145〜147

元と周辺の関係

(1) 元の南方遠征…背景：南宋の造船技術や海域の知識の獲得，雲南の大理征服，ムスリム商人の協力
・パガン朝(ビルマ)→弱体化して滅亡
・大越(陳朝)，チャンパー，ジャワ…海路による遠征→すべて撃退され失敗
(2) チベット…オゴタイの遠征軍により勢力下におさめる
・フビライ…チベット仏教厚遇，高僧〔①　　　　〕を国師に→〔①〕**文字**採用
(3) 高麗…フビライが高麗を圧迫→武臣政権崩壊，モンゴルに降伏(1259)
・元の冊封を受けて服属→元帝室との姻戚関係…元の意向が高麗の内政に大きく反映する
(4) 日本…フビライの命令による日本襲撃＝〔②　　　　〕(**元寇**)(1274，1281)
→鎌倉武士の抵抗と激しい暴風雨により，元・高麗連合軍は撤退
・武士の不満(所領の分割相続による生活の零細化，元寇に対する恩賞不足)→鎌倉幕府滅亡(1333)

元の時代の東西交流

(1) ユーラシア大陸の東西をつなぐ交流
・〔③　　　　〕(ジャムチ)…チンギスが創設，ムスリム商人などの広域商業網の形成に寄与
・通貨…〔④　　　　〕，補助紙幣の〔⑤　　　　〕が流通→余った銅銭が日本に大量に送られる
(2) 文化や情報の流れ，人物の往来
・ローマ教皇が〔⑥　　　　〕をカラコルムに派遣
・フランス王ルイ9世が〔⑦　　　　〕をカラコルムに派遣
・ローマ教皇の使節〔⑧　　　　〕が大都にいたる(1294)→中国最初の大司教に
・ヴェネツィア出身〔⑨　　　　〕，モロッコ出身〔⑩　　　　〕
…ともに大都を訪れたといわれ，ヨーロッパのアジア認識に影響を与える
・イル=ハン国…ネストリウス派キリスト教を保護，西欧との交流を拡大
(3) 海上交通の発展…フビライ時代以降，元と南海諸国の関係改善→海上貿易発展
・港市の繁栄…〔⑪　　　　〕・〔⑫　　　　〕(**寧波**)・〔⑬　　　　〕・〔⑭　　　　〕など
・〔⑮　　　　〕の拡大…長江下流から山東半島を経由して大都へ

モンゴル帝国の文化

(1) キプチャク=ハン国，イル=ハン国…イスラームを保護→モンゴル人のイスラーム化
(2) 中国…色目人を通じてイスラーム文化流入，中国から西方への文化的影響も
・天文学…**郭守敬**の〔⑯　　　　〕→渋川春海(日本)の貞享暦
・コバルト顔料(イラン周辺で産出)を用いた磁器(染付)…景徳鎮を中心に生産→各地に輸出
・〔⑰　　　　〕(細密画)…中国画の技法がイル=ハン国からイスラーム諸王朝へ
(3) 歴史研究…イル=ハン国の宰相ラシード=アッディーン：『集史』編纂
(4) 技術…宋以来の火薬・羅針盤・印刷術などがイスラーム諸国を介してヨーロッパに伝わる
(5) 中国文化圏…文学・演劇など都市の大衆文化の成熟
・古典雑劇＝〔⑱　　　　〕…『西廂記』『琵琶記』『漢宮秋』など
・古典大衆文学…元代に『水滸伝』『西遊記』『三国志演義』の原型がつくられる→明代に完成
・宗教…仏教：禅宗・浄土宗が栄える　道教系宗教：全真教が華北で発展

MEMO

Point» モンゴル帝国で東西交流がさかんになった要因は何だろうか。

Check ルブルックはどのような目的でモンゴルに派遣されたのだろうか。p.146の文字資料『バトゥに謁見するルブルック』を読み，考えてみよう。

Try あなたは，モンゴル帝国のもとでユーラシア大陸の一体化がすすんだ要因として，何が最も重要だと考えるか，理由も含めて答えよう。

13世紀の世界　モンゴルの衝撃と東西交流

教科書　p.148〜149

≫ ヨーロッパ

Check ❶ **資料①からどのような戦いであったか読みとってみよう。**

1　ワールシュタットの戦いでモンゴル軍を率いたのはだれか。　〔　　　　　　〕

2　ワールシュタットの戦いの様子を読みとってみよう。

・最初は，〔①　　　　　　〕

・最後は，〔②　　　　　　〕

3　**資料**①から，ワールシュタットの戦いについてどのような印象を受けるだろうか。

〔　　　　　　〕

Check ❷ **モンゴルによる侵攻の結果，ローマ教皇はモンゴルに対してどのような対応をとったか，p.146を読んで確認してみよう。**

〔　　　　　　〕

≫ 西アジア

Check ❶ **資料②について，この戦いに敗れて滅ぼされた王朝は何だろうか。**　〔　　　　　　〕

Check ❷ **この町がモンゴル軍に支配されるようになったことで，イスラーム圏の中心はどの都市へ移ることとなったか，教科書p.148〜149の地図をみて考えてみよう。**

1　モンゴルの支配が及んでいないエジプト・シリアを中心とするイスラーム王朝は何か。

〔①　　　　　　〕

2　その王朝の首都はどこか。　〔②　　　　　　〕

→よって，イスラーム圏の中心は〔②〕に移ったと考えられる。

≫ 東南アジア

Check ❶ **元の侵攻を受けた東南アジアの諸国家を，地図から確認してみよう。**

〔　　　　　　〕

Check ❷ **フビライの遠征は，東南アジアの諸国家にどのような影響をもたらしたのだろうか。教科書p.145，150〜151の内容をもとに表にまとめてみよう。**

国家	影響
①	②
③	④
⑤	⑥
⑦	⑧

» 東アジア

Check 2度の元寇において，実際はどのような人たちが元軍を構成していたか考えてみよう。

1 第1次(文永の役)：〔　　　　　　　　　　〕

2 第2次(弘安の役)：〔　　　　　　　　　　〕

» ユーラシアの東西交流

Check ❶ 資料⑤は何という書物だろうか。また，これを書いた人物はだれだろうか。

1 書物：〔　　　　　　　　〕　2 人物：〔　　　　　　　　〕

Check ❷ 資料⑦はどのように使われたのだろうか。教科書p.146をふりかえって確認してみよう。

〔　　　　　　　　　　〕

Check ❸ この交通網が整備されたことで，ユーラシア東西のヒトやモノの交流がうながされ，諸文化の融合もみられた。その具体的な事例を，教科書p.146～147の内容からとりあげてみよう。

1 ヒトの交流

〔　　　　　　　　　　〕

2 モノの交流

〔　　　　　　　　　　〕

3 諸文化の融合

〔　　　　　　　　　　〕

Try モンゴル帝国は，その解体過程となる次の14世紀において，ユーラシア各地にどのような政治的影響をもたらしただろうか。

1 日本 〔　　　　　　　　　　〕

2 中国 〔　　　　　　　　　　〕

3 中央アジア 〔　　　　　　　　　　〕

4 ヨーロッパ 〔　　　　　　　　　　〕

3　東南アジア諸国の再編

教科書　p.150〜151

》海域東南アジアの三極構造

(1)〔①　　　　　　　〕…中継港，沈香などの内陸の産物の供給者→15世紀に最盛期
・13世紀後半，元の侵攻(元寇)撃退→15世紀後半以後，大越(ベトナム)に圧迫される

(2) マラッカ海峡
・〔②　　　　　　　〕(多数の港市国家の総称)が栄える(10〜14世紀)
→中国，インド，西アジアの諸国と活発に交易
・スマトラ北部の港市国家…インド人のムスリム商人の影響によりイスラーム化(13世紀末)

(3) ジャワ…王都がジャワ島中部から東部に移る(10世紀前半)
・〔③　　　　　　〕**朝**(929〜1222)以降，農業的基盤をもつ港市国家が栄える
・〔④　　　　　　〕朝(1222〜92)…元寇を受ける(13世紀末)
・元寇撃退→〔⑤　　　　　　　〕**朝**(1293〜1527ごろ)成立→諸島部の中心として繁栄
・宗教…ヒンドゥー教，大乗仏教
・インド文化を吸収した独自のジャワ文化…〔⑥　　　　　〕(影絵人形劇)などの芸能発達

》平原国家の大建築時代

(1)〔⑦　　　　　〕**朝**(1044〜1299)…ピュー衰退後のビルマ中央平原でビルマ人が建国
・ベンガル湾と雲南を結ぶ交易で栄える，灌漑による農業開発すすむ
・南部のモン人の先進文化吸収→仏寺や仏塔を建立
・元寇(1287)を機に衰退→モン人の港市国家が南部で繁栄

(2)〔⑧　　　　　　〕**王国**(アンコール朝)…カンボジアのアンコール地方に都をおく(9世紀)
・東北タイ，中部タイを含む内陸支配網を建設
・大建築時代(13世紀まで)
…〔⑨　　　　　　　　〕などのヒンドゥー教・大乗仏教の寺院を多数建立
…都城〔⑩　　　　　　　〕建設

(3) タイ…〔⑧〕王国の支配下でタイ人の国家が多数形成される
・〔⑪　　　　　　〕**朝**(1257ごろ〜1438)…上座仏教の仏寺・仏塔が多数残される
・〔⑫　　　　　　〕**朝**(1351〜1767)…タイ湾北岸の港市国家→マラッカ海峡へ進出
…〔⑧〕王国を圧迫，〔⑪〕朝など北方の諸国を征服

(4) 上座仏教…スリランカから東南アジア大陸部に伝わる(12世紀ごろ〜)
・日常生活で精霊信仰と共存，王室儀礼ではヒンドゥー教の要素を残す

》ベトナムの独立と変容

〔⑬　　　　〕…北部ベトナム，唐末の政治的混乱を機に中国の支配から独立(10世紀後半)
・主要航路が広州・チャンパー間を直航して海南島の東を通るようになる
→特産品のない北部ベトナム…国際交易から切り離される
・〔⑭　　　　〕**朝**(1010〜1225)…最初の長期王朝，宋から儒教や仏教をとりいれて中国化
・〔⑮　　　　〕**朝**(1225〜1400)…元寇を撃退(3度)
…科挙制度定着，地方行政組織整備→東南アジア唯一の中国的国家
…〔⑯　　　　　　〕(字喃)…漢字にもとづく独自の文字

MEMO

Check p.150**2**の地図「12世紀の東南アジア」を参考にして，次の地図中の空欄に国名または王朝名を記入しよう。

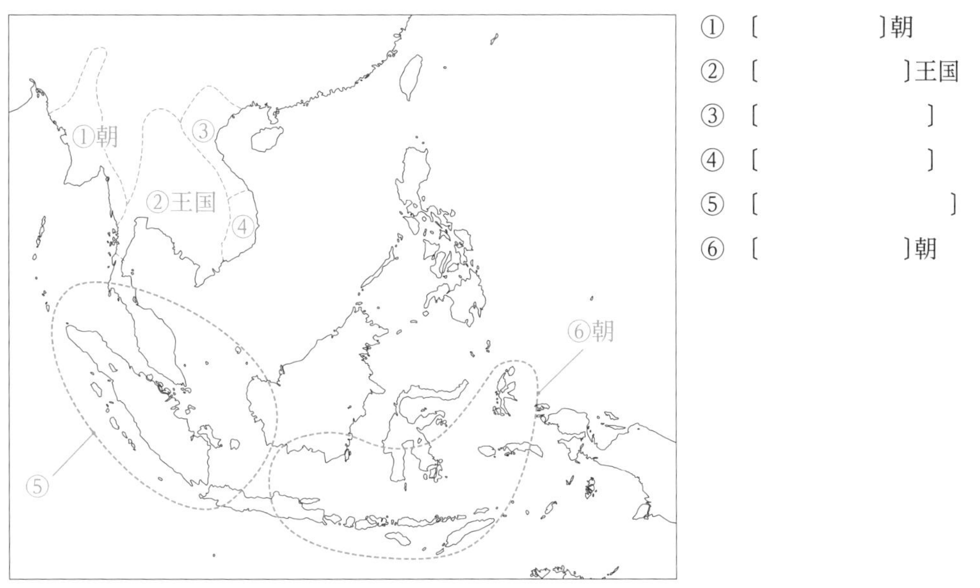

① 〔　　　　　〕朝
② 〔　　　　　　〕王国
③ 〔　　　　　　　〕
④ 〔　　　　　　　〕
⑤ 〔　　　　　　　　〕
⑥ 〔　　　　　　〕朝

Try この時期に東南アジアでうまれた文化のうち，他地域の文化の影響を受けながら，独自性を主張した文化の例をあげてみよう。

〔　　　　　　　　　　　　　　　　　　　　　　　　　　　　　　　　　　　　　　〕

4　海域世界の展開と大交易圏の成立

教科書　p.152〜154

» モンスーン航海の確立と発展

(1)〔①　　　　　　　　〕(**海の道**)…西アジア・東アフリカから東アジアにいたる海の道

・紀元前…沿岸短距離航海をリレー(中国の絹，熱帯・亜熱帯の香薬・象牙・真珠などの奢侈品)

・〔②　　　　　　〕航海…1世紀にアラビア海，4世紀にベンガル湾と南シナ海で確立

→海上交通が安全確実で迅速になる→南インド，東南アジア諸島部で〔③　　　　〕**国家**が発展

(2) 中国の南海交易(7〜8世紀ごろまでは朝貢貿易が中心)

・ペルシアやアラブの**ダウ船**が来航し，民間商人の交易が中心になる

・8〜9世紀…唐とアッバース朝の間で活況を呈する

・9世紀前半…外洋航海に耐えうる堅牢な**ジャンク船**が中国で開発される

→中国商人が東シナ海・南シナ海へ…日本は国家事業としての遣唐使船を派遣する必要がなくなる

» ジャンク船とダウ船

(1) 海上ルートの重要性が高まる(9世紀ごろ〜)⇔陸上ルートは政治状況によってしばしば途絶

・中国の主要輸出品(〔④　　　　〕や銅銭などの重量物)の運搬は船が有利

・海域アジア…海を領域(領海)として支配しなかったので，航路が長期間とだえることがない

(2) マラッカ海峡の〔⑤　　　　〕…東西の商人が出会う交易地として中枢港市に発展

・黄巣の乱で広州破壊(9世紀末)→ダウ船が〔⑤〕まで後退し，ジャンク船が南シナ海に進出

(3) イスラーム都市ネットワークの中心…バグダートから〔⑥　　　　　〕・アレクサンドリアへ

・バグダードの政治的混乱(10世紀後半)，ペルシア湾の中心的港市が地震で壊滅

→アラビア海域の主要航路が〔⑦　　　　　　〕**湾ルート**から〔⑧　　　　〕**ルート**に移る

(4) 12世紀

・ジャンク船…南インドまで進出，南インドの港市(クイロン，カリカットなど)が栄える

ベンガル湾・南シナ海で活躍

・ダウ船…アラビア海で活躍

(5)〔⑨　　　　　〕(宋代には広州・泉州・明州・杭州などに設置)…港や交易の管理・課税など

» 二つの辺境ー東地中海とアフリカ東岸

(1) 東地中海(海域世界の北西辺境)

・北イタリア諸都市(〔⑩　　　　　　　〕・ジェノヴァなど)…地中海東部との東方貿易展開

→ヨーロッパ全域にアジアの商品(香薬など)への需要が高まる

(2) アフリカ東海岸(海域世界の西の辺境)

・〔⑪　　　　　　　〕・ザンジバル・キルワなどの港市にムスリム商人が来航

→バントゥー文化とイスラーム文化が融合…〔⑫　　　　　　〕文化，〔⑫〕**語**(商業用語)普及

・南の〔⑬　　　　　　〕…内陸のジンバブエとの交易拠点として栄える

» 大交易圏の成立

(1) 大交易圏の形成(13世紀末)

・モンゴルによる南宋の滅亡→中国市場をモンゴル帝国が統合

→ユーラシア規模の陸上交易網が海上交易網と結合(フビライの東南アジアへの武力政策挫折)

→ユーラシアと北アフリカ・東アフリカを含む**大交易圏**の形成→大交易時代につながる

・マルコ=ポーロ…『〔⑭　　　　　　〕(東方見聞録)』

・イブン=バットゥータ…『[⑮　　　　　　　](三大陸周遊記)』

(2) 大交易圏の崩壊(14世紀なかば)

・モンゴル帝国の分裂→陸路の統一がくずれる

・明の海禁政策→中国商人の海上活動衰退，ジャンク船がインド洋から撤退

MEMO

Check ① 次の港市は三つの交易圏のどれに属しているだろうか。p.152**1**の地図「12～13世紀ごろの海域世界」を参考にして，次の記号で答えよう。

【ジャンク船の海…A，ダウ船の海…B，イタリア商人の海…C】

① ジェノヴァ…[　　　]　② 泉州…[　　　]　③ ホルムズ…[　　　]

④ マリンディ…[　　　]　⑤ クダ…[　　　]　⑥ チュニス…[　　　]

Check ② p.152**2**の写真「ダウ船」をみて，その構造からどのような航海に向いていると考えられるだろうか。

[　　　　　　　　　　　　　　　　　　　　　　　　　　　]

Try あなたは，三つの交易圏で取引されていた商品のなかで，最も重要なものは何だと考えるか。理由も含めて説明しよう。

[　　　　　　　　　　　　　　　　　　　　　　　　　　　]

ACTIVE④ 大交易圏の成立とムスリム=ネットワーク　教科書 p.155

歴史を資料から考える

下の資料はイブン=バットゥータが旅したルートと訪れた地域名・都市名を示した地図である。この地図と教科書p.155の資料②～⑤をみながら問いに答えよう。

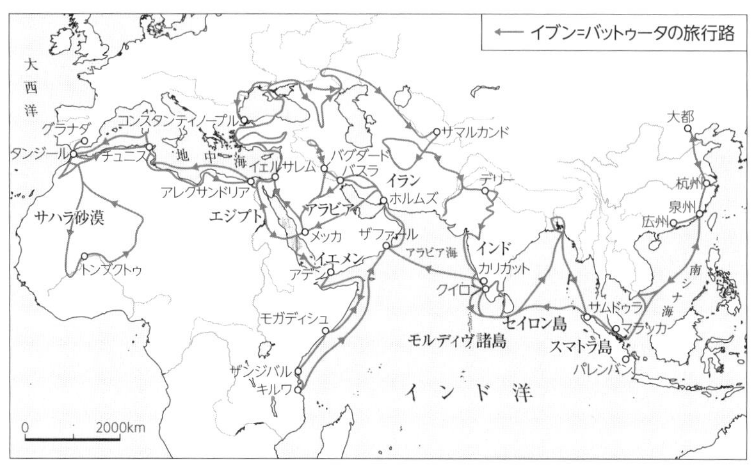

STEP 1　**資料**②や③の船について，次の対話の空欄に語句を入れながら考えてみよう。

先生：まず**資料**②のキルワ，ザファールを結ぶ海上ルートを，上の地図で確認してみよう。

生徒：キルワはアフリカ東海岸，ザファールは〔①　　　　　〕半島南岸だから，インド洋から〔①〕海のルートです。

先生：イブン=バットゥータがアフリカ東海岸にも旅行した背景には，その地をイスラーム教徒の商人が訪れていたということがある。彼の旅行路の土台には，既存の交易圏があったんだね。

生徒：教科書p.152の地図と照らし合わせると，ここは〔②　　　　〕の海なので，**資料**②の船は〔②〕です。ところで，ザファールからインドには，〔③　　　〕が輸出されていますね。

先生：インドの戦闘では，象が使われていたけれど，ムスリム政権の影響で騎馬を用いるようになったんだね。あとで，教科書p.171をみておこう。さて，**資料**④・⑤の地域はどうかな。

生徒：東南アジアと中国だから，〔④　　　　　　〕の海です。**資料**③のカリカットは，二つの海が重なる地域にありますが，ここは「中国の船団」だから，**資料**③の船は〔④〕です。

STEP 2　**資料**③の「異教徒」の宗教について，次の対話の空欄に語句を入れながら考えてみよう。

先生：まず，イブン=バットゥータの宗教は何だろうか。

生徒：イスラームです。彼自身は，スンナ派のムスリムですね。

先生：彼が「異教徒」というのだから，カリカットの君主は〔①　　　　　　〕教徒ではないね。

生徒：当時のインドにはイスラーム王朝がありましたが，地方の領主もみなイスラーム教徒だったわけではないのですね。

先生：教科書p.114をみてみよう。「イスラーム諸王朝は，支配のために〔②　　　　　　　〕領主と結び」と書いてあるね。カリカットの君主や商人たちは，異教徒と平和に共存していたんだ。イブン=バットゥータも，モンスーンを待つ間，君主の客として滞在した。

生徒：そうした平和的共存が，国際的な交易の背景にあったのですね。

STEP③

1 **資料**②～⑤について，次の対話の空欄に語句を入れながら，ムスリムとしての視点や経験が記述されている箇所について考えてみよう。

生徒：これは，たとえば **STEP②** で考えたとおり，「異教徒」に関する記述ですね。

先生：そうだね。それから，資料のなかで，イスラームに関係した用語がみつかるかな。

生徒：**資料**②・④にある〔①　　　　　〕ですね。

先生：そう。〔①〕が展開される地域は，イスラーム世界と非イスラーム世界が接する境域地帯だ。

生徒：**資料**④のサムドゥラのスルタンは，ジャンク船を用意したり，香薬を贈ってくれたり，イブン=バットゥータに親切だったようですが，これもムスリムとしての経験といえそうですね。

先生：旅行者を保護すべきことは『〔②　　　　　〕』にも言及があり，ムスリムの務めなんだ。彼はイスラーム法学者だったから，なおさら厚遇された。デリーでは，8年も仕官している。

生徒：ムスリム=ネットワークを感じますね。**資料**⑤の泉州では，〔③　　　　　〕から歓迎されたようですが，海外旅行先で日本出身の人に出会うとお互い嬉しいから，共感できます。

2 当時，イスラームがどのような世界的広がりをみせていたか，これまでの **STEP** や対話，そして教科書p.116～117などもヒントにしながら，資料から考えてみよう。

〔　　　　　〕

Try

① **イブン=バットゥータの旅行を可能にした背景について，STEP を参考にしながら，大交易圏とイスラーム社会のネットワークという視点から考え，次の語句を用いて説明してみよう。**
【 モンゴル帝国　　アラビア語　　ワクフ 】

〔　　　　　〕

② **彼の旅行を，あなた自身の旅行と比較してみよう。その際，旅行の目的，交通手段，旅行の記録など，比較対象をいくつか設定して考えてみよう。**

〔　　　　　〕

1　明と東アジア(1)

教科書　p.156～159

明の成立

(1) 明の成立

・元の後期→放漫さと内紛，天候不順による飢饉，財政悪化→交鈔乱発，塩の専売強化
　→白蓮教流行→〔①　　　　〕**の乱**(1351～66)

・〔②　　　　　〕＝太祖, **洪武帝**(〔①〕の乱の指導者の一人)…**明**建国(1368), 都:金陵(現在の南京)
　→元の残存勢力を長城の北に追いやる

(2) 政治体制

・中書省を廃し六部を皇帝に直属させる，明律・明令を定める

・朱子学の官学化…科挙を通じて官吏を登用

・〔③　　　　　〕…民戸110戸を1里とし，うち富裕な10戸を里長戸，残る100戸を甲首戸とし，
　　10甲にわける
　→年長者(里老人)が〔④　　　　〕(六つの教訓・徳目)を唱えて郷村を教化

・〔⑤　　　　〕**制**…軍戸を衛所の管理下におく，兵農一致の制度

・税収の充実…〔⑥　　　　　　〕(租税台帳)，〔⑦　　　　　　〕(土地台帳)作成

(3) 〔⑧　　　　　〕(成祖)…建文帝の政治に反発→〔⑨　　　　〕**の役**(1399～1402)で帝位を奪う

・〔⑩　　　　〕に遷都(1421)…対モンゴル防衛→モンゴル高原のタタールに打撃を与える

・内閣設置…皇帝を補佐する機関→〔⑪　　　　　　〕を重要政務に参加させる

大交易時代のはじまり

(1) **倭寇**(**前期倭寇**)…東シナ海で，西日本の武装した沿海民を中心とした略奪が活発化

・明…〔⑫　　　　〕**政策**で対抗→**朝貢体制**…朝貢しない国や民間商人を貿易から排除

・朝鮮…李成桂による討伐と懐柔，日本…足利義満の明への朝貢貿易→前期倭寇の消滅

(2) 南海大遠征(1405～33)…指揮官：〔⑬　　　　〕(雲南出身，ムスリム，宦官)

・東南アジア・インド・ペルシア湾岸・東アフリカ沿岸へ7回遠征

(3) **大交易時代**…明を中心とする朝貢貿易の活発化(東アジアからインド洋)

・〔⑭　　　　〕…中山王が統一(15世紀前半)…明に朝貢，中継貿易を展開

・〔⑮　　　　　〕…〔⑬〕艦隊の根拠地→海域東南アジアの中心となる

北虜南倭と明の滅亡

(1) 〔⑯　　　　　　〕…明に対する南北からの圧迫

・モンゴル諸部…**オイラト**：〔⑰　　　　〕**の変**(1449)→エセン＝ハンが正統帝(英宗)を捕虜に
　　　　…タタール：〔⑱　　　　　　〕**=ハン**が明を圧迫→明は万里の長城を修築

・**後期倭寇**…東シナ海・南シナ海沿海の民間商人が武装して密貿易をくり広げる

(2) 明の対応

・〔⑱〕=ハンと和解(1571)→軍事費の負担軽減

・沿海部…海禁をゆるめる(1567)→倭寇の鎮静化，中国人の海商が東南アジア諸港と交易

(3) 万暦帝(神宗)時代の再建(16世紀後半)

・〔⑲　　　　　〕…戸口調査や検地により税収源となる農村社会の再建をめざす

(4) 明の滅亡…活性化した国際交易のなかで台頭した勢力の脅威にさらされる

・財政窮乏…豊臣秀吉の朝鮮侵入に対する援軍派遣，台頭する女真との対抗

・中央の混乱…東林派(顧憲成の東林書院が拠点)官僚と非東林派の宦官との党争激化

・農民反乱…〔⑳　　　　　〕の乱→北京陥落と崇禎帝(毅宗)の自殺により明滅亡(1644)

MEMO

Point≫1 洪武帝がつくりあげた明の政治体制の特徴は何だろうか。

〔　　　　〕

Check p.157の文字資料『鄭和の南海大遠征』に登場する諸国について説明した文として誤っているものを次から二つ選ぼう。p.156❶の地図「15世紀の明と海域アジア」でも確認しよう。

〔　　　〕〔　　　〕

① チャンパーは，大越(陳朝)の支配下にあった。

② ジャワは，マジャパヒト朝の支配下にあった。

③ カリカットは，ヴィジャヤナガル王国の領域にあった。

④ ホルムズは，ティムール朝の領域にあった。

⑤ アデンは，マムルーク朝が支配していた。

Point≫2 大交易時代に，琉球とマラッカはどのような役割をはたしたのだろうか。

●琉球

〔　　　　〕

●マラッカ

〔　　　　〕

1　明と東アジア(2)

教科書　p.159～162

明代の社会と経済

(1) 農業

・長江下流域…海禁の緩和により換金作物(綿・桑など)に転換→農村手工業が発達

・長江中流域…穀倉地帯が長江下流域→湖広(現在の湖北・湖南)に移動＝「湖広熟すれば天下足る」

(2) 商業…物資の集散地(蘇州，杭州など)が繁栄

・〔①　　　　〕**商人**，安徽の〔②　　　　〕(**新安**)**商人**など…大規模な商業ネットワークを形成

→〔③　　　　〕・**公所**…同郷・同業者どうしで連絡・協力

・陶磁器の産地〔④　　　　　〕…赤絵，染付の生産→日本の有田焼などに影響を与える

・銀の中国流入…〔⑤　　　　　　　〕＝**アメリカ銀**，〔⑥　　　　　〕

→〔⑦　　　　　〕…土地税(地税)や人丁にかかる徭役(丁税)を簡素化して銀でおさめる税制

明代の文化

(1) ヨーロッパ人の来訪…イエズス会士などのキリスト教宣教師が明の宮廷と文化面で交流

・〔⑧　　　　　　　〕＝**ザビエル**(スペイン人)…日本に布教，中国布教の途上で病死

・〔⑨　　　　　　　　〕＝利瑪竇(イタリア人)…中国初の世界地図『〔⑩　　　　　　　〕』作成

…徐光啓と協力して，エウクレイデスの『幾何学』を漢訳(『幾何原本』)

・〔⑪　　　　　　　　　〕＝湯若望(ドイツ人)…徐光啓と『崇禎暦書』作成

(2) 儒学…朱子学の官学化→科挙受験のための学問となり形式化

・永楽帝の編纂事業…経典注釈書(『四書大全』『五経大全』など)，百科事典『〔⑫　　　　　　〕』

・〔⑬　　　　　〕…朱子学に批判的な王守仁(**王陽明**)が知行合一を説く

(3) 実学…実際に役立つ知識を重んずる経世致用の学

・『**本草綱目**』(李時珍)，『**農政全書**』(徐光啓)，『**天工開物**』(宋応星)

(4) 庶民文学…「四大奇書」:『**三国志演義**』，『**水滸伝**』，『**西遊記**』，『**金瓶梅**』

朝鮮(李朝)と日本

(1) **朝鮮**(**李朝**，**朝鮮王朝**)(1392～1910)…建国：〔⑭　　　　　〕　都：〔⑮　　　　〕(現ソウル)

・朱子学を採用，科挙整備

・第4代〔⑯　　　　〕…**両班**による中央集権的支配体制の基礎確立

・**銅活字**による活版印刷…王朝の正史(実録)，さまざまな書物が編纂される

・「〔⑰　　　　　　〕」(**ハングル**)公布(1446)…独自の表音文字

・対外関係…明：冊封関係，女真：対立関係，日本：室町幕府や諸大名，商人と交易

(2) 日本

・**室町幕府**(1338～1573)…京都をおさえた足利尊氏が開く

…3代将軍義満が明に冊封される(「日本国王」の称号)…日明貿易(〔⑱　　　　〕**貿易**)開始

・戦国時代…群雄割拠→**織田信長**が台頭(室町幕府滅亡)→**羽柴**(**豊臣**)**秀吉**が全国平定

→信長や秀吉…ポルトガルやスペインとの間で南蛮貿易をおこなう

→**文禄・慶長の役**(**壬辰・丁酉倭乱**)→〔⑲　　　　　〕の水軍，秀吉の死などで日本軍撤退

・**江戸幕府**(1603～1867)…関ヶ原の戦い(1600)に勝利した**徳川家康**が開く

→初期…ヨーロッパ諸国，東アジア諸国，東南アジア諸地域との外交・交易に積極的に取り組む

→〔⑳　　　　　〕**貿易**…東南アジアへの渡航希望者に朱印状(渡航許可書)を発給

MEMO

Point≫1 **明代に，稲作の中心が長江下流域から中流域へと移動した要因は何だろうか。次の説明文の空欄に入る語句を答えよう。**

〔①　　　　〕の緩和により中国商人が国際商業網に参入して輸出品の需要が高まった。そこで，長江下流域では，〔②　　　　　〕業や〔③　　　　〕産業などの農村手工業が発達し，水田が換金作物である綿や〔④　　　〕などの栽培地に転換され，稲作の中心が長江中流域に移動した。

Point≫2 **明代にはなぜ実学がさかんになったのだろうか。**

〔　　　　〕

Try **倭寇や周辺勢力の動きに着目し，明の対外政策の変遷を年表にまとめ，転機になったできごとを指摘してみよう。**

〔　　　　〕

2　ヨーロッパの海外進出(1)

教科書　p.163~165

大航海時代とインド航路開拓

(1) 大航海時代…ヨーロッパが世界への積極的な膨張期に入る(15世紀末~)
- 背景…十字軍以来高まった東方に対する関心(マルコ=ポーロの『世界の記述』などによる)
  - …アジアの[①　　　　]（香辛料・香料)の直接取引による莫大な富への期待
  - …オスマン帝国の発展に対する危機感
  - …造船術，天文知識の進歩，羅針盤の改良などにより遠洋航海が可能になる
- **ポルトガル，スペイン**…大航海の先頭を切る(地理的に有利)
  - …レコンキスタにおける異教徒との戦いの継続→好戦的(船は鉄砲・大砲で武装)

(2) ポルトガル…インド航路の開拓
- [②　　　　]**航海王子**…探検隊をアフリカ西岸に送る(15世紀前半~)
- [③　　　　]…アフリカ南端の喜望峰に到達(1488)
- [④　　　　]…アフリカ東海岸(マリンディ)でムスリムの案内人を得る
  →インド西岸([⑤　　　　])に直航(1498)→インド航路が開かれる
- マルク(モルッカ)諸島(クローヴやナツメグの産地)に到達
- 首都[⑥　　　　]…香薬などアジア産商品の取引で栄える(16世紀前半)→対価はスペインがアメリカで獲得した銀(産業革命以前は，アジアで需要のある商品がない)

スペインの進出

(1) アメリカ到達
- [⑦　　　　](コロン)…ジェノヴァ出身
  …[⑧　　　　](フィレンツェの天文学者)の地球球体説→西まわり航路の開拓を企画
  →イサベル女王(スペイン)の援助を受け，カリブ海の[⑨　　　　]島到着(1492)
  →以後3回にわたる航海で南アメリカ大陸北部に到達…最後までインドであると信じていた
- [⑩　　　　]…パナマ地峡横断，太平洋到達→大陸であることが明らかとなる(「新大陸」)
- [⑪　　　　]…アジアとは別の大陸であると主張→「アメリカ」の語源

(2) [⑫　　　　]**条約**(1494)…スペイン・ポルトガル両国の勢力範囲を定める
- [⑬　　　　]…現在のブラジルに漂着(1500)→ポルトガル領([⑫]条約にもとづく)

(3) [⑭　　　　](マガリャンイス)…ポルトガル人
- スペイン王の援助を受け，西まわりのアジア航路発見のための航海に出発(1519)
  →南アメリカ南端(マゼラン海峡)を経て太平洋を西進，フィリピンに到達(1521)…戦死
  →部下がマルク諸島，インド洋を経てスペインにもどる(1522)→人類最初の[⑮　　　　]

南北アメリカ大陸の文明

(1) アメリカ先住民
- ベーリング海峡が陸続き(3万年前)→東北シベリアからアメリカ大陸に狩猟民が移動
  →南端のフエゴ島に到達(約1万年前)…のちヨーロッパ人がインディオ(インディアン)とよぶ

(2) 独自の文明…ベーリング海峡の形成により，ユーラシア大陸から隔離
- 二つの文明圏…メソアメリカ文明圏，アンデス文明圏
- 特徴…高度な石造技術，金・銀，一部で青銅　※鉄，牛・馬，車輪は利用されない
- 農業…[⑯　　　　]・[⑰　　　　]が主作物(米，麦などは栽培されない)

MEMO

Point≫ 1 ポルトガルとスペインは，なぜ海外進出へと向かったのだろうか。

Check p.163 **1** の地図「大航海時代の世界」をみて，ヴァスコ=ダ=ガマの喜望峰までの航路とアフリカ大陸東岸の航路，およびマリンディからカリカットまでの航路の特徴を比較して，その違いを理由も含めて説明しよう。

● 喜望峰までの航路

● アフリカ大陸東岸の航路

● マリンディからカリカットまでの航路

Point≫ 2 南北アメリカ大陸に栄えた文化に共通する特徴は何だろうか。

2　ヨーロッパの海外進出(2)

教科書　p.165〜168

» メソアメリカ文明圏の先住民文化

(1) オルメカ文明…メキシコ湾岸地方に形成(前1200年ごろ)→メキシコ高原や中央アメリカに影響

(2) [①　　　　　　　　]**文明**…メキシコ高原(1世紀ごろ〜)で発展，商業・交易がさかん

(3) [②　　　　　　]**王国**…[②]人がメキシコ高原に南下(12世紀ごろ)

・湖上の都市[③　　　　　　　　　]（現メキシコ市）をたてる(14世紀)

・神権政治，大ピラミッド神殿を築く→メキシコ湾岸から太平洋岸までを支配(15世紀)

(4) [④　　　　　]**文明**…ユカタン半島中心(紀元前〜，3世紀〜9世紀が最盛期)

・[④]人…階段ピラミッドなどをそなえた石造建築の都市建設，[④]文字…絵文字(象形文字)

→[①]文明と交流，高度な天文観測にもとづく精密な暦の作成，二十進法による数学が発達

» アンデス文明圏の先住民文化

(1) アンデス地方…前2500年ごろから石造神殿たてる→チャビン文化成立(前800年ごろ)

(2) [⑤　　　　　　]**帝国**(15世紀なかごろ〜)…アンデス一帯に勢力拡大，都：[⑥　　　　　　]

・皇帝…太陽の子とされて絶大な宗教的権力をもつ

・特徴…石造技術，道路網と駅伝制整備，数量をあらわす[⑦　　　　　　]（結縄）

» スペインのアメリカ支配

(1) スペインによるアメリカ文明の征服

・[②]王国…[⑧　　　　　　　]（1521）が滅ぼす，マヤ文明の諸都市…スペインが征服

・[⑤]帝国…[⑨　　　　　　]により皇帝アタワルパが処刑され滅亡(1533)

(2) [⑩　　　　　　　　　]**制**…スペイン人植民者に土地と先住民の支配を委託

・先住民のキリスト教化と保護が条件→先住民の保護は有名無実，大農園や鉱山で酷使

→過酷な労働，植民者がもちこんだ疫病(天然痘・ペスト・インフルエンザなど)で人口激減

→ラス=カサス(聖職者)らの努力→スペイン本国は先住民の奴隷化を禁止

→アシエント(奴隷供給契約)によってアフリカから[⑪　　　　　　]を輸入

(3) スペインによる銀の流れ

・サトウキビのプランテーション，メキシコ各地や[⑫　　　　　　]**銀山**などで金・銀の鉱山開発

→大量の銀がヨーロッパに供給される

→スペイン領ネーデルラントの[⑬　　　　　　　　　　]（アントワープ）…世界貿易の中心に

・[⑭　　　　　　　]**貿易**…メキシコの銀を[⑭]からマニラに運ぶ→中国の絹・陶磁器を入手

» アメリカの大農園

(1) [⑮　　　　　　　]**制**(17世紀〜)…大規模な土地所有にもとづく農園，債務奴隷を使用

・銀生産の減少→貿易衰退(17世紀後半)→[⑮]制さらに拡大

(2) **奴隷制**[⑯　　　　　　　　　　]

・ブラジル…ポルトガルがサトウキビ栽培，砂糖生産を展開→アフリカ西海岸から[⑪]を投入

・ヨーロッパ諸国…アメリカ大陸，西インド諸島の各地に奴隷制[⑯]建設

» ヨーロッパの変容

(1) [⑰　　　　　]**革命**…商業の中心が地中海から大西洋沿岸の国々に移る

(2) [⑱　　　　　]**革命**…アメリカ銀の大量流入，人口増加→物価の大幅上昇

→固定した地代収入に依存する封建領主層が打撃を受ける

(3) ヨーロッパにおける東西の分業と格差

・西ヨーロッパ諸国(ネーデルラント，イギリス，フランスなど)…毛織物業など商工業が発達

・東ヨーロッパ(東部ドイツ，ポーランドなど)…毛織物などを輸入，穀物や原材料を西欧に輸出

→〔⑲　　　　　　　〕(グーツヘルシャフト)…領主層が大農場経営により農民の賦役労働を強化

MEMO

Point≫1 スペインはアメリカ大陸をどのように支配したのだろうか。次の説明文の空欄に入る語句を答えよう。

スペインは，征服した領土において，先住民の保護などを条件としてスペイン人植民者に土地と先住民の支配を委託する〔①　　　　　　　〕制をしいたが，先住民は大農園や鉱山で酷使された。宣教師の〔②　　　　　　　〕らの努力により先住民の奴隷化が禁止されたが，奴隷供給契約である〔③　　　　　　　〕によってアフリカから黒人奴隷を輸入することになった。17世紀以降，〔①〕制にかわり，大土地所有にもとづく農園で債務奴隷などを使用する〔④　　　　　　　〕制が広がった。

Point≫2 大航海時代は，ヨーロッパにどのような変化をもたらしただろうか。

Try 大航海時代によってもたらされた変化のうち，あなたはどれが最も重要だと考えるか。理由も含めて答えよう。

3　大交易時代の海域アジア

教科書　p.169～171

» アジア内交易にくいこむポルトガル

(1) ポルトガル…香薬交易の独占をめざし，武力で交易ネットワークを支配しようとする

・インドの〔①　　　　〕獲得(1510)→マラッカ(1511)，ホルムズ(1515)などの要港を占領

→アジア諸国も火砲を装備→ポルトガルの軍事的優位は長く続かず

・紅海…オスマン帝国が要港アデンを支配→アラビア海の交易を支配できず

・ムスリム商船…マラッカをさけてスマトラ島(インド洋側)からスンダ海峡を通るルートを使用

→イスラーム港市国家(アチェ，バンテン，ジョホールなど)が発展(1520年代以後)

(2) ポルトガルの変化…アジア内部の中継交易への参入

・アジア内交易…〔②　　　　〕と中国の〔③　　　　〕が最も利益がある(16世紀なかば～)

・ポルトガル…日本：〔④　　　　〕，長崎に来航　中国：〔⑤　　　　〕の居住権獲得(1557)

(3) スペイン…〔⑥　　　　〕占領(1571)→フィリピンの植民地化

・〔⑥〕…〔⑦　　　　〕(**メキシコ銀**)，中国商人の絹や陶磁器の中継交易で繁栄

» 沸き返る交易世界

(1) 〔⑧　　　　〕**倭寇**(16世紀)…福建省・広東省沿海の人々の海禁に対する抵抗

→明の海禁緩和(1567)で倭寇鎮静化

(2) 日本…銀山(石見銀山など)開発，精錬技術の革新→銀生産急増(16世紀)，絹織物の需要が高まる

・〔⑨　　　　〕**貿易**…徳川家康が朱印状を与えて海外交易を促進

・〔⑩　　　　〕…ホイアン，プノンペン，アユタヤ，マニラなど東南アジア各地に形成

(3) 中国…海禁緩和により中国人商人の東南アジア進出が活発化→各地に中国人町形成

(4) 東南アジア大陸部…米をはじめとする豊かな産物の交易によって繁栄

・大越(ベトナム)…北部：鄭氏，中部：広南王国

・タイ…〔⑪　　　　〕**朝**　ビルマ…〔⑫　　　　〕**朝**

(5) 東南アジア諸島部…イスラーム港市国家が競いあう

・香薬の生産拡大…胡椒(スマトラ島，ジャワ島)，クローヴやナツメグなど(マルク諸島)

・ジャワ島中部…マタラム(イスラーム国家)が繁栄(16世紀後半～18世紀)

(6) インド洋…ジャンク船撤退(明の海禁)→ダウ船が海上交易を担う

・南インド…〔⑬　　　　〕**王国**が有力

» オランダの優勢

(1) オランダ…海域アジアの最有力勢力に

・〔⑭　　　　〕**会社**…ジャワ島西部の〔⑮　　　　〕(現ジャカルタ)確保(1619)

→マルク諸島支配→マラッカ奪取(1641)…ポルトガルに対する優位確立

・日中交易の中継基地として〔⑯　　　　〕確保

・徳川幕府の「鎖国」政策のもとで貿易をゆるされる唯一のヨーロッパ勢力となる(1639)

・〔⑰　　　　〕**植民地**建設(1652)，インド洋の要地〔⑱　　　　〕確保(1658)

» 大交易時代の終焉

(1) 「〔⑲　　　　〕**の危機**」…寒冷化(小氷期)による凶作，飢饉，人口減少，反乱→経済活動収縮

→アメリカ銀・日本銀の生産と流通の減少，「鎖国」による日本貿易の縮小

→清の海禁強化(鄭氏による〔⑯〕獲得に対抗)により，東シナ海・南シナ海の交易に大打撃

MEMO

Point» 前期倭寇と後期倭寇の共通点と相違点は何だろうか。

●共通点

［　　　　　］

●相違点

［　　　　　］

Check p.171 3 の写真「オランダ東インド会社のVOCマークが入った有田焼（伊万里焼）」の写真についての説明として誤っているものを一つ選ぼう。　〔　　　〕

① VOCマークは，オランダ東インド会社による品質保証という意味合いをもつ。
② 有田焼の技術は，オランダを通じてヨーロッパからもたらされたものである。
③ 高級なアジアの磁器は，社会的地位を示すことのできる奢侈品であった。
④ 良質な磁器は，温かい飲食物のための耐熱性容器としての需要があった。

Try ポルトガルとスペイン，オランダが海域アジアに築いた拠点の特徴をあげ，なぜそこに築かれたのか考えてみよう。

［　　　　　］

16世紀の世界　銀がつくる世界の一体化

教科書　p.172～173

≫ラテンアメリカ

Check ① **資料①から，ラテンアメリカの先住民人口はどのように推移しているだろうか。次の文章の空欄【　①　】【　②　】に入る記号を選ぼう。**

資料①のグラフは「メキシコ中央部」・「ペルー」・「カリブ海地域」の３地域の先住民人口が【① **a 増加　b 減少**】していることを示している。「メキシコ中央部」や「ペルー」は16世紀末に，【② **a 200万人　b 100万人　c 50万人**】を下回る人口となっており，カリブ海地域では16世紀なかばの時点で500人以下にまでなっている。　〔①　　〕〔②　　〕

Check ② **その理由を資料②を参考に考えてみよう。また，他にも理由がないか調べてみよう。**

資料②は，先住民が〔①　　　　　　　　〕様子を描いている。その他の理由として，p.167より〔②　　　　　　　　〕が考えられる。

≫ヨーロッパ

Check ① **アメリカ産の銀が入る前，どこが銀の産地だったのだろうか。資料③をもとに考え，次の文章の空欄【　①　】【　②　】に入る記号を選ぼう。**

資料③の手紙は【① **a アウクスブルク　b フィレンツェ**】のフッガー家の商人から皇帝カール５世に送られたものである。ヤコブ=フッガーが皇帝のために「多額の金銭を御用立て申し上げ」たのだから，当時の銀の産地は【② **a 南ドイツ　b 南イタリア**】であることが類推できる。

〔①　　〕〔②　　〕

Check ② **資料④のグラフをみると，ヨーロッパでは16世紀に小麦価格が大きく上昇している。この理由を銀の流入と関連づけて説明しよう。また，銀の流入だけが原因でないとすれば，他にどのような理由が考えられるだろうか。その理由を説明した次の文章の空欄に入る語句を，下の語群から選んでみよう。**

ラテンアメリカから〔①　　〕が大量に流入したことで，ヨーロッパでは〔①〕の価値が下落して貨幣価値も低下し，相対的に〔②　　〕など穀物の価格(物価)が高騰した。それ以外の理由として，〔②〕の〔③　　〕が増大し〔④　　〕が不足している可能性がある。〔③〕増大の理由として，ヨーロッパの〔⑤　　〕が急激に増加したことが考えられる。

語群【　供給　　人口　　需要　　銀　　小麦　】

Check ③ **アメリカ産の銀はスペインにあまりストックされず，スペインがかかえるさまざまな問題への対処に使われた。どのようなことに使われたのだろうか。16世紀のスペインの状況から考えてみよう。**

1　銀があまりストックされなかった理由とその結果を，教科書p.198より探してみよう。

〔　　　　　　　　〕

2　「スペインがかかえるさまざまな問題」のなかには複数の戦争がある。16世紀にスペイン(ハプスブルク家)が関係した戦争を列挙してみよう。

〔　　　　　　　　〕

東アジア

Check ❶ 16世紀なかごろ，日本産の銀はどのように中国に流入したのだろうか。資料⑤を読んで考えてみよう。

1　中国で銀を扱っているのはどのような人々か，まとめてみよう。

〔　　　　　　　　　　　　　　　　　　　　　　　　　　　　　　　〕

2　彼らの行動から銀がどのように流入したか説明してみよう。

〔　　　　　　　　　　　　　　　　　　　　　　　　　　　　　　　〕

Check ❷ 中国に流入した銀がおもに何に使われていたか，地図から考えてみよう。また，明では銀を集めるためにどのような税制が導入されただろうか。

1　中国で銀が何に使われたか。中国大陸に入った矢印の先にある場所から考えてみよう。

①　矢印が差している場所：〔　　　　　〕

②　そこはどのような場所で，どのような状況にあるか。

〔　　　　　　　　　　　　　　　　　　　　　　　　〕

2　どのような税制が導入されたか。

①　名称：〔　　　　　　〕

②　説明：〔　　　　　　　　　　　　　　　　　　　　　　　　〕

Check ❸ 資料⑥の右側に描かれた人々は，どのような集団であろうか。また，なぜ彼らが発生し，明はどのように対処したのだろうか。

1　どのような集団か。〔　　　　　　〕

2　なぜ発生したのか。教科書p.158を参考にまとめてみよう。

〔　　　　　　　　　　　　　　　　　　　　　　　　　　　　　　　〕

3　明はどのように対処したか。

〔　　　　　　　　　　　　　　　　　　　　　　　　　　　　　　　〕

Try 「銀がつくる世界の一体化」にとって，1571年のスペインによるマニラ占領は，歴史的にどのような意味をもつだろうか。

〔　　　　　　　　　　　　　　　　　　　　　　　　　　　　　　　〕

1　中央ユーラシアと西アジアの帝国(1)

教科書　p.174〜176

≫ ティムール朝

(1)〔①　　　　　〕**朝**(1370〜1507)

・建国：〔①〕(位1370〜1405)(西チャガタイ=ハン国の軍人)

都：〔②　　　　　〕

・イル=ハン国解体後のイラン・イラクを制圧，デリー=スルタン朝，マムルーク朝に侵入

・〔③　　　　　〕**の戦い**(1402)…オスマン軍を破り，スルタンを捕虜にする

・明へ遠征(モンゴル帝国の再興をめざす)→途上で〔①〕は病死(1405)

(2) 文化…支配層は都市の整備につとめて学芸を愛好

・イラン=イスラーム的な都市文化とトルコ=モンゴル的な遊牧文化が融合

→〔④　　　　　〕**文化**

・トルコ語文学，ミニアチュール(細密画)，建築や天文学・医学などが発達

・第4代〔⑤　　　　　〕(位1394〜1449)…天文台(〔②〕郊外)建設

(3) 滅亡

・分裂(15世紀後半)→南下したトルコ系の遊牧ウズベクにより滅ぼされる

・遊牧ウズベク

…〔⑥　　　　　〕国・〔⑦　　　　　〕国・〔⑧　　　　　〕国建国

→ロシアの支配下に入る(19世紀後半)

≫ サファヴィー朝

(1)〔⑨　　　　　〕**朝**(1501〜1736)…〔①〕朝の弱体化で混乱したイランでおこる

・建国：〔⑩　　　　　〕(位1501〜24)(シーア派系神秘主義の〔⑨〕教団の教主)

→トルコ系遊牧騎兵団により短期間で領土拡大

・王：イランの伝統的な王の称号=〔⑪　　　　　〕を用いる

・国教：シーア派の〔⑫　　　　　〕**派**→スンナ派を冷遇

〔⑫〕派…現在のイランの国教

(2) 第5代〔⑬　　　　　〕(位1587〜1629)…行政・軍事改革をおこない王権強化

・軍事改革…王直属の銃兵隊と砲兵隊を整備

・外征…西：オスマン帝国に奪われた領土回復

南：ポルトガル人を〔⑭　　　　　〕島から駆逐

・商業活動…インドやロシア，ヨーロッパからの商人を歓待

…オランダやイギリスの東インド会社の商館をおく

…アルメニア系やイラン系商人による対外貿易(生糸，絹織物など)推奨

・文化…建築・美術・工芸に代表される〔⑮　　　　　〕**文化**が発達

・新首都〔⑯　　　　　〕…「王の広場」「王のモスク」などを建設

→「〔⑯〕は世界の半分」といわれ，国際商業都市として繁栄

(3) 衰亡…〔⑬〕の死後，弱体化

・〔⑯〕をアフガン人が占領，イラン分裂(18世紀前半)

MEMO

Check ① ティムール朝は建国後，どこに進出しただろうか。p.174**1**の地図「15世紀前半の西アジア・中央アジア」をみて，進出した4つの国を答えよう。

〔　　　　〕

Check ② p.175**3**の写真「イスファハーンの「王の広場」(左)と「王のモスク」(右)」をみて，次の説明文の空欄に入る語句を答えよう。

イスファハーンは，シーア派の〔①　　　　〕派を国教とした〔②　　　　〕朝第5代の王〔③　　　　〕が造営した都である。写真(左)が「王の広場」，写真(右)が「王のモスク」であるが，〔②〕朝では，王に対してイランの伝統的な称号である〔④　　　　〕が用いられた。造営された新都は「イスファハーンは〔⑤　　　　〕」といわれるほど，国際商業都市として発展した。

Point≫ サファヴィー朝の繁栄の基盤となったものは何だろうか。

〔　　　　〕

1　中央ユーラシアと西アジアの帝国(2)

教科書　p.176〜178

≫ オスマン帝国の発展

(1) **オスマン帝国** (1300ごろ〜1922)…建国：オスマン=ベイ(オスマン1世)
・オスマン軍…バルカン半島の[①　　　　　　　　]を占領し首都にする
(2) [②　　　　　　　　]（位1389〜1402)…[③　　　　　　]の称号を採用
・[④　　　　　　]の戦い(1396)…ヨーロッパ諸国の連合軍を破る→バルカン半島の支配拡大
・アンカラの戦い(1402)…ティムール軍に大敗して捕虜となる
(3) [⑤　　　　　　　]（位1444〜46，51〜81)
・ビザンツ帝国を滅ぼす(1453)…コンスタンティノープル(のちの[⑥　　　　　　　　])に遷都
(4) [⑦　　　　　　]（位1512〜20)
・サファヴィー朝を破る…チャルディラーンの戦い(1514)
・マムルーク朝を滅ぼす(1517)…シリア・エジプトを支配下に，メッカ・メディナを保護下におく
→オスマン帝国…スンナ派イスラーム世界の守護者に
(5) [⑧　　　　　　　　]（位1520〜66)…最盛期
・**第1次**[⑨　　　　　　　　](1529)…ハンガリーを征服してウィーンにせまる
・[⑩　　　　　　]**の海戦**(1538)…スペイン・ヴェネツィア連合艦隊を破る
→アルジェリア・南イラク・イエメンを支配→紅海と地中海を結ぶ海上交通路を掌握
・フランスと同盟→神聖ローマ帝国に圧力をかける
(6) [⑧]以後のオスマン帝国
・[⑪　　　　　　]**の海戦**(1571)…オスマン海軍敗北→艦隊再建，東地中海での優位ゆるがず
・領土拡大が止まり，国内の支配が動揺するが勢威を保ち続ける(17世紀末まで)

≫ オスマン帝国の政治と文化

(1) 政治…官僚と軍隊を中核とする中央集権的統治機構
・[③]…シャリーアの施行とスンナ派の擁護につとめる
・ウラマー(イスラームの専門知識をもつ)…官僚・軍人とともに[③]の統治を支える
・[⑫　　　　　　](男子徴用)制度
…バルカン半島のキリスト教徒の少年を徴募→ムスリムとして教育して官僚・軍人とする
→[⑬　　　　　　　　](スルタン直属の近衛常備軍)…[⑫]により育成された兵士で組織
・[⑭　　　　　　]制
…騎士(シパーヒー)に徴税権([⑭])を与えて行政にあたらせる→戦時には従者を連れて従軍
・ズィンミー制度…非ムスリム臣民(キリスト教徒やユダヤ教徒など)の慣習や自治が認められる
→ミッレト制(宗教的自治制度)として整備(18世紀なかば)
・[⑮　　　　　　　　　　]…外国の商人に恩恵として与えられた通商特権
(2) 文化…[⑥]を中心にトルコ=イスラーム文化が成熟
・[⑯　　　　　　　　　]…ギリシア正教会の総主教座ハギア=ソフィア大聖堂をモスクに改修
・壮大なドームをもつモスク，墓廟…スレイマン(スレイマニエ)=モスクなど
・[⑰　　　　　　]宮殿…日本・中国を含む世界各地から財宝が集められる
・文学…伝統的なペルシア語の詩，トルコ語の詩文
・学問… 天文学・地理学などが発達

MEMO

Point≫1 スレイマン1世時代はなぜオスマン帝国の最盛期といえるのだろうか。

[ ]

Point≫2 オスマン帝国の宗教政策の特徴は何だろうか。次の説明文の空欄に入る語句を答えよう。

オスマン帝国は，〔① 〕派国家としての体制をととのえていた。その一方で，キリスト教徒やユダヤ教徒などの非ムスリム臣民が〔② 〕制度のもとで共存しており，彼らは宗派ごとにそれぞれの慣習や〔③ 〕が認められていた。宗派ごとの教会組織の再編が18世紀なかばにすすむと，宗教的自治制度を意味する〔④ 〕制として整備された。

Try あなたは，なぜオスマン帝国でさまざまな民族や宗教が共存できたと考えるか。

[ ]

ACTIVE⑤ イスラーム都市の繁栄

歴史を資料から考える

教科書 p.179

教科書p.179の資料①は，メフメト2世がコンスタンティノープルを征服したとき，ジェノヴァ人の居留地だったガラタ地区に住む非ムスリムに付与された保護誓約書である。資料②は，パリ生まれの宝石商人ジャン=シャルダンが，17世紀後半にペルシア・インドを訪れた経験を書きとめた旅行記である。

STEP 1　次の対話の空欄に語句を入れながら，キリスト教徒である「ガラタの人々」がメフメト2世の治下でどのように扱われていたか，**資料**①の下線部を中心に注目して読みとってみよう。

先生：下線部のどこに注目すべきだろうか。

生徒：まず，「イスラーム法上の〔①　　　　　〕を課そう」の箇所ですね。非ムスリムの義務です。

先生：税に関しては，他にもあるね。

生徒：「〔②　　　　　〕を慣習にしたがって支払うべし」と書かれています。住んで，商売をするために，さまざまな税を払う必要があるのですね。

先生：その見返りは何だろうか。

生徒：メフメト2世によって，〔③　　　　　〕されます。征服されたとはいえ，オスマン帝国のスルタンが安全を保障してくれるなら，安心して生活できますね。

先生：下線部以外では，どこか気になるところがあるかな。

生徒：「下僕となることへの服従」という表現が気になりました。一方，キリスト教徒の〔④　　　　　　　〕が維持され，信仰の問題には干渉されなかったことが確認できます。

先生：あくまでイスラームの支配に服したうえでの〔③〕だったことがわかるね。

STEP 2

1　**資料**②から，イスファハーンの「大きさ」が読みとれる箇所を，指摘・要約してみよう。

〔　　　　　　　　　　　　　　　　　　　　〕

2　**資料**②から，イスファハーンの「施設の多さ」が読みとれる箇所を，指摘・要約してみよう。

〔　　　　　　　　　　　　　　　　　　　　〕

3　**資料**②から，1・2で書いたこと以外で，イスファハーンの繁栄が読みとれる箇所を指摘し，それがどのような性格の繁栄か考えてみよう。

〔　　　　　　　　　　　　　　　　　　　　〕

STEP③

1　次の対話の空欄に語句を入れながら，ユグノーであったシャルダンが，フランスでナントの王令が廃止されるなか，**資料②**でイスファハーンのどのような状況を紹介したかったのか，考えるヒントを得よう。

生徒：フランス出身のシャルダンは，宝石商として活動するなかで，サファヴィー朝の都イスファハーンについてずいぶん詳しくなったようですね。

先生：そうなんだ。シャルダンは，ペルシア語を習得し，商業上の駆け引きも展開した。旅行記や，ペルシアに関するさまざまな見聞を残していて，ヨーロッパの知識人にも大いに影響を与えた。啓蒙思想家モンテスキューも彼の本を所持し，フランスを風刺する本を書いたよ。また，ユグノーというのは，宗教改革の結果，〔①　　　　　　〕から分裂して成立した新教(プロテスタント)のうち，フランスのカルヴァン派に対する呼称だよ。特に，商工業者に広まった。

生徒：フランスは〔①〕の国だったはずですが，シャルダンは宗派の違いから祖国で〔②　　　　　〕されたのでしょうか。自身の経験から，異郷の宗教事情がなおさら気になったのでしょうね。

先生：そうだね。1598年におけるナントの王令は，宗教寛容令で，ユグノーにも信仰の自由を認めていたのだけれど，〔③　　　　　　〕の治下で1685年に廃止されたんだ。これにより，ユグノーに対する宗教的〔②〕が激化した。シャルダン自身は，王令廃止に先立ってプロテスタント迫害が強まるなか，イギリスに亡命したよ。

生徒：〔③〕はヨーロッパの絶対王政を象徴する王ですね。イスラームの君主と比較すると面白そうです。宝石商人として富を築いただけでなく，アジアの状況にも詳しいシャルダンの亡命は，フランスにとっては貴重な人材の流出でしたね。

2　上の対話をヒントにしつつ，**資料②**の下線部に注目して，シャルダンがイスファハーンのどのような状況を紹介したかったのか，フランスの状況と対比しながら，その意図を考えてみよう。

Try　**資料①・②の二つの都市が国際商業都市として繁栄したのはなぜだろうか。その要因を，STEPや資料を手がかりとして，次の語句を用いて説明してみよう。　【 税　ワクフ 】**

2　南アジアの帝国

教科書　p.180～181

ムガル帝国

(1) **ムガル帝国**(1526～1858)

・建国：〔①　　　　　〕(ティムールの子孫)…北インドでデリーのローディー朝を倒す

(2) 第3代〔②　　　　　〕(位1556～1605)…都を〔③　　　　　〕におく

・北インド統一…ラージプート諸国の平定

・中央集権的国家…全国を州・県・郡に編成，検地にもとづく徴税制度

・〔④　　　　　〕制…貴族と官僚の組織化

…位階(マンサブ)に応じて給与地，保持すべき騎兵・騎馬数を定める

・非ムスリムの〔⑤　　　　　〕**(人頭税)を廃止**

→イスラームとヒンドゥーの融和，ラージプート諸侯と同盟・主従関係を結ぶ

(3) 〔⑥　　　　　〕王国…南インドのヒンドゥーの王国

・繁栄…デカン高原の綿織物生産，マラバール海岸の港市(カリカットなど)を支配(14世紀～)

・衰退…南進するイスラーム勢力との抗争(16世紀後半)

ヨーロッパの商業的進出

(1) ポルトガル…ゴア獲得(1510)→アジアにおける活動拠点

(2) オランダ・イギリス・フランス…それぞれの東インド会社のインド進出(17世紀)

→ムガル皇帝・地方政権の許可を得て，各地に商館を設ける

・イギリス…マドラス・ボンベイ・カルカッタ　　フランス…ポンディシェリなど

・オランダ…ポルトガルからスリランカの支配権を奪う

帝国の衰退と地方の台頭

(1)ムガル帝国の繁栄(18世紀はじめまで)…綿織物・絹織物などの商工業発展

・各国の東インド会社が綿織物などをヨーロッパに輸出→大量の金・銀がインドに流入

(2)第6代〔⑦　　　　　〕(位1658～1707)→大帝国に発展

・イスラームを深く信仰→〔⑤〕**の復活**，ヒンドゥー寺院の破壊などでヒンドゥー教徒が反発

→デカン高原…〔⑧　　　　　〕**王国**(ヒンドゥー教)がムガル帝国に対抗(17世紀後半)

→パンジャーブ地方…〔⑨　　　　　〕**教徒**の反乱

(3)ムガル帝国の分裂…〔⑦〕の死後，繁栄期に経済的実力をたくわえた地方の武将が自立

(4)〔⑧〕王国…北インドをほぼ征服(18世紀はじめ)→まもなく弱体化

→〔⑧〕同盟(〔⑧〕諸侯の連合体)…インドを代表する政治勢力に

インド=イスラーム文化

(1)**インド=イスラーム文化**…イスラーム文化と現地の文化が融合

・〔⑨〕教…〔⑩　　　　　〕が創始(16世紀)

→ヒンドゥー教の〔⑪　　　　　〕信仰を基礎にカーストを否定，偶像崇拝や苦行を禁じる

・〔⑫　　　　　〕**絵画**…イランの〔⑬　　　　　〕(細密画)が発展

・インド=イスラーム建築…〔⑭　　　　　〕(第5代皇帝シャー=ジャハーンが造営)

・言語…公用語：ペルシア語…ペルシア語の文学が宮廷を中心に栄える

共通語：〔⑮　　　　　〕語…北インドの諸方言が統合された言語

ムスリム：〔⑯　　　　　〕**語**…口語にペルシア語・アラビア語をとりいれた言語

MEMO

Check p.180の図「アクバル」についての次の説明文の空欄に入る語句を答えよう。

この図は，宮廷で描かれた〔①　　　　　〕絵画である。象にのってガンジス川を渡っているアクバルは，〔②　　　　　　　　〕の王女と結婚し，〔③　　　　　〕(人頭税)を廃止するなどしてイスラームとヒンドゥーとの融和をはかった。また，都を〔④　　　　　　〕におき，中央集権的な国家を築いた。

Try インドの文化にイスラーム文化はどのような影響を与えただろうか。思想(宗教)，美術，建築，言語にわけてまとめてみよう。

●思想(宗教)

〔　　　　　　　　　　　　　　　　　　　　　　〕

●美術

〔　　　　　　　　　　　　　　　　　　　　　　〕

●建築

〔　　　　　　　　　　　　　　　　　　　　　　〕

●言語

〔　　　　　　　　　　　　　　　　　　　　　　〕

3　東南アジア諸国の発展

教科書　p.182～183

大陸部諸国の発展

(1) 東南アジア大陸部…〔①　　　　　　〕が国教としての地位を確立(ベトナム(大越)をのぞく)
(2) タイ
・〔②　　　　　　〕**朝**…内陸部の産物や米などを輸出→港市国家として強大化
→最盛期(17世紀)…日本から西ヨーロッパに及ぶ諸国と外交・交易関係をもつ
→滅亡後，〔③　　　　　　〕**朝**(バンコク朝)成立(1782～現在)
(3) ビルマ
・タウングー朝(1531～1752)…パガン朝滅亡後の分裂状態を統一→16世紀後半に最盛期
・〔④　　　　　　〕**朝**(1752～1885)…清の侵攻を撃退，〔②〕朝を滅ぼす
(4) カンボジア…〔②〕朝の属国(15世紀後半以後)→南進する大越の圧迫を受ける
(5) ラオス…国家成立(14世紀なかば)→3王国に分裂(18世紀はじめ)→周辺諸国の侵入と干渉
(6) ベトナム
・北部の〔⑤　　　　〕…明に併合される(15世紀はじめ)
・〔⑥　　　〕**朝**(1428～1527，1532～1789)…明から独立回復
…儒教・律令制などにもとづく中国的な官僚国家体制，南進してチャンパー圧迫
・北部…鄭氏が実権掌握(16世紀)
・中部…〔⑦　　　　〕**氏**の広南王国(1570～1775)…国際交易で繁栄，〔⑧　　　　〕に都城建設
→メコン下流部まで南進(18世紀)
・〔⑨　　　　〕**(タイソン)の反乱**→鄭氏，〔⑦〕氏は〔⑥〕朝とともに滅亡

諸島部と大交易時代

(1) 東南アジア諸島部…大交易時代にイスラーム化した港市国家が強力になる
(2) 〔⑩　　　　　　〕(14世紀末～1511)…鄭和艦隊(明)の補給基地として台頭
・イスラーム化して西方のイスラーム商業勢力と結ぶ→〔②〕朝，マジャパヒト朝の進出に対抗
・世界有数の交易港に発展…琉球，インド，西アジア諸国の商人が集まる
→香薬・錫(東南アジア)，絹・陶磁器(中国)，綿布(インド)などを取引
・〔⑩〕から諸島部各地(ミンダナオ島やマルク諸島まで)にイスラーム化の波が広がる
(3) ジャワ島…マジャパヒト朝衰退(16世紀はじめ)
・イスラーム化した港市国家台頭(15世紀後半)…バンテンなど
・イスラーム国家〔⑪　　　　　　〕(1578～1755)…農業生産力を背景に発展
(4) マラッカ海峡
・〔⑩〕を〔⑫　　　　　　〕が占領(1511)
・〔⑫〕，イスラーム港市国家(〔⑬　　　　　〕・バンテン・ジョホールなど)
→交易の支配をめぐって争う
(5) スラウェシ島南部
・〔⑭　　　　　　〕(1530ごろ～1669)…香薬(マルク諸島)の交易中継港として重要
(6) **オランダ**…海域アジアに進出→〔⑮　　　　　　〕を根拠地とする(16世紀末)
・バンテン・〔⑭〕を征服→諸島部海域での優位確立(17世紀後半)

MEMO

Check ① 黎朝では，どのような国家体制がつくられただろうか。p.182❸の写真「文廟(ハノイ)」をみて考えよう。

[ ]

Check ② p.183の文字資料『アチェの発展』を読み，アチェとオスマン帝国は，どのような共通点で友好関係を結んだのか考えよう。

[ ]

Try あなたは，東南アジア諸国の発展に宗教はどのような役割をはたしたと考えるか。

[ ]

4　清と東アジア(1)

教科書　p.184～186

清の多文化支配と西北の秩序

(1) 清の建国

・**女真**(のち満洲(マンジュ)と改称)…複数の部族にわかれて遼河の東で明と交易

・〔①　　　　　〕(太祖，建州女真の一族長)…女真を統一→〔②　　　　〕成立(1616)

…〔③　　　　〕(女真の軍事・社会組織)を編成，満洲文字を定める

…明に有利な交易条件や漢人社会の拡大に対する不満をかかげる→明との対抗を宣言

・〔④　　　　　　〕(太宗)(位1626～43)…国号を**清**と定める(1636)

…内モンゴル(南モンゴル)諸部族を従えて遊牧民族共通の大ハンとなり，朝鮮を服属させる

・第3代順治帝(世祖)(位1643～61)時代

…李自成の乱で崇禎帝(明)自殺→〔⑤　　　　　〕(明の将軍)が清に降伏→山海関の門を開く

→清は李自成の軍を破って北京に遷都

・チベット仏教の信仰(騎馬民族の満洲・モンゴル・チベット)による結びつき→漢人社会を力で支配…チベット仏教ゲルク派(黄帽派)の長〔⑥　　　　　　　〕を北京にまねいて尊重

(2) 清の最盛期…康熙・雍正・乾隆の時代(17世紀末～18世紀)

・第4代**康熙帝**(位1661～1722)

…〔⑦　　　　　　　〕**条約**(1689)をロシアと結び，国境・通商問題を打開

…チベットを保護下におく(1720)

→モンゴル高原の〔⑧　　　　　　　〕(オイラト系)の進出をはばむ

・第5代**雍正帝**(位1722～35)

…〔⑨　　　　　　〕**条約**(1727)をロシアと結び，モンゴル北部の国境線を画定

・第6代**乾隆帝**(位1735～95)…最大版図形成

…〔⑧〕を滅ぼす(1750年代後半)→東トルキスタンを**新疆**と名づけて支配

・〔⑩　　　　〕(モンゴル・チベット・新疆・青海)…〔⑪　　　　　〕の監督のもと自治容認

清の東南における秩序

(1) 〔⑫　　　　〕**の乱**(1673～81)…雲南・広東・福建の藩王の反乱…康熙帝により平定

(2) **台湾**…明の遺臣〔⑬　　　　　〕がオランダを追放(1662)→鄭氏政権の支配

・遷界令…中国沿海の住民を内陸に移す(康熙帝による)，従順な朝貢国のみ交易を許可

→鄭氏政権降伏(1683)→清による台湾統治

(3) 漢人社会の統治…明の制度をひきつぎ，中国の伝統文化尊重，科挙実施，漢人士大夫への懐柔重視

・満洲人貴族，旗人＝〔③〕(満洲・モンゴル・漢)の軍人を優遇

・〔⑭　　　　　〕…軍事と政治を迅速に処理するための機関(雍正帝が設置)

・〔⑮　　　　〕…漢人の地方治安維持部隊，〔③〕と〔⑭〕に従属

・漢人の服従の証として，満洲人の風俗の〔⑯　　　　〕，満洲服を強制

→抵抗運動，反満洲的な思想の流布

→言論弾圧…〔⑰　　　　　　〕・**禁書**(雍正帝，乾隆帝時代)

・古今の書物の集大成事業…思想統制と学者の懐柔が目的

…康熙・雍正時代：『**康熙字典**』(漢字字書)，『**古今図書集成**』(大百科事典)

…乾隆時代：『**四庫全書**』(一大叢書)編纂

MEMO

Check ① p.184 **1** の図「八旗」に関する次の説明文の空欄に入る語句を答えよう。

八旗は，複数の部族にわかれていた〔①　　　　〕を統一した〔②　　　　　〕が編成した軍事・社会組織である。当初は四旗だったが，拡大過程で縁取りつきの鑲旗を新設して八旗となった。2代目の〔③　　　　　　〕までに帰順したモンゴル人は〔④　　　　〕八旗，漢人は〔⑤　　　　〕八旗に組織された。また，のちに漢人による地方治安維持部隊である〔⑥　　　　〕が組織されるが，これは八旗と軍機処に従属した。

Check ② p.185 の肖像「鄭成功」が「国姓爺」ともよばれたのはなぜだろうか。

〔　　　　〕

Point≫ 清の漢人に対する支配政策の特徴は何だろうか。

〔　　　　〕

4　清と東アジア(2)

教科書　p.186〜189

» 清代の経済と社会

(1) 海禁政策の緩和(鄭氏降伏後の1684)…民間交易の活力をそぎ，密貿易の原因となったため
　…税関(海関)設置(広州など4か所)…朝貢関係をともなわない交易を認める
・中国の民間船…日本や東南アジア諸国を活発に往来
・西洋船…広州に来航し，茶貿易で激増
　→広州港の〔①　　　　〕=広東十三行(特許商人組合)を介した貿易のみを認める(1757〜)
(2) 農村の変化…清が「盛世」とよばれた繁栄の時代(18世紀)
・人口増大…アメリカ大陸産作物(サツマイモ，トウモロコシなど)の普及，丁税逃れの人口隠し
　→〔②　　　　〕制…丁税を地税に組みこみ一本化(雍正帝)
　→〔③　　　　〕(地方権力者)…徴税や末端の行政が地域レベルに委ねられたため勢力を強める
　→〔④　　　　〕(小作料不払い運動)…佃戸を〔③〕が圧迫→農民反乱が頻発(18世紀末〜)
(3) 〔⑤　　　　〕…華南(広東・福建など)から東南アジアに商業渡航，移住した人々

» 清代の東西文明交流

(1) 宣教師の来航
・フェルビースト(南懐仁，ベルギー人)…砲術・暦法を紹介
・ブーヴェ(白進，フランス人)ら…清の実測地図『〔⑥　　　　〕』(1718)作成
(2) 〔⑦　　　　〕→キリスト教布教を全面禁止(1724)…宮廷で芸術を伝える者のみ滞在許可
・〔⑧　　　　〕(郎世寧，イタリア人)…西洋画法を紹介，〔⑨　　　　〕設計
(3) ヨーロッパへの影響…シノワズリ(中国趣味)，儒教がヴォルテールらの啓蒙思想に影響与える

» 清代の文化

(1) 古典の実証的研究…背景：反満思想とその背景の漢人中心主義に対する清朝の弾圧
・〔⑩　　　　〕…先駆者：〔⑪　　　　〕と〔⑫　　　　〕→銭大昕が受けつぐ(18世紀)
・公羊学派…「孔子の現実理性にもとづいて西洋の知識・文物をとりいれ，変革すべき」と説く
(2) 文学…『紅楼夢』『儒林外史』『聊斎志異』など

» 日本と朝鮮の動向

(1) 江戸幕府初期の外交…朝鮮・琉球・アイヌと積極的に交渉
・朝鮮…対馬藩の仲介により関係改善→〔⑬　　　　〕(1607〜)をむかえる
・琉球王国…薩摩藩(島津氏)の支配(1609〜)→日明両属の状態(明と江戸幕府に使節を派遣)
・アイヌ…松前氏が交易独占権を得る→首長シャクシャインのよびかけによる抵抗運動
・「〔⑭　　　　〕」政策(1641〜)…貿易管理体制
　…日本人の海外渡航・帰国禁止，スペイン・ポルトガル船来航禁止
　→中国船とオランダ船のみの来航許可
・〔⑮　　　　〕(四口)…対馬(朝鮮)・薩摩(琉球)・松前(アイヌ)・長崎(中国・オランダ)
・銀の生産減少，生糸や朝鮮人参などの国産化→貿易依存度低下
　→国内の流通網(陸路・海路)の整備により新たな経済圏が成立
(2) 朝鮮…両班は満洲人がたてた清を快く思わない
・「小中華」意識…朝鮮こそが中華文明を継承している
・西洋の学問・思想流入…清への朝貢による

MEMO

Check ① p.187**3**の図「盛世滋生図(姑蘇繁華図)」について，p.184**2**の地図「清の領域と周辺諸地域」をもとに，蘇州が繁栄した背景を考えてみよう。

[　　　　]

Check ② p.188の文字資料『フランス人宣教師ブーヴェの中国観』を読み，ブーヴェは，中国人をどのようにみていたか考えてみよう。

[　　　　]

Try あなたは，なぜ満洲人が250年以上の長期にわたって中国社会を統治することができたと考えるか。

[　　　　]

1　ルネサンスと宗教改革(1)

教科書　p.190〜193

» ルネサンスと人文主義

(1) 14〜15世紀：西ヨーロッパの危機の時代…黒死病，百年戦争，教会大分裂など
　→人々は新しい生き方を模索する

(2) 14〜16世紀：**ルネサンス**(再生)が展開…古代ギリシア・ローマの文化を模範とする
　→理性と感情の調和した人間性豊かな生き方を追求＝〔①　　　　　　〕(**ヒューマニズム**)

» イタリアのルネサンス

(1) ルネサンス…まずイタリアでおこる
・背景　・古代ローマの遺跡・美術品が残る　・ビザンツ帝国やイスラームの文化との接触
　　　　・東方貿易によって都市が繁栄　　　・ビザンツ帝国のギリシア人学者の流入

(2) 〔②　　　　　　　　〕におけるルネサンス
・毛織物業や金融業の繁栄，〔③　　　　　　〕**家**による保護
・〔④　　　　　　〕:『神曲』…ラテン語ではなくトスカナ地方の口語で記述
・**ペトラルカ**:『叙情詩集』，〔⑤　　　　　　　　〕:『デカメロン』
・**ジョット**：写実的な空間構成をとる絵画→ルネサンス絵画への道をひらく
・〔⑥　　　　　　　　　〕:「ヴィーナスの誕生」

(3) 15世紀末〜16世紀前半…ルネサンスの最盛期，ルネサンスの中心がローマに移る
・〔③〕家出身の教皇レオ10世などがパトロン(保護者)に
・〔⑦　　　　　　　　　　　　　　〕:「最後の晩餐」「モナ=リザ」
・〔⑧　　　　　　　　　〕:「ダヴィデ像」「最後の審判」
・〔⑨　　　　　　　〕: 聖母子像で有名

(4) 16世紀のイタリア…イタリア戦争で荒廃
・〔⑩　　　　　　　　〕:『君主論』…政治を宗教・道徳から切り離す現実主義を主張
・ルネサンスの中心は西ヨーロッパ諸国に移動

» 西ヨーロッパ諸国のルネサンス

(1) ネーデルラント地方のルネサンス…商業と毛織物業の繁栄が背景
・**ファン=アイク兄弟**：油絵技法の改良，〔⑪　　　　　　　　　〕:「農民の踊り」
・〔①〕者〔⑫　　　　　　　　　〕:『愚神礼賛』で教会の腐敗を批判，ルターの宗教改革には同意せず

(2) ドイツ…**デューラー**：銅版画，ホルバイン：「エラスムス像」

(3) イングランド・フランス・スペインのルネサンス…国王の保護のもとで発展
・イングランド…チョーサー：『カンタベリ物語』，〔⑬　　　　　　　　　〕:『ユートピア』
　〔⑭　　　　　　　　　　〕:『ハムレット』
・スペイン…〔⑮　　　　　　　　　〕:『ドン=キホーテ』
・フランス…**ラブレー**：『ガルガンチュアとパンタグリュエルの物語』，**モンテーニュ**：『随想録』

» 技術と科学の革新

(1) ルネサンスの三大発明(中国に由来)
・〔⑯　　　　　〕: **火器**によって戦術が一変→騎士が没落＝**軍事革命**
・**羅針盤**：ヨーロッパの海外進出を可能に
・**印刷術**：〔⑰　　　　　　　　　　〕が活版印刷を実用化→新しい思想の普及に貢献

(2)〔⑱　　　　　〕の提唱

・〔⑲　　　　　　　〕: 死の直前に公表　　・ブルーノ：異端として処刑される

・**ガリレイ**：宗教裁判で〔⑱〕の放棄を強要される　　・ケプラー：惑星の運行法則を発見

MEMO

Point» 1 **ルネサンスは，なぜイタリアではじまったのだろうか。**

〔　　　　　　　　　　　　　　　　　　　　〕

Point» 2 **ルネサンスの三大発明は，その後の世界史にどのような影響をもたらしただろうか。三大発明をあげて，それぞれが世界史にもたらした影響をまとめよう。**

〔①　　　　　〕: ____________________

〔②　　　　　〕: ____________________

〔③　　　　　〕: ____________________

1　ルネサンスと宗教改革(2)

教科書　p.193〜195

» ルターの宗教改革

(1) **マルティン=ルター**が「〔①　　　　　　　〕」を発表(1517)

…教皇レオ10世がサン=ピエトロ大聖堂改築資金のため販売していた〔②　　　　〕を批判

・ルターの主張

…人の救いを信仰のみにおき，信仰の基礎を聖書のみにおく

→活版印刷や版画によって民衆の間に広まる

→ヴォルムス帝国議会(1521)で神聖ローマ皇帝**カール5世**によって帝国追放処分を受ける

→ザクセン選帝侯フリードリヒがルターを保護：ドイツ語訳『新約聖書』完成

(2) 中・南部の農民たちが〔③　　　　　　　〕をおこす(1524〜25)

・〔④　　　　　　　〕らは領主制の廃止などの社会変革を求める

→ルターは諸侯に徹底的な弾圧を求める→鎮圧

(3) 皇帝カール5世はルター派の信仰容認…イタリア戦争・オスマン帝国などの脅威に対処するため

→危機がやわらぐと，再度ルター派を禁止(1529)

→ルター派の諸侯や都市が抗議…〔⑤　　　　　　　〕(抗議する人)という語の由来

→ルター派はシュマルカルデン同盟を結成して皇帝と戦う

(4) 〔⑥　　　　　　　　　　〕(1555)

…ルター派の容認，ただし宗派の選択権をもつのは諸侯のみ(領民個人の信仰の自由なし)

→ルター派を選択した領邦では〔⑦　　　　　　〕が成立

→ルター派は北ヨーロッパ諸国(デンマーク・スウェーデンなど)でも受容

» カルヴァンの宗教改革

(1) 〔⑧　　　　　　　〕の宗教改革(16世紀前半)…スイスのチューリヒ

(2) **カルヴァン**(フランス出身)の宗教改革

…スイスのジュネーヴで厳格な神政政治をおこなう(1541〜)

(3) カルヴァンの教会と思想

・長老制の導入…牧師とこれを補佐する信徒代表(長老)による信徒の生活の監督制度

・〔⑨　　　　〕**説**…人が救われるかどうかは，あらかじめ神によって定められている

→神から与えられた職業に禁欲的にはげむべき，その結果としての蓄財を肯定

(4) **カルヴァン派**の形成

カルヴァンの思想→西ヨーロッパの商工業者を中心に広まる

・〔⑩　　　　　　　〕(清教徒，イングランド)

・プレスビテリアン(長老派，スコットランド)

・〔⑪　　　　　〕(フランス)　　　　　・ゴイセン(オランダ)

» カトリックの改革運動

(1) **対抗宗教改革**…カトリック教会による自己改革の運動

・〔⑫　　　　　　　　　　　　〕(1545〜63)

…教皇の至上権とカトリックの教義を再確認

・〔⑬　　　　　　〕の創設(1534)…**ロヨラ**(スペイン)らによる

→アジア・アメリカ大陸で布教活動：シャヴィエル(→日本)，マテオ=リッチ(→明)

MEMO

Check なぜp.194 1「ルターの首引き猫」のような木版画が利用されたのだろうか。次の説明文の空欄に入る語句を答えよう。

この版画では，左の〔① 〕と右の〔② 〕が首引きをしているが，十字架をしっかりと支えている〔①〕に対し，〔②〕の表情は苦痛にゆがみ，その冠ははずれ，手からは金貨がこぼれている。これらは〔②〕を中心とする〔③ 〕教会の腐敗ぶりを象徴している。このような版画は，文字が読めない民衆に，〔①〕の宗教改革の意義を広めるために作成された。

Point» ルターとカルヴァンの思想にみられた共通点と相違点は何だろうか。それぞれ以下の語句を用いてまとめてみよう。

●共通点 【 カトリック教会 聖書 】

〔 〕

●相違点 【 世俗権力 長老 】

〔 〕

Try あなたは，ルター派やカルヴァン派がヨーロッパ諸地域で受け入れられた理由として最も重要なものは何だと考えるか。

〔 〕

2　主権国家体制の成立(1)

教科書　p.196〜199

イタリア戦争と主権国家体制

(1) 主権国家の形成…背景：ローマ教皇と神聖ローマ皇帝の権威衰退

・**主権**…国家が領域内の統一を強化し，内外の勢力から干渉されずに政治をおこなう権限

・宗教改革→ローマ教皇，神聖ローマ皇帝の権威衰退→**主権国家**が宗教を管理下において権力強化

(2) 〔①　　　　　〕**戦争**(1494〜1559)…主権国家体制形成のきっかけ

・初期…フランス軍のイタリア侵入(1494)

＜フランス　⇔　神聖ローマ帝国，イングランド，イタリアの都市共和国＞

・スペイン王〔②　　　　　〕が神聖ローマ皇帝(〔③　　　　　〕)に即位(1519)

→ハプスブルク家の強大化→同盟関係の変化

＜フランス王〔④　　　　　〕　⇔　神聖ローマ皇帝(ハプスブルク家)＞

→フランス側にイタリアの都市共和国，イングランド，オスマン帝国のスレイマン1世がつく

・**主権国家体制**の出現…各国が自国の利害を優先，一国の強大化をおさえる外交と戦争を展開

→外交団の常駐制度や国際会議…各国が主権を承認しあって競合する国際関係

(3) 〔⑤　　　　　〕(**絶対主義**)…主権国家形成期の国王による統治体制

・国王による国家統合…〔⑥　　　　　〕，〔⑦　　　　　〕の整備，言語の統一など

・王権の絶対性の主張…〔⑧　　　　　〕を唱える

・〔⑨　　　　　〕…国内の商工業の保護・育成，貿易の振興→〔⑥〕・〔⑦〕維持の財源確保

→金・銀，自国製品の市場の確保→植民地を求めて列強が激しく争う

→商工業の発展…商業資本家：〔⑩　　　　　〕の家内工業を農村で展開

産業資本家：〔⑪　　　　　〕(**工場制手工業**)を経営

スペインの絶対王政

(1) ハプスブルク家…〔②〕退位→スペインとオーストリアの両家に分離

(2) スペイン王〔⑫　　　　　〕(位1556〜98)…「太陽の沈まぬ帝国」となる

・イタリア戦争終結…カトー=カンブレジ条約(1559)

・ネーデルラント，アメリカ大陸の広大な領土などを継承，ポルトガル併合

・〔⑬　　　　　〕**の海戦**→オスマン帝国の海軍を破る(1571)

・対抗宗教改革→異端審問による信仰の統一，ユダヤ人やムスリムを追放

→強硬なカトリック化政策→ネーデルラントの新教徒の反乱

→反乱を支援するイングランドの海軍に〔⑭　　　　　〕(アルマダ)が敗北(1588)

オランダの独立

(1) 〔⑮　　　　　〕**戦争**(1568〜1609)…指導者：〔⑯　　　　　〕

・ネーデルラント…商業，毛織物業がさかん→貴族や商工業者にカルヴァン派(ゴイセン)広まる

→〔⑫〕が重税とカトリックを強制したことがきっかけで独立戦争がおこる

・南部10州(現ベルギー)…カトリック勢力が強く独立戦争から脱落

・北部7州…〔⑰　　　　　〕**同盟**，イングランドの支援を受けて戦い続ける

→独立宣言…〔⑱　　　　　〕(オランダ)(1581)→休戦条約(1609)

(2) オランダの繁栄…造船業発展，バルト海交易で栄え，干拓地での近郊農業がさかん

・フランドル地方から新教徒が多数亡命→毛織物業繁栄

・〔⑲　　　　　　　〕**会社**(1602)，西インド会社(1621)設立→アジア，南北アメリカに進出
→ポルトガルにかわりアジア貿易を支配→オランダが世界商業の中心に(17世紀なかば)
→〔⑳　　　　　　　　　〕…アントウェルペンにかわりヨーロッパ最大の商業・金融都市に

MEMO

Check p.196**1**の地図「16世紀なかばのヨーロッパ」をみて，この地図の時期の次の領土はハプスブルク家のスペイン系，オーストリア系のいずれの領土か，記号で答えよう。

【スペイン系…A　オーストリア系…B　どちらでもない…C】

①　ナポリ王国…〔　　　〕　②　ヴェネツィア……〔　　　〕　③　ベーメン……〔　　　〕

④　ミラノ………〔　　　〕　⑤　ネーデルラント…〔　　　〕　⑥　ジェノヴァ…〔　　　〕

Point≫1 スペインは，なぜ最初に絶対王政を確立することができたのだろうか。

〔　　　　　　　　　　　　　　　　　　　　〕

Point≫2 オランダ独立戦争がおこった背景は何だろうか。

〔　　　　　　　　　　　　　　　　　　　　〕

2　主権国家体制の成立(2)

教科書　p.199～202

イングランドの宗教改革と絶対王政

(1) [①　　　　　　](位1509～47)…[②　　　　　　](1534)→[③　　　　　　]設立
- 修道院を解散し，その土地を新興地主層の**ジェントリ**に売却
- 毛織物市場の急成長→第1次[④　　　　　　]＝耕地や共有地を牧羊地にする

(2) メアリ1世(位1553～58)…スペインのフェリペ2世と結婚→カトリックの復活をはかる

(3) [⑤　　　　　　](位1558～1603)…[⑥　　　　　　](1559)→[③]確立
- 毛織物業などの産業の保護・育成
- ドレークらの私掠船にスペインの銀輸送船団を襲撃させる→スペインの無敵艦隊を破る(1588)
- **東インド会社**設立(1600)→アジア進出にのりだす

(4) イングランドの絶対王政…宗教改革，産業保護政策などを議会立法によって実現させる
- 強力な常備軍と官僚制が形成されない→ジェントリの協力が不可欠→**ジェントルマン**層形成

ピューリタン革命

(1) [⑦　　　　　　]**朝**…**ジェームズ1世**(スコットランド王)即位(1603)
　→ジェームズ1世…王権神授説を唱えて議会と対立→カルヴァン派(**ピューリタン**)を弾圧
- [⑧　　　　　　]…専制政治，重税←議会が[⑨　　　　　　]を提出(1628)
　→スコットランドの反乱…戦費調達目的で議会招集(1640)→王党派と議会派が対立し内戦勃発

(2) **ピューリタン革命**(1642～49)
- **クロムウェル**(ジェントリ出身，議会派)…鉄騎隊を中心に議会軍を再編成して王党派に勝利
　→クロムウェルが率いる**独立派**が**長老派**(プレスビテリアン)を追放
　→[⑧]を処刑(1649)して**共和政**樹立→急進的な**水平派**(平等派)を弾圧

(3) クロムウェルの政策
- アイルランド(カトリック教徒が多い)，スコットランド(長老派の拠点)を征服
- [⑩　　　　　　]制定(1651)→**イギリス=オランダ戦争**おこる
- 終身の[⑪　　　　　　]に就任(1653)→厳格な軍事独裁

(4) **王政復古**(1660)…フランスに亡命していた[⑧]の子が**チャールズ2世**として即位

名誉革命と立憲王政

(1) チャールズ2世…カトリックを保護，専制政治
- 議会…[⑫　　　　　　](1673)，[⑬　　　　　　](1679)を制定
　　…**トーリー党**(王権と国教会擁護)，**ホイッグ党**(議会の権利重視)→二大政党制の起源

(2) **ジェームズ2世**…カトリックと専制政治の復活をはかる

(3) [⑭　　　　　　]…オランダ総督ウィレム(王の娘メアリの夫)を議会が招く(1688)
　→ウィレム夫妻…「権利の宣言」承認→[⑮　　　　　　]・[⑯　　　　　　]として即位
　→権利の宣言を[⑰　　　　　　]として立法化

(4) **アン女王**時代…イングランドとスコットランド合併→[⑱　　　　　　]成立(1707)

(5) [⑲　　　　　　]**朝**…ステュアート朝断絶(1714)→ドイツのハノーヴァー選帝侯即位
- **ジョージ1世**…ドイツ滞在が多い→内閣が行政を担当
　→[⑳　　　　　　]首相(ホイッグ党)…**責任内閣制**はじまる
- イギリス政治の伝統…「**王は君臨すれども統治せず**」

MEMO

Point» 1 他国と比較して，イングランドの絶対王政にみられた特徴は何だろうか。

〔　　〕

Check 権利の章典によって，国王と議会との関係はどうなったのだろうか。p.202の文字資料『権利の章典』を読んで考えよう。

〔　　〕

Point» 2 イギリス革命を通じて，イギリスにはどのような政治体制が確立しただろうか。次から正しいものを一つ選ぼう。 〔　　〕

① 大統領制のもとで三権分立が徹底された。

② 王政を倒して，最終的に共和政となった。

③ 議会主権にもとづく立憲王政が確立した。

④ 王権の強い憲法のもとでの立憲王政が成立した。

2　主権国家体制の成立(3)　教科書 p.202~206

フランスの絶対王政

(1)〔①　　　　　　〕**戦争**(1562~98)…カルヴァン派(〔①〕)とカトリックの対立→宗教内乱
・サン=バルテルミの虐殺(1572)，スペインなど外国勢力の干渉
・〔②　　　　　　〕(〔①〕側の指導者)…〔③　　　　　　〕**朝**を開く(1589)
…カトリックに改宗→〔④　　　　　　〕(1598)＝〔①〕の信仰の自由を認める
(2) ルイ13世(位1610~43)時代
・宰相〔⑤　　　　　　〕…大貴族やユグノーをおさえて絶対王政の基礎を固める
→ハプスブルク家に対抗して三十年戦争に新教側で参戦
(3)〔⑥　　　　　　〕(位1643~1715)…王権神授説を唱え，「太陽王」と称される
・宰相〔⑦　　　　　　〕…新旧の貴族や民衆による〔⑧　　　　　　〕**の乱**を鎮圧→絶対王政強化
・親政期(1661~)…財務総監〔⑨　　　　　　〕を重用→重商主義政策展開
→王立マニュファクチュア創設，東インド会社再建
・〔⑩　　　　　　〕**宮殿**…高度に儀式化された宮廷生活，フランス語はヨーロッパの国際語に
・周辺諸国との戦争…南ネーデルラント継承戦争・オランダ侵略戦争・ファルツ継承戦争
・〔⑪　　　　　　〕(1701~13)…イギリス・オランダ・オーストリア・プロイセンと戦う
→〔⑫　　　　　　〕**条約**(1713)
…北アメリカの多くの植民地をイギリスに奪われる
…孫がスペイン王位(フェリペ5世)に(フランスとスペインが合同しないことが条件)
・戦争による財政の窮乏化→重税に苦しむ民衆の蜂起があいつぐ
・〔④〕**廃止**(1685)→ユグノーの商工業者がオランダやイギリスなどに亡命→経済的打撃

17世紀の危機と三十年戦争

(1)「〔⑬　　　　　　〕」…気候の寒冷化→凶作・飢饉・疫病が頻発し，人口減少
→海外貿易の落ちこみ(オランダ以外)，物価停滞，経済不振
(2)〔⑭　　　　　　〕(1618~48)…背景：神聖ローマ帝国内の新教・旧教両派の諸侯が対立
・きっかけ…ベーメン(ボヘミア)の新教徒がハプスブルク家の旧教化政策に反抗(1618)
・新教徒側…ルター派のデンマーク王，スウェーデン王〔⑮　　　　　　〕
→傭兵隊長〔⑯　　　　　　〕率いる皇帝軍と戦う
・戦争末期…カトリックのフランスがハプスブルク家に対抗して新教側につく
→戦争の性格の変化：宗教戦争からヨーロッパの覇権をめぐる主権国家どうしの国際戦争へ
・〔⑰　　　　　　〕**条約**(1648)締結→戦争終結
…アウクスブルクの宗教和議の原則の再確認，カルヴァン派公認
…スイス，オランダの独立の国際的承認
…ドイツの領邦君主の主権が認められる→神聖ローマ帝国の事実上解体
…フランス：アルザスなどを取得　スウェーデン：北ドイツの西ポンメルン獲得
・戦争の意義…ヨーロッパにおける主権国家体制の定着化
・ドイツ…人口激減，荒廃，商工業市民層の発達がおくれる
→戦禍をあまり受けなかったプロイセンが台頭

MEMO

Check ① p.204**1**の写真「ルイ14世の権威を示すメダル」について，このメダルは，ルイ14世をどのような王として表現しているのだろうか。また，権威を伝達する方法は，ルイ14世の時代と現代とでどう違うのか考えてみよう。

〔　　　　　　　　　　〕

Check ② p.204**2**の資料「スペイン継承戦争関係の系図」をみて，スペイン王位継承問題がどのようにおこったか，次の説明文の空欄に入る語句を答えよう。

スペイン・ハプスブルク朝は，〔①　　　　　　　〕が跡継ぎを残さずに逝去した時点で途絶えた。そこで，ルイ14世はブルボン家の自分に嫁いだ〔②　　　　　　　〕の孫に，スペイン王位継承権があると主張した。

Point» 三十年戦争は，ドイツの歴史にどのような影響を与えただろうか。

〔　　　　　　　　　　〕

2　主権国家体制の成立(4)　教科書　p.206～208

≫ プロイセンとオーストリアの近代化

(1) 〔①　　　　　　　〕**王国**(1701～1918)の成立
・王国の基礎…〔②　　　　　　　　　　　〕**家**のブランデンブルク選帝侯国
→〔①〕公国を併合(17世紀はじめ)→スペイン継承戦争で王位を与えられる(1701)
(2) 〔③　　　　　　　　　　　　　　〕(位1713～40)
・軍国主義的な絶対王政の基礎を築く…**ユンカー**(領主貴族)を官僚や将校とする
(3) 〔④　　　　　　　　　　〕(大王)(位1740～86)…ユンカー勢力と協調，絶対王政強化
・**啓蒙専制君主**…農民の保護，商工業の育成，教育の奨励などの改革を実施
…ヴォルテールなどを宮廷にまねき，「**君主は国家第一の下僕である**」と称する
・〔⑤　　　　　　　　　〕**戦争**(1740～48)
…**マリア=テレジア**のハプスブルク家領継承に反対→鉱工業地帯の〔⑥　　　　　　　〕獲得
・〔⑦　　　　〕**戦争**(1756～63)
…マリア=テレジアがフランスと同盟(〔⑧　　　　　〕**革命**)→〔④〕はイギリスの支援を得て戦う
→シュレジエン確保，〔①〕の強国化を実現
(4) オーストリア(ハプスブルク家)…ウェストファリア条約以後も神聖ローマ皇帝の称号を保つ
・東・中部ヨーロッパでの勢力回復…オスマン帝国による第2次ウィーン包囲(1683)の危機回避
→カルロヴィッツ条約(1699)…ハンガリーをオスマン帝国から奪還(多民族国家に)
・マリア=テレジア(位1740～80)…行政と軍制の改革を遂行して中央集権化につとめる
・〔⑨　　　　　　　　〕(位1765～90)…啓蒙専制君主として中央集権化につとめる
…非カトリック教徒への寛容政策(宗教寛容令)，修道院の解散，農奴解放などの改革実施
→マジャール人などの領内異民族の反乱，貴族の反対で改革のほとんどは撤回される

≫ ロシアの台頭

(1) 〔⑩　　　　　　　　〕(雷帝)(位1533～84)…ツァーリの称号を公式に用いる
・内政…中央集権化をすすめ，農奴制の基礎を築く
・対外…コサックの首長〔⑪　　　　　　　　〕に命じてシベリア進出に着手
(2) 〔⑫　　　　　　〕**朝**(1613～1917)…ミハイル=ロマノフが専制政治と農奴制を強化
(3) 〔⑬　　　　　　　　　〕(大帝)(位1682～1725)…西欧化政策，ロシア絶対王政を確立
・ネルチンスク条約で清との国境を画定，黒海北岸のアゾフ海進出(不凍港を求める)
・〔⑭　　　　　〕**戦争**(1700～21)…スウェーデンのカール12世を破る→バルト海の覇権奪取
→〔⑮　　　　　　　　　　　　〕建設…モスクワから遷都
・ベーリング(デンマーク出身)にカムチャツカ半島やアラスカ方面を探検させる
(4) 〔⑯　　　　　　　　　　　〕(位1762～96)…ヴォルテールらの助言→学芸保護，法律の整備
・〔⑰　　　　　　　〕**の農民反乱**を鎮圧→農奴制と貴族の特権を強化
・オスマン帝国からクリミア半島を奪って黒海に進出
・東方ではオホーツク海まで進出→〔⑱　　　　　　　　〕を派遣して江戸幕府に通商を求める

≫ ポーランド分割

(1) ポーランド…西ヨーロッパへの穀物輸出国→領主貴族が農場領主制での直営地を拡大し強大化
…ヤギェウォ朝断絶(16世紀後半)→〔⑲　　　　　　〕

(2) **ポーランド分割**

・第1回分割(1772)：プロイセン・オーストリア・ロシア

・第2回分割(1793)：プロイセン・ロシア←〔⑳ 〕が義勇軍で戦うが敗北

・第3回分割(1795)：プロイセン・オーストリア・ロシア→ポーランド王国消滅

MEMO

Point» 東ヨーロッパに啓蒙専制君主が誕生した理由は何だろうか。

〔 〕

Check 3回にわたっておこなわれたポーランド分割について，p.207❶の地図「18世紀なかばのヨーロッパ」で確認し，第1回分割，第2回分割に関する次の設問に答えよう。

●地図の①は第1回ポーランド分割で割譲された領域であるが，分割した3つの国を答えよう。

〔 〕・〔 〕・〔 〕

●地図の②は第2回ポーランド分割で割譲された領域であるが，第1回の分割に参加し，第2回に参加していない国はどこか，またその理由を説明しよう。

〔 〕

Try あなたが17世紀のヨーロッパのある国の君主であったとすれば，どこの国と同盟を結びたいと考えるか。理由も含めて答えよう。

〔 〕

ACTIVE⑥ 近世ヨーロッパの経済と強国の交代 教科書 p.209

歴史を資料から考える

教科書p.209の資料①は，近世ヨーロッパ主要諸国の人口推計を示した表である。また資料②は，近世ヨーロッパの経済動向の指標となる物価（小麦価格）の変化を，ヨーロッパ全体について示したグラフである。

STEP 1　**資料**①の表をもとに，次の対話の空欄に「増加」もしくは「減少」のどちらかを入れ，16世紀，17世紀，18世紀の各100年間におけるヨーロッパの各地域の人口の増減傾向を確認しよう。

先生：まずこの300年間を通じて，ヨーロッパ全体の人口の増減傾向はどうだろうか。

生徒：全体として［①　　　　］しています。

先生：そうだね。ところが，各世紀，各地域をよくみると，一定の傾向がみてとれるはずだよ。16世紀はどうだろうか。

生徒：各地域で［②　　　　］しています。とくにイギリスとロシアが顕著です。

先生：それに対して，17世紀はどうだろうか。

生徒：地域差が大きいです。ドイツやスペインでは［③　　　　］しています。イタリアは停滞しています。フランス，イギリス，ロシアの増加率は，16世紀ほどではありません。

先生：気候が寒冷化し，人口を抑制する要因が多くあった時代だからね。戦争，感染症，飢饉などで亡くなる人が多くいたけれど，こうした危機の時代には結婚年齢の上昇もみられたんだ。

生徒：新型コロナウイルス感染症の影響で，出生率が下がったというニュースがありましたが，それに似た変化ですね。

先生：そう，しかし18世紀にはまたヨーロッパ各地域で人口が［④　　　　］しているよね。危機が和らいだ結果，結婚が［⑤　　　　］し，出生率も上昇したことが統計から判明しているよ。

生徒：近世ヨーロッパの歴史から，私たちの生きる時代についても考えることができそうですね。

STEP 2

1　**資料**②のグラフをもとに，次の対話の空欄に「上昇」もしくは「下降」のどちらかを入れ，16世紀，17世紀，18世紀のヨーロッパの小麦価格の傾向を確認しよう。

生徒：まず，16世紀にはヨーロッパ全体で［①　　　　］しています。

先生：そうだね。これは教科書p.168で学習した価格革命の影響でもあるね。

生徒：はい。アメリカ銀の流入と，**資料**①でみた人口増加が，物価上昇を促進していることがみてとれます。逆に，17世紀はグラフの傾斜が落ち着いて，世紀後半には［②　　　　］傾向です。

先生：そう。18世紀の小麦価格はどうだろうか。

生徒：ヨーロッパの小麦の最高価格は下がっている印象ですが，ワルシャワでの価格，そして最低価格は［③　　　　］しています。東西ヨーロッパの価格差が小さくなったのでしょうか。

先生：穀物価格が安定し，ヨーロッパ全域で一つの市場圏が成立しつつあったんだね。

2　小麦価格と人口の増減傾向がどのような関係にあるか，考えてみよう。

［　　　　］

STEP ③

1　次の対話の空欄に語句を入れながら，**資料**②のグラフにおける折れ線aと折れ線bの交差と逆転が何を意味しているのか考えてみよう。

先生：まず，折れ線aと折れ線bの交差と逆転がおこったのは，いつだろうか。

生徒：［①　　　　］世紀前半ですね。イギリスの小麦価格が，イタリアより高くなりました。

先生：ところで，海外に行くと，日本での生活より物価が高いと感じることがあるね。

生徒：あります。物価の高さは，［②　　　　］力と結びつけて考えられそうですね。

2　折れ線aと折れ線bの交差と逆転の背景を，ここまでの **STEP** と考察から考えてみよう。

［　　　　］

Try

① **非ヨーロッパ世界と交易した近世ポルトガル・スペインの強大化に関する文章の空欄に入る語句を，教科書p.163～170を参照しながら答えよう。**

喜望峰経由でインド航路を開拓したポルトガルは，16世紀にはインドの［①　　　　］を拠点に東南アジアに進出し，やがて中国では［②　　　　］を根拠地としてアジア内部の中継貿易で利益を上げた。また，ポルトガルは他国に先駆けて奴隷貿易を展開した。他方，スペインは，アメリカで征服活動を展開し，［③　　　　］銀山などを開発して富を得た。この銀は，アカプルコからフィリピンの［④　　　　］に運ばれ，中国の絹・陶磁器と交換され，スペインに莫大な利益をもたらした。

② **オランダによるスペインやポルトガルへの対抗と強国の交代について，非ヨーロッパ世界との交易に注目しながら，教科書p.171，196～199を参照し，次の語句を用いて説明してみよう。**
【　東インド会社　　バタヴィア　】

［　　　　］

③ **オランダ・イギリス・フランスの間における強国の交代と各国の経済力との関係を，非ヨーロッパ世界との交易に注目しながら，教科書p.171，196～205，210～211を参照し，次の語句を用いて説明してみよう。**
【　東インド会社　　大西洋三角貿易　　財政革命　】

［　　　　］

3　激化する覇権競争

教科書　p.210~211

》大西洋三角貿易

(1) [①　　　　　　　　　]…西ヨーロッパ・西アフリカ・アメリカを結ぶ貿易(17~18世紀)

・西ヨーロッパ(イギリスやフランスなど)

→武器，綿製品，工業製品…西アフリカに輸出し，黒人奴隷と交換

→黒人奴隷…アメリカや西インド諸島に運び，砂糖・タバコ・コーヒーなどを購入

→砂糖・タバコ・コーヒーなど…ヨーロッパに運んで販売

(2) [①]の影響

・アメリカや西インド諸島…[②　　　　　　　　　　]によってサトウキビや綿花などを生産

→単一の商品作物を生産し，輸出することに依存する[③　　　　　　　　　]**経済**

・西アフリカ…[④　　　　　　]**王国**やダホメ王国が[⑤　　　　　　]に依存

→奴隷狩りにより，約1200万人をアメリカに送ったため人口停滞，社会荒廃

・西ヨーロッパ…イギリスやフランスに巨大な富→人々の消費生活が大きく変わる

・大西洋をはさむ3地域→分業と支配・従属の体制

(3) 植民地獲得競争へ…アジアは，17~18世紀にはまだ分業と支配・従属の体制に組みこまれていない

・[⑥　　　　　]…インドで製造され，東インド会社によって輸入された再輸出品

・イギリス，フランス…植民地(国際商品の産地)の獲得競争に向かう

》イギリスとフランスの覇権競争

(1) イギリスとフランスの対立

・イギリス…フランスとともに重商主義政策をとってオランダの商業覇権に対抗 (17世紀)

→名誉革命によりオランダと同君連合を形成→フランスの強大化を阻止する政策に転換

(2) アジア…イギリス・フランスともに，インド沿岸の港市に商館を設けて活発な交易活動を展開

・イギリス：マドラス・ボンベイ・カルカッタ　フランス：ポンディシェリ・シャンデルナゴル

(3) 北アメリカ，西インド諸島…イギリスとフランスは植民地獲得を競いあう

・イギリス：北アメリカで[⑦　　　　　　　　]**植民地**を開く

→ピューリタンなどが[⑧　　　　　　　　　　　]**植民地**を形成

→イギリス=オランダ戦争でオランダからニューネーデルラント植民地を奪う

→中心地ニューアムステルダムを[⑨　　　　　　　　]と改称

・フランス：カナダに[⑩　　　　　　]**植民地**を建設

→ミシシッピ川沿いに進出し，[⑪　　　　　　　]植民地を獲得(ルイ14世時代)

(4) ヨーロッパの戦争(スペイン継承戦争など)→イギリスとフランスの植民地戦争に拡大(18世紀)

・インド：[⑫　　　　　　]**の戦い**(1757)…七年戦争中

…イギリス東インド会社の[⑬　　　　　　]がフランス・ベンガル太守軍を破る

・北アメリカ：[⑭　　　　　　　　　　　]**戦争**…イギリスの圧勝→[⑮　　　　]**条約**(1763)

→イギリス…フランスからカナダとミシシッピ以東のルイジアナ，スペインからフロリダを獲得

(5) 植民地競争の影響

・イギリス…世界貿易で優位にたって資本を蓄積→産業革命成功

…七年戦争による財政難→植民地に重税を課し，アメリカ独立革命がおこる

・フランス…七年戦争，アメリカ独立戦争参戦で財政難が悪化→フランス革命がおこる

MEMO

Point» 大西洋三角貿易は，西ヨーロッパ・アフリカ・アメリカの3地域にどのような変化をもたらしたのだろうか。

●西ヨーロッパ

［　　　　］

●アフリカ

［　　　　］

●アメリカ

［　　　　］

Try あなたは，イギリスがフランスに勝利できた要因として，何が最も重要だったと考えるか。理由も含めて答えよう。

［　　　　］

16～19世紀の世界　奴隷貿易・奴隷制からみる世界史

教科書　p.212～213

》奴隷として酷使された先住民

Check▶ 先住民に対する資料①のようなスペイン人の行為は，スペインがこの地に導入したある制度が後押ししたともいわれる。その制度について，何が問題かも含めて確認してみよう。

1　この制度の名称は何か。　〔　　　　　　　　〕

2　この制度の問題点は何か。

〔　　　　　　　　〕

》西アフリカから南北アメリカへ

Check①▶ アメリカに送られた黒人奴隷は，何の生産に従事させられていたのだろうか。教科書p.212～213の地図から読みとってみよう。

〔　　　　　　　　〕

Check②▶ 資料②のグラフから，仏領サン=ドマングで18世紀末に砂糖生産高が急激に減少した理由を考えてみよう。

1　18世紀末に本国フランスで何がおこったのか。　〔　　　　　　　　〕

2　1の影響で，仏領サン=ドマングはどうなったか。教科書p.232を参照して答えよう。

〔　　　　　　　　〕

3　2の結果，砂糖生産はどうなったか。教科書p.232のApproachコラムを参照して答えよう。

〔　　　　　　　　〕

》どれくらいの人々が奴隷としてアメリカ各地へ運ばれたか

Check①▶ ポルトガルが黒人奴隷を輸送した先は，おもにアメリカ大陸のどこだろうか。

〔　　　　　　　　〕

Check②▶ 右のグラフは，ヨーロッパ各国がアフリカからアメリカ各地へ運んだ奴隷数の推移を示している。18世紀において最も奴隷を移送した国はどこか。また，その国が奴隷の輸送量を増やした理由と，19世紀になって輸送量が激減した理由をそれぞれ考えてみよう。

1　最も奴隷を移送した国　〔　　　　　　　　〕

2　輸送量を増やした理由(教科書p.211を参照)

〔　　　　　　　　〕

3　輸送量が激減した理由(教科書p.244を参照)

〔　　　　　　　　〕

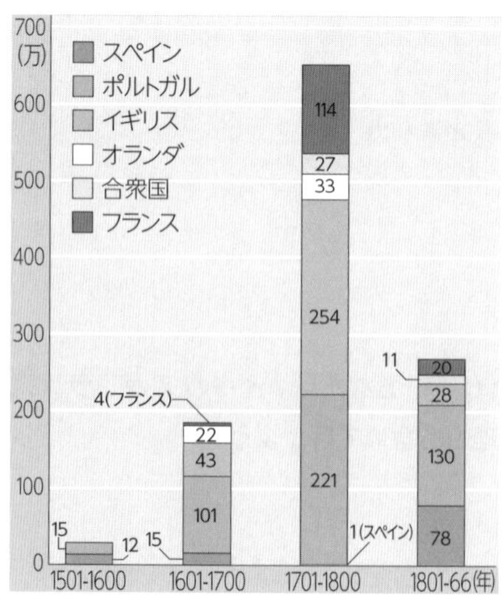

» 苛酷な「中間航路」と奴隷船の実態

Check 資料④に示されている奴隷船の劣悪な環境を参考に，資料⑤のポスターに「天然痘(SMALL-POX)感染の危険，ボートが積載されてないこと，私語禁止」といった項目がなぜ書かれているのか，まとめてみよう。

1 「天然痘が感染する危険」の理由

[　　　　]

2 「ボートが積載されていない」理由

[　　　　]

3 「私語禁止」の理由

[　　　　]

4 以上の理由をふまえて，これらの項目がこのポスターに書いてある理由を考えてみよう。

[　　　　]

» 黒人奴隷はどのような扱いを受けていたか

Check ❶ 資料⑥の元奴隷であったダグラスは，最低でもどれほどの教育を受けていたといえるだろうか。

[　　　　]

Check ❷ この自伝が書かれた当時，アメリカ合衆国では奴隷制度をめぐって，どのようなことがおきていたか。教科書p.255を読んで考えてみよう。

[　　　　]

Try 奴隷貿易は，南北アメリカとアフリカの大西洋岸地域，ならびにイギリスの経済に，どのような影響を及ぼしただろうか。

[　　　　]

4　近世ヨーロッパの社会と文化(1)

教科書　p.214〜215

宮廷の生活と文化

(1) 宮廷…絶対王政期の文化を担う

・〔①　　　　　　〕**様式**…豪壮で華麗，〔②　　　　　　〕**宮殿**(ルイ14世)など

・〔③　　　　　　〕**様式**…繊細で優美，〔④　　　　　　〕**宮殿**(フリードリヒ2世)など

(2) 演劇…形式美を重んじる古典主義演劇(ルイ14世時代)

・三大劇作家…悲劇：〔⑤　　　　　　〕，〔⑥　　　　　　〕，喜劇：〔⑦　　　　　　〕

(3) 音楽

・バロック音楽…豪華・華麗，**バッハ**，ヘンデルらが大成

・古典派音楽…交響曲を中心に形式美を重視(18世紀後半〜)

…ハイドン，〔⑧　　　　　　〕や〔⑨　　　　　　〕らによって発展

・バレエ，オペラ…音楽と舞踏を融合，宮廷を舞台に発展

(4) 絵画

・バロック絵画…宗教画や肖像画が宮廷をかざる

…フランドル派：〔⑩　　　　　　〕，ファン=ダイク

…スペイン：エル=グレコ，〔⑪　　　　　　〕

・ロココ様式…優雅(18世紀)，フランスの〔⑫　　　　　　〕

科学革命

(1) **科学革命の時代**(17世紀)…「神が創造した世界」の合理性を明らかにする→自然界の研究

・〔⑬　　　　　　〕…物体の運動に関する万有引力の法則を発見，『プリンキピア』

・ボイル(近代化学の父)…気体の体積と圧力との関係についての法則を発見

・ハーヴェー(生理学者)…血液循環の原理を発見

(2) 18世紀

・リンネ(スウェーデン)…植物分類学を確立

・ラヴォワジェ(フランス)…燃焼は酸素との結合によることを理論化

・ラプラース(フランス)…宇宙進化論を説く

・ジェンナー(イギリス)…種痘法開発(18世紀末)→予防医学への道をひらく

(3) 科学革命の成果の普及，応用

・各国で〔⑭　　　　　　〕，土木学校，工学校などが創設される(17世紀〜)

経験論と合理論

(1) 学問の方法論

・〔⑮　　　　　　〕…帰納法：観察と実験の重視，個別的事実から一般法則を導き出す

…〔⑯　　　　　　〕が基礎をつくる

・〔⑰　　　　　　〕…演繹法：命題を論理的に展開して結論を導きだす

…〔⑱　　　　　　〕(フランス)：「われ思う，ゆえにわれあり」(『方法叙説』)

…パスカル：『パンセ』，スピノザ：汎神論，ライプニッツ：単子論

・〔⑲　　　　　　〕：『純粋理性批判』『永遠平和のために』など

…合理論と経験論を総合する批判哲学を確立→ドイツ観念論の基礎を築く

MEMO

Check p.214**2**のベラスケスの絵画「女官たち」について，ベラスケスは王室とどのような関係にあったと考えられるか。

[　　　　]

Point≫ 1 近世ヨーロッパの文化に宮廷がはたした役割は何だろうか。

[　　　　]

Point≫ 2 科学革命をうみだした背景は何だろうか。

[　　　　]

4　近世ヨーロッパの社会と文化(2)

教科書　p.215～217

» 主権国家をめぐる思想

(1)〔①　　　　　　　〕…ルイ14世に仕えたボシュエなど
　…王権は神から授けられたと主張し，王権の絶対性の根拠を神に求める
(2)〔②　　　　　〕**思想**…〔②〕=「人間の本性にもとづく普遍の法」
　…国家の起源→個々人がとり結ぶ契約(社会契約)に求める
・〔③　　　　　　〕:『リヴァイアサン』
　…「万人の万人に対する闘争」をさけるために各人が契約によって国家を形成→国家主権は絶対
・〔④　　　　　〕:『統治二論』
　…各人の自然権(固有権)を守るために各人が契約によって政府をつくった→人民の抵抗権
　→名誉革命を正当化，アメリカ独立革命に影響
・〔⑤　　　　　　　　〕:『海洋自由論』『戦争と平和の法』
　…自然法を国際関係に適用→「国際法の祖」
(3) 主権国家を支える経済思想…はじめは国家が商工業を規制する重商主義が支配的
・〔⑥　　　　　　〕…〔⑦　　　　　〕:『経済表』，テュルゴー(フランスの財務総監)
　…国家の富の源泉を農業生産に求める→穀物取引の自由化を主張
・〔⑧　　　　　　　　〕…〔⑨　　　　　　　　　〕:『諸国民の富』
　…経済活動の自由放任(レッセ=フェール)こそ国家の富を増す政策である

» 啓蒙思想

(1)〔⑩　　　　〕**思想**…理性重視，古い権威や偏見の打破，カトリック教会や絶対王政を批判
・〔⑪　　　　　　〕と〔⑫　　　　　　　　〕:『**百科全書**』を編集
・〔⑬　　　　　　　　　〕:『法の精神』…三権分立論
・〔⑭　　　　　　　　〕:『哲学書簡』…イギリスを模範としてフランス社会の後進性を批判
・〔⑮　　　　　〕:『人間不平等起源論』『社会契約論』
　…平等と人民主権，社会や学問の進歩に懐疑的

» 市民の生活文化と世論の誕生

(1) 生活革命…大西洋三角貿易がもたらす富→都市住民の消費生活の大きな変化
・砂糖・コーヒー・タバコなど…アメリカや西インド諸島から輸入
・茶・綿織物・香薬・陶磁器など…アジアから輸入
(2) 芸術・文学…都市の市民層に支えられて発展
・絵画…〔⑯　　　　　　　　　〕(オランダ)(17世紀)
・ピューリタン文学(17世紀)…〔⑰　　　　　　　〕:『失楽園』，バンヤン：『天路歴程』
・小説(18世紀)
　…〔⑱　　　　　　　〕:『ロビンソン=クルーソー』，〔⑲　　　　　　　　〕:『ガリヴァー旅行記』
(3) 都市市民層の活動
・知的社交機関…**サロン**，**コーヒーハウス**，カフェ，フリーメーソンの会所，文化サークルなど
・印刷物の刊行(書物，新聞，雑誌など)…背景：識字率の上昇
・教養ある市民や貴族…知的社交機関や印刷物に立脚しながら独自の判断をくだす
　→政治的権威の正当性の根拠が国王の意志から世論へと移行

MEMO

● p.272 を開いて，この部で学んだことをふりかえってみよう。

Check ① p.216の文字資料「ロックの『統治二論』」を読み，抵抗権を主張し，名誉革命を正当化した部分を指摘しよう。

Check ② p.217 **2** の図「カフェ」で，人々は何をしているのだろうか。また，カフェやコーヒーハウスはどのような役割をはたしていたのだろうか。

Try あなたは，この時期の自然科学における発見や，新たにうまれた思想のうち，その後の世界に最も大きな影響を与えたものは何だと考えるか。理由も含めて答えよう。

1　イギリスの産業革命　教科書　p.222～225

» イギリスの産業革命

(1) イギリスの産業革命…〔①　　　　〕の機械化を中心に進行(18世紀後半～)

・綿織物…東インド会社によってインドから輸入→需要がきわめて高い

…大西洋三角貿易における奴隷購入に用いられる国際商品

→綿織物の国産化の必要性が急激に高まる

(2) イギリスの産業革命の背景

・17世紀の革命→自由な経済活動を妨げる規制や特権の廃止→意欲的な企業家の出現

・覇権競争での勝利→広大な海外市場の確保，資本の十分な蓄積

・**第2次**〔②　　　　〕…市場向けの穀物増産が目的→農民が都市に流入→工業労働者となる

(3) **産業革命**…工場制機械工業→機械化と動力化の進展により生産力上昇(18世紀後半～)

» 機械の発明と交通革命

(1) 綿工業の技術革新…〔③　　　　〕の飛び梭(織布の技術)からはじまる

・紡績機…アークライト：水力紡績機，クロンプトン：ミュール紡績機

・織布工程…〔④　　　　〕の**力織機**←動力源は〔⑤　　　　〕の改良した**蒸気機関**

・機械化の進行→機械工業，鉄鋼業，石炭業が発展

(2) 〔⑥　　　　〕**革命**…道路整備，運河建設，交通機関の改良→世界の一体化をすすめる

・〔⑦　　　　〕…〔⑧　　　　〕が実用化→鉄道網の形成，整備

・〔⑨　　　　〕…〔⑩　　　　〕(アメリカ人)が実用化→帆船にとってかわる

» 資本主義の進展と人々の生活の変容

(1) 〔⑪　　　　〕**社会**の成立…産業資本家が労働者を雇って商品を生産し，利潤を追求

・**産業資本家**…工場を経営するための資本をもつ→経済活動を支配

・〔⑫　　　　〕(プロレタリアート)…〔②〕で農村を離れた農民が機械制工場へ

(2) 都市化の進展…産業革命により労働者が増加→人口が都市に集中

・イギリスの商工業都市…〔⑬　　　　〕，〔⑭　　　　〕，バーミンガムなど

・**社会問題**…劣悪な住宅，女性や子どもの低賃金・長時間労働，大気や水の汚染，伝染病など

(3) 労働者の抵抗

・熟練労働者による〔⑮　　　　〕(機械うちこわし運動)(1810年代がピーク)

・〔⑯　　　　〕の結成…持続的な労働運動を展開→社会主義思想

» 各国の産業革命とパクス=ブリタニカ

(1) 後発資本主義国…政府による産業育成や保護関税などの政策によって産業革命を推進

・フランス，ベルギー：イギリスから機械や技術を輸入して産業革命を展開(19世紀前半)

・ドイツ：関税同盟による経済的統一→重工業中心の産業革命(1840年代～)

・アメリカ合衆国：機械化開始(19世紀前半)→南北戦争後に産業革命本格化

・ロシア(1880年代～)，日本(19世紀末～)：国家主導の産業革命

(2) アジア・アフリカ・ラテンアメリカ…従属地域(原料や食糧の供給地，工業製品の販売市場)に

(3) イギリス…「〔⑰　　　　〕」としての地位，世界経済の覇権掌握(19世紀なかば)

・インド…綿花の供給地に　中国…アヘン戦争・第2次アヘン戦争(アロー戦争)で広大な市場確保

・「〔⑱　　　　〕」(イギリスの覇権のもとでの平和)…アジアを組みこんで実現

MEMO ●板書事項のほか，気づいたこと，わからなかったこと，調べてみたいことを自由に書いてみよう。

Point» イギリスで最初の産業革命がおきた要因は何だろうか。次の説明文の空欄に入る語句を答えよう。

イギリスでは，〔① 〕世紀の革命を通じて自由な経済活動を妨げる規制や特権が廃止され，意欲的な企業家があらわれていた。また，〔② 〕との植民地をめぐる覇権競争に勝利して広大な海外市場が確保され，資本の十分な蓄積がすすんだ。さらに，第2次〔③ 〕が市場向けの〔④ 〕増産を目的におこなわれ，土地を失った農民が都市に流入して工業労働者となった。

Check p.223**4**の図「リヴァプール・マンチェスター間の営業鉄道の開通式」について，産業革命において，この路線はどのような役割をはたしたのだろうか。p.222**1**の地図「産業革命期のイギリス」でこの路線を確認して考えよう。

〔 〕

Try 産業革命によっておこった変化のうち，世界史上の転換点として考えられるものは何だろうか。理由も含めて答えよう。

〔 〕

19世紀前半の世界　「パクス=ブリタニカ」の世界

教科書　p.226〜227

アメリカ

Check ① 合衆国南部は，綿花を通じてイギリスとどのような関係にあったか。また綿花を生産するために，どのような犠牲が払われたのだろうか。

1　イギリスとの関係

〔　　　　　　　　　　　　　　　　　　　　　　　　　　　〕

2　綿花生産にともなう犠牲

〔　　　　　　　　　　　　　　　　　　　　　　　　　　　〕

Check ② 資料①について，この絵に描かれた人たちは，西インド諸島やブラジルなどでも酷使されていた。それらの地域ではどのようなものが生産されていたか，地図をみて確認してみよう。

1　西インド諸島：〔　　　　　〕　　2　ブラジル：〔　　　　　　　　〕

西アジア

Check 資料②について，ここでイギリスは，何を根拠に特権などを得ようとしているか。また，後半部の内容は何を意味しているのだろうか。それぞれ教科書p.178，274を参考に考えてみよう。

1　根拠：〔　　　　　　　　　　　　〕

2　後半部の内容：〔　　　　　〕

南アジア

Check ① 資料③のグラフでは，二つの綿布の輸出額が1820年ごろに逆転している。この逆転の要因となるイギリス側の事情について，貿易を担った東インド会社に注目してみよう。1820年ごろまでに，イギリス東インド会社におきた変化は何だろうか。教科書p.282を参考に考えてみよう。

〔　　　　　　　　　　　　　　　　　　　　　　　　　　　〕

Check ② このグラフから，綿織物の産地インドがどのように変化していったのか考えてみよう。

〔　　　　　　　　　　　　　　　　　　　　　　　　　　　〕

東南アジア・東アジア

Check ① 資料④にある自由港と資料⑤にあるイギリスが開港させた都市を，地図上でさし示してみよう。また，それらの地がイギリスにとってどのような意味をもつのか，それぞれの資料の下線部から読みとってみよう。

1　**資料④**にある自由港はどこか。　〔　　　　〕

2　**資料⑤**にあるイギリスが開港させた都市はどこか。　〔　　　　〕

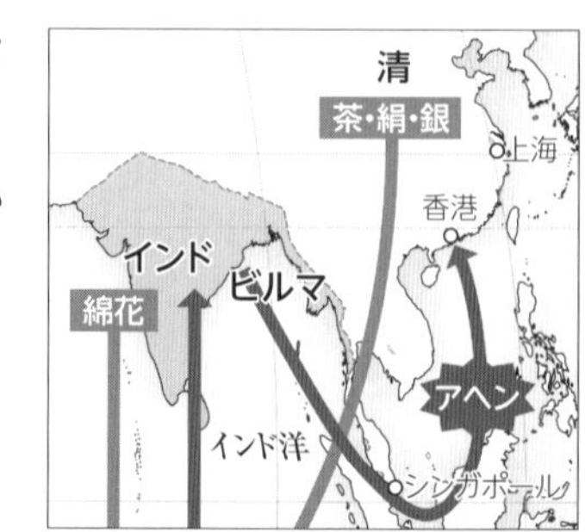

3　1・2の地はイギリスにとってどのような意味をもつのか。

[　　　]

Check ❷ 資料⑤から，清はこの敗戦をどのように受け止めていたか考えてみよう。

[　　　]

» イギリスの貿易の特徴

Check 教科書p.226～227の地図と資料⑥のグラフから，19世紀前半のイギリスにとってアジア・アフリカがどのような役割となったか読みとってみよう。また，下のグラフの青枠部分から，18世紀後半から19世紀前半にかけてイギリスが輸入した主要品目の多くは，どのように消費される性質のものか考えてみよう。

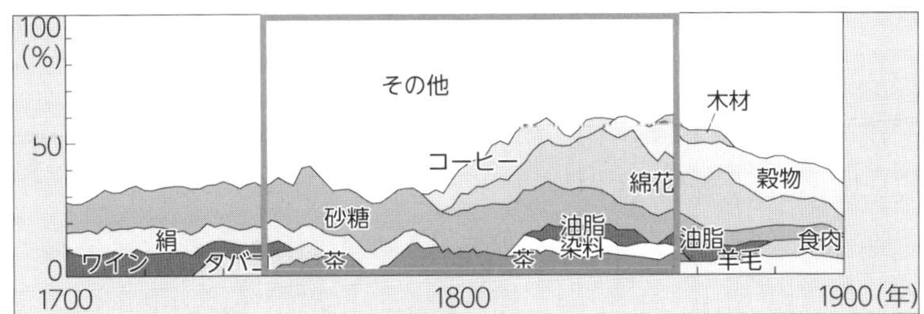

1　イギリスにとってのアジア・アフリカの役割

[　　　]

2　輸入品の性質

[　　　]

Try 19世紀前半に，イギリスは世界各地とどのような関係を結んだのか。地図上の貿易品に注目して考えてみよう。

[　　　]

2　南北アメリカの革命(1)

教科書　p.228〜230

北アメリカ植民地とイギリスからの離反

(1) 北アメリカ東海岸のイギリス植民地

・〔①　　　　〕**の植民地**…移住者は信仰の自由を求めた者，経済的動機からの年季奉公人など

…きびしい自然環境，先住民(インディアン)との対立→自主独立の気風が強い

→ヴァージニアに最初の〔②　　　　　　〕がおかれる(1619)…各植民地で独自の自治制度

・北部…自営農による農業，商工業発達

・南部…タバコや米などをプランテーション(黒人奴隷使用)で栽培→おもにイギリスへ輸出

(2) イギリス本国政府の重商主義政策…本国の商品市場・原料供給地とし，商工業の発達を抑制

・植民地に重税…七年戦争の戦費などでかかえた多大な負債を補うため

・〔③　　　　〕(1765)←「〔④　　　　　　　　　　〕」を合言葉に抵抗，撤回させる

・〔⑤　　　　〕(1773)…東インド会社に茶の独占販売権を与える

→〔⑥　　　　　　〕**事件**…ボストン港で東インド会社の船を襲撃

アメリカ独立戦争

(1) 〔⑦　　　　　〕(1774)…フィラデルフィアで開催，イギリスの制裁措置に抗議

・愛国派(独立を主張)は少数，国王派や中立派が多数

(2) 〔⑧　　　　　　〕**戦争**(1775〜83)

・本国軍と植民地民兵の武力衝突(1775)…レキシントン，コンコード

・第2回〔⑦〕…〔⑨　　　　　　〕を植民地側の総司令官に任命

・**トマス=ペイン**の『〔⑩　　　　　　　　〕』→独立の正当性主張，共和国樹立への気運を高める

・〔⑪　　　　　〕発表(1776.7.4)…〔⑫　　　　　　　〕を中心に起草

…自然法をもとに人間の平等，「生命・自由・幸福の追求」を内容とした基本権をうたう

基本権を侵害する政府に対して，ロックの思想的影響のもと革命権(抵抗権)を主張

・イギリスの孤立…フランス・スペインなどが植民地側で参戦，ヨーロッパ諸国の武装中立同盟

・ヨークタウンの戦い(1781)…独立軍の勝利が決定的に

・〔⑬　　　　〕**条約**(1783)…〔⑭　　　　　　　　〕独立，ミシシッピ川以東の領土獲得

アメリカ合衆国憲法

(1) 憲法制定会議(1787)…フィラデルフィアで開催，連邦派(中央政府の強化)⇔反連邦派

(2) 〔⑮　　　　〕**憲法**

・〔⑯　　　　〕**主義**…各州に広範な自治権を認めながら，連邦政府の権限を強化

・〔⑰　　　　〕**主権**を基礎とし，〔⑱　　　　　　〕＝立法・行政・司法の分立を明確化

・政治制度…大統領制，議会＝上院(州代表各2名)・下院(人口比率に応じて議席数配分)の二院制

(3) 初代大統領〔⑨〕(任1789〜97)

・常備軍を設置せず，新国家の財政基盤の整備につとめる

・外交面…フランス革命後のヨーロッパの混乱に際して中立を宣言→以後のアメリカの外交指針に

(4) アメリカ独立の意義

・イギリスの重商主義政策と結びついた特権的エリートの支配を打破→人民主権，共和政を実現

→**アメリカ**〔⑲　　　　　〕とよばれる

・当初，政治に参加できたのは「自由な白人」男性のみ→黒人奴隷，先住民は排除されたまま

MEMO

Check ❶ p.229の文字資料『アメリカ独立宣言』を読み，ロックの『統治二論』(→p.216)を参考にして，革命権を主張している部分を指摘しよう。

Check ❷ p.230の文字資料❶『独立宣言初稿(採用されず)』，❷『合衆国憲法(1787年)』を読み，❶❷でなぜ「黒人奴隷」の言葉は避けられたのだろうか。また，黒人奴隷人口に5分の3倍で算出する意味は何だろうか。

●「黒人奴隷」の言葉が避けられた理由

●黒人奴隷人口に5分の3倍で算出する意味

Point» アメリカの独立が独立革命といわれるのはなぜだろうか。

2 南北アメリカの革命(2)

教科書　p.231～233

合衆国の領土拡大とデモクラシー

(1) ジェファソン大統領…フランスからミシシッピ川以西のルイジアナを購入(1803)

(2) [①　　　　　　　　　　]（米英戦争）(1812～14)

・原因…イギリスが海上封鎖で通商を妨害→国民意識の高まり，産業革命による経済的自立

(3) [②　　　　　　]**宣言**(1823)…ヨーロッパとアメリカの相互不干渉の原則

(4) 領土拡大…西部開拓（西漸運動）が経済発展の基盤，ヨーロッパから移民をむかえ入れる

・フロリダをスペインから買収(1819)

・テキサス併合→[③　　　　　　　　　　　]**戦争**(1846～48)

→カリフォルニア獲得…金鉱発見で移住者がおしよせる→[④　　　　　　　　　　]

・「[⑤　　　　　　　　　　　　　　　]（**明白な天命**）」＝領土拡大は神から与えられた使命

→[⑥　　　　　　　　]の開拓…平等意識，実力主義，進取の気風

(5) [⑦　　　　　　　　]大統領…西部出身者初の大統領→民主主義の基礎を築く

・[⑧　　　　　　]（南部基盤）結成⇔ホイッグ党（のちの[⑨　　　　　　]に合流）結成

・[⑩　　　　　　　　　　　　]**法**(1830)…ミシシッピ川以東から先住民を全面的に排除

ラテンアメリカ諸国の独立

(1) **ハイチ革命**…世界初の黒人共和国として独立，指導者：[⑪　　　　　　　　　　　　　　]

・フランス領ハイチ（サン＝ドマング）…フランス革命中に黒人奴隷たちが蜂起して独立(1804)

(2) ラテンアメリカ諸国の独立←ナポレオン時代にスペインの支配がゆらぐ

・[⑫　　　　　　　　　　　　]の指導→ベネズエラ，コロンビア独立

・[⑬　　　　　　　　　　　　]の指導→アルゼンチン独立，チリ・ペルーを解放

・メキシコ…カトリック司祭イダルゴ指導の民衆蜂起が契機→独立(1821)，共和国憲法制定(1824)

・ブラジル…ポルトガル亡命王室（ナポレオン侵攻から避難）を利用して独立(1822)→帝政

(3) ラテンアメリカ諸国の独立達成の背景（欧米の動き）

・オーストリア（メッテルニヒ）…ヨーロッパ列強による武力干渉を計画

・アメリカ…モンロー宣言によって干渉に反対　・イギリス（外相カニング）…諸国の独立を支持

(4) カリブ海地域，ラテンアメリカ諸国の奴隷制度廃止…イギリスの奴隷貿易禁止(1807)が契機

独立後のラテンアメリカ社会

(1) 独立運動の指導…[⑭　　　　　　　　　　]（植民地生まれの白人）

・[⑮　　　　　　　　　　]（白人と先住民（インディオ）の混血）…独立運動に協力

・階層秩序…[⑭]，[⑮]，ムラート（白人と黒人の混血），黒人奴隷・先住民

・[⑭]による大土地所有制が存続→少数者による寡頭支配，貧富の差や社会的不平等が残る

・[⑯　　　　　　　　　　　]**経済**…プランテーション経営による単一作物の生産と輸出に依存

メキシコの内戦

(1) 内戦…アメリカ＝メキシコ戦争に敗れ，国家再建をめぐって内戦がおこる

・[⑰　　　　　　　　]（先住民出身）…カトリック教会を基盤とする保守派に対峙

・ナポレオン3世…メキシコ出兵（保守派支援）→オーストリア皇帝の弟をメキシコ皇帝に

→[⑰]率いる軍が皇帝を処刑して勝利(1867)

・[⑱　　　　　　　　]（軍人）が権力掌握→長期独裁政権がメキシコを停滞させる

MEMO

Check p.231**2**の図「マニフェスト=デスティニー(明白な天命)」の女神は何を象徴しているのだろうか。女神がもっているものから考えてみよう。

〔　　　　〕

Point» 独立後のラテンアメリカ諸国ではどのような政治・経済構造がうまれたのだろうか。次のうち誤っているものを一つ選ぼう。〔　　〕

① クリオーリョらによる大土地所有制が存続し，貧富の差や社会的不平等が残った。
② 多くの国で共和政が採用されたが，少数者による寡頭支配が続いた。
③ バナナやコーヒーなどの生産と輸出に依存するモノカルチャー経済が進行した。
④ 資本は元宗主国のスペインに依存していたため，その経済的支配下におかれた。

Try あなたは，アメリカ独立革命が残した意義と課題のうち，何が最も重要だと考えるか。理由も含めて答えよう。

〔　　　　〕

3　フランス革命とナポレオン帝政(1)

教科書　p.234〜237

» 旧体制の危機

(1) **旧体制**(アンシャン=レジーム)の危機

・**第三身分**(農民，市民)への課税だけでは国家財政破産←アメリカ独立戦争への参戦

→〔①　　　　　〕(聖職者)，〔②　　　　　〕(貴族)への課税が不可欠

→高等法院などが三部会での承認を求める→**ルイ16世**…三部会の招集を約束

→特権身分が三部会での身分別討議を主張←自由主義貴族や自由業のブルジョワなどが反発

(2) シェイエス…『第三身分とは何か』刊行→第三身分は単独で「国民議会」を構成すべきと主張

» 1789年の断絶

(1) 三部会(ヴェルサイユで開会，1789.5)→第三身分代表と特権身分は議決方式で対立

・第三身分…「〔③　　　　　〕」→憲法の制定まで議会を解散しない(〔④　　　　　〕**の誓い**)

→ルイ16世…〔③〕を承認し，新憲法を起草するための**憲法制定国民議会**が発足

(2) 〔⑤　　　　　　　　〕**を襲撃**(1789.7.14)→全国的な農民蜂起

…ネッケルの罷免や軍隊のヴェルサイユ集結の動きに危険を感じたパリ市民により実行

→**「封建制」の廃止**…領主裁判権，賦役，十分の一税などを廃止，領主地代の廃止は有償

→〔⑥　　　　　〕(「人間と市民の権利の宣言」)採択

(3) パリの女性…〔⑦　　　　　　　〕**に行進**→国王一家をパリに連行，議会もパリに移る

» 立憲君主政から第一共和政へ

(1) 自由主義貴族(ラ=ファイエット，ミラボーなど)の改革

・地方自治体の改革，教会財産の没収，ギルドの廃止など

→〔⑧　　　　　〕**憲法**…制限選挙，立憲君主政維持→革命の終結をめざす

(2) 〔⑨　　　　　　　〕**事件**→国王に対する信頼の喪失，外国支援の反革命を恐れる心理拡大

(3) 〔⑩　　　　〕**議会**(1791)…右派：〔⑪　　　　　〕**派**，左派：〔⑫　　　　　〕**派**

・〔⑫〕派主導の内閣成立(1792年春)…革命に反対する〔⑬　　　　　　　〕**に宣戦**

・パリの民衆，マルセイユ義勇兵らにより宮殿占領→王権停止(〔⑭　　　　　〕**事件**)

» 革命政府と恐怖政治

(1) **国民公会**(1792)…新憲法制定のため，男性普通選挙により招集

・王政の廃止と共和政を宣言→**第一共和政**

・急進共和派の〔⑮　　　　　〕(**ジャコバン派**)優勢→ルイ16世を断頭台で処刑(1793)

→イギリス首相〔⑯　　　　　〕…**第1回**〔⑰　　　　　　〕結成

→国民公会…30万人の募兵実施←ヴァンデの反乱がフランス西部で勃発

(2) 国民公会の中央集権的な革命政府体制…強力な行政権限をもつ**公安委員会**中心

・領主地代の無条件廃止，革命裁判所の活動の本格化，最高価格法可決

・反対派を弾圧する〔⑱　　　　　〕

・新体制にふさわしい国民の創造…〔⑲　　　　　〕(革命暦)，**メートル法**，国語をフランス語に統一など

・〔⑳　　　　　　　〕を中心とする公安委員会

…エベール派(左派)，ダントン派(右派)を粛清→〔⑱〕の強化

→〔㉑　　　　　　　　〕**のクーデタ**で倒される(1794)

MEMO

Check ① p.235の文字資料『人権宣言』を読み，アメリカ独立宣言（→p.229）と比較してみよう。

〔　　　　　　　　　　〕

Check ② p.235**4**の風刺画「豚小屋に連れもどされる豚の家族」が当時の人々にどのような影響を与えたか考えてみよう。

〔　　　　　　　　　　〕

Point» **国民公会でジャコバン派はどのような政策をおこなったのだろうか。次の説明文の空欄に入る語句を答えよう。**

国民公会は，強力な行政権限をもつ〔①　　　　　　〕を中心とする中央集権的な体制をつくった。そして，領主地代が無条件で廃止され，価格などの上限を定めた〔②　　　　　　〕を可決し，〔③　　　　〕裁判所を本格的に活動させて〔④　　　　〕政治を展開した。また，新体制にふさわしい国民を創造するために時間や空間の再編成が試みられ，〔⑤　　　　〕（革命暦）を導入し，長さや重さの単位を〔⑥　　　　　〕法に統一した。

3 フランス革命とナポレオン帝政(2)

教科書　p..237〜239

» 総裁政府と統領政府

(1)〔①　　　　　　〕…5人の総裁による政府の設置
・1795年憲法(共和暦3年憲法)…制限選挙制，二院制の議会→穏健なブルジョワ共和政の確立
・王党派の反乱，バブーフの陰謀などで不安定
(2) **ナポレオン=ボナパルト**…体制の安定を実現できる強力な指導者が望まれるなかで台頭
・イタリア遠征司令官としてオーストリア軍を破る→第1回対仏大同盟崩壊(1797)
・エジプト遠征…目的：イギリスとインドの連絡を断つ
→帰国し，〔②　　　　　　　　　　〕**のクーデタ**(1799)→総裁政府を倒す
(3)〔③　　　　　　〕…3人の統領からなる政府，第一統領：ナポレオン
・内政…フランス銀行を創設(1800)，中等教育制度整備
…〔④　　　　　　　　　　〕(民法典)公布(1804)…家父長権を重視しつつ，革命の遺産を継承
・外交…対ローマ教皇：宗教協約(1801)を結び，カトリック教会との革命以来の対立を解消
…対イギリス：〔⑤　　　　　　〕**条約**(1802)で平和を実現
→ナポレオン…終身統領となる(1802)

» ナポレオン帝政とその崩壊

(1)〔⑥　　　　　　〕…国民投票により皇帝に即位(1804)→**ナポレオン1世**
(2) ヨーロッパ支配
・〔⑦　　　　　　　　〕**の海戦**(1805)…ネルソン率いるイギリス艦隊に敗北
・〔⑧　　　　　　　　　〕**の戦い**(1805)…オーストリア・ロシア連合軍を破る
・〔⑨　　　　　　　〕(ベルリン勅令)(1806)…イギリスと大陸諸国間の通商を全面禁止
・西南ドイツに〔⑩　　　　　　　〕結成(1806)→神聖ローマ帝国消滅
・〔⑪　　　　　　　　〕**条約**(1807)…プロイセン・ロシアと締結→ワルシャワ公国をたてる
(3) ナポレオン帝政の崩壊
・スペイン侵略(1808〜)…民衆の抵抗を鎮圧できず
・〔⑫　　　　　〕**遠征**失敗(1812)
…遠征の原因：〔⑨〕で小麦や木材などの輸出ができないロシアの離反
・〔⑬　　　　　　　〕(ライプツィヒの戦い)(1813)→ナポレオン失脚，エルバ島に流される
→戦後処理のためのウィーン会議混乱→エルバ島を脱出してパリで復位(百日天下)
→〔⑭　　　　　　　　〕**の戦い**で敗退→大西洋の孤島セントヘレナに流される

» フランス革命の意義

(1) フランス革命…国民を主権者とする〔⑮　　　　　　　〕の創出をめざす
・国民を構成する民衆の政治参加が急激に拡大…〔⑯　　　　　　　〕(デモクラシー)が伝統となる
・国民を創造するための多様な試み→〔⑰　　　　　　　　　〕(**国民主義**，**民族主義**)の強調
(2) ヨーロッパにおける〔⑰〕の芽ばえ
・**プロイセン改革**…農民解放など，指導者：〔⑱　　　　　　　　〕と〔⑲　　　　　　　　　〕ら
・哲学者〔⑳　　　　　　〕…演説「ドイツ国民に告ぐ」→**国民意識**をめざめさせようとする
→国民意識は教養層にとどまり，国民全体への浸透は19世紀末以後

MEMO

Check ① p.237**3**の写真「対外戦争期の皿」について，この皿は何を訴えようとしているのだろうか。また皿であることによって，どのような効果が期待できるだろうか。

[　　　]

Check ② p.238**2**のダヴィドの絵画「ナポレオンの戴冠式」について，ナポレオンがこの絵を描かせたねらいは何だろうか。

[　　　]

Try フランス革命は，なぜ恐怖政治やナポレオンの登場につながったのだろうか。理由も含めて答えよう。

[　　　]

ACTIVE ⑦ 大西洋革命

歴史を資料から考える

教科書 p.240～241

1

教科書p.240の資料①から，大西洋革命の関係性を考えてみよう。

STEP 1　大西洋革命の背景となった出来事と影響について，教科書p.211を参照して次の文章の空欄に入る語句を考えてみよう。

18世紀になると，イギリス・フランスの抗争は〔①　　　　　〕をめぐって激化し，ヨーロッパでの戦争がただちに〔①〕での戦争に拡大した。とりわけ1756～63年の〔②　　　　　〕での両国の海外での戦争は，両国の覇権競争にとって大きな意味をもった。

覇権競争に勝利したイギリスは，世界貿易で優位にたち，最初に産業革命に成功した。しかし，〔②〕によって財政難となり，〔①〕に重税を課したため，アメリカ独立戦争がおこった。〔②〕でフランス側に立ったスペインも財政難となり，〔①〕に課税をしたことが，ラテンアメリカ諸国の独立運動につながった。

STEP 2　大西洋革命で，以下の人々はどのような働きをしただろうか。

1　ロックのどのような思想が革命に影響したのだろうか。（教科書p.216，229参照）

〔　　　　　〕

2　フランクリンのどのような活動がアメリカ独立革命に影響したのだろうか。（教科書p.229参照）

〔　　　　　〕

3　ラ＝ファイエットは，フランス革命でどのような役割をはたしただろうか。（教科書p.235参照）

〔　　　　　〕

4　シモン＝ボリバルは，ラテンアメリカでどのような活動をしたのだろうか。（教科書p.232参照）

〔　　　　　〕

2

教科書p.241の資料②・③から，大西洋革命に共通した思想とその課題について考えてみよう。

STEP 1　資料②の下線部「諸原理」について，次のチャート図の空欄に入る語句を答えよう。

・アメリカ独立戦争と革命の「諸原理」は分離できない。
・革命の出来事とその革命をひきおこした「諸原理」は結びつく。
・革命の出来事それ自体が「原理」

・人間の〔①　　　　　〕を認める
・圧制への〔②　　　　　〕を正当化する
・1776年発表の〔③　　　　　〕

これら諸原理は，**真理や人間の存在と同様の普遍的な原理**
→この諸原理こそ革命の本質

STEP② 以下は,「世界人権宣言」(1948年国際連合総会採択)の一部である。アメリカ独立宣言(→教科書p.229)やフランス人権宣言(→教科書p.235)と読み比べて,**資料**③の[　　　]に共通して入る課題(残された課題)を考えてみよう。

第1条 すべての人間は,生れながらにして自由であり,かつ,尊厳と権利とについて平等である。
第2条第1項 すべて人は,人種,皮膚の色,性,言語,宗教,政治上その他の意見,国民的若しくは社会的出身,財産,門地その他の地位又はこれに類するいかなる事由による差別をも受けることなく,この宣言に掲げるすべての権利と自由とを享有することができる。

〔　　　〕

STEP③

1 大西洋革命について,次のチャート図の空欄に入る語句を答えよう。

・南北アメリカ大陸での独立運動→イギリスやフランス,スペインなどによる〔①　　　〕支配からの脱却をめざした。
・フランス革命やスペイン立憲革命→〔②　　　〕王朝の支配からの脱却をめざした。
・18世紀末のポーランド蜂起→ロシアなどの支配からの脱却をめざした。

↓

人間の〔③　　　〕権を認め,圧制に対する〔④　　　〕を正当化
人権を普遍的権利と認め,〔⑤　　　〕主権を示す。

2 大西洋革命で獲得された「政治的自由」とは具体的にどのようなものだったのだろうか。

〔　　　〕

Try

① **アメリカ独立宣言やフランス人権宣言と共通する部分を,資料②より抜き出してみよう。**

〔　　　〕

② **共通している事柄とはどのようなことだろうか。**

〔　　　〕

1　ウィーン体制と1848年の革命(1)

教科書　p.242～244

≫ウィーン体制

(1)〔①　　　　　　　〕(1814～15)…フランス革命とナポレオン戦争によって生じた混乱の収拾
・主宰…〔②　　　　　　　〕(オーストリア外相，のちの宰相)
・原則…〔③　　　　　　　〕：フランス革命以前の王朝を正統とみなし，その復活をはかる
　…大国間の〔④　　　　　　　〕→**ナショナリズム**と**自由主義**の運動を抑圧
(2) ウィーン議定書(1815.6調印)→19世紀前半の新しい国際秩序＝**ウィーン体制**が築かれる
・フランス，スペイン，両シチリア王国…ブルボン朝復活(王政復古)
・ドイツ…〔⑤　　　　　　　〕＝プロイセンやオーストリアを含む35か国と4自由都市で構成
・オーストリア…南ネーデルラント(のちのベルギー)をオランダにゆずる
　北イタリア(ロンバルディア・ヴェネツィア)に領土を広げる
・プロイセン…ライン地方とザクセン北部に領土を拡大
・ロシア…皇帝がポーランド王を兼ねる，フィンランドを獲得
・イギリス…旧オランダ領のスリランカ，ケープ植民地などを領有
・**スイスの**〔⑥　　　　　　　〕が認められる
(3) ウィーン体制の維持
・〔⑦　　　　　　　〕…提唱：ロシア皇帝〔⑧　　　　　　　〕
　…諸国の君主が参加(イギリス国王，オスマン帝国のスルタン，ローマ教皇は不参加)
・〔⑨　　　　　　　〕…オーストリア・プロイセン・ロシア・イギリス
　→のちにフランスが加入して五国同盟となる

≫ウィーン体制の動揺

(1) ヨーロッパの諸国民…自由主義とナショナリズムの運動をおこす→いずれも鎮圧される
・ドイツ：〔⑩　　　　　　　〕**運動**　・イタリア：〔⑪　　　　　　　〕の蜂起
・ロシア：〔⑫　　　　　　　〕の蜂起　・スペイン：スペイン立憲革命
(2) ギリシア…オスマン帝国の支配下からの独立←バルカン半島への進出をめざす列強が支援
・独立戦争(1821～)→ロシア・イギリス・フランスがギリシアを支援
・ロンドン会議(1830)…**ギリシアの独立**が国際的に承認される
(3) **ラテンアメリカ諸国の独立**

≫イギリスの自由主義改革

(1) 地主階級のための保護主義的政策…**穀物法**など
(2) 自由主義的改革(1820年代～)…産業資本家の台頭→議会立法による改革
・宗教面…〔⑬　　　　　　　〕**の廃止**(1828)
　→〔⑭　　　　　　　〕(1829)…オコンネルらの努力で成立
・内政面…**第1回**〔⑮　　　　　　　〕(1832)…〔⑯　　　　　　　〕**選挙区**の廃止
　→〔⑰　　　　　　　〕**運動**…男性普通選挙・秘密投票など6か条の**人民憲章**を請願
　…〔⑱　　　　　　　〕制定…労働者の過酷な労働環境の改善が試みられる
・貿易面…反穀物法同盟(〔⑲　　　　　　　〕，〔⑳　　　　　　　〕)→**穀物法廃止**(1846)
　…東インド会社の中国貿易独占権廃止(1834)，航海法廃止(1849)→**自由貿易**の確立
　…奴隷貿易禁止法(1807)→イギリス領植民地における**奴隷制廃止**決定(1833)

MEMO

Point» フランスが正統主義を主張した理由は何だろうか。

[ ]

Check ① p.243**2**の地図「ウィーン会議後のヨーロッパ」をみて，p.207**1**の地図，p.238**1**の地図と比較して，各国の領域の変化を読み取ってみよう。

●**フランス王国**

[ ]

●**オーストリア帝国**

[ ]

●**プロイセン王国**

[ ]

●**イギリス**

[ ]

Check ② p.244**2**の図「反穀物法同盟の抗議活動（1840年代初頭のロンドン）」について，産業資本家が穀物法の撤廃を求めた背景は何だろうか。

[ ]

1　ウィーン体制と1848年の革命(2)

教科書　p.244〜247

» フランスの七月革命とその影響

(1) ウィーン体制下のフランス(王政復古)…制限選挙制による立憲君主政
・〔①　　　　　　〕…反動的な政治→国民の不満をそらすためにアルジェリア出兵(1830)
→議会解散，言論統制や選挙資格の制限を強行
(2)〔②　　　　　　〕(1830)…パリの民衆蜂起→国王〔①〕は亡命
・新国王…オルレアン公〔③　　　　　　〕(自由主義者)
→**七月王政**…大ブルジョワ(銀行家など)が支配的，産業革命が加速化
・影響…〔④　　　　　　〕(南ネーデルラント)がオランダから独立→立憲王国に
…ポーランドの蜂起，イタリアのカルボナリの再蜂起などは鎮圧される

» 社会主義思想の誕生

(1) **社会主義思想**…経済活動の自由や私有財産の制限，社会全体の福祉の向上をめざす
(2) 先駆者…理想社会を描く→〔⑤　　　　　　〕，**サン=シモン**，**フーリエ**
生産の国家統制→**ルイ=ブラン**　アナーキズム(無政府主義)→プルードン
(3)〔⑥　　　　　　〕と〔⑦　　　　　　〕…『**共産党宣言**』発表(1848)
・『〔⑧　　　　　　〕』…資本主義の矛盾と没落の必然性を説く→20世紀の共産主義運動に影響

» フランスの二月革命

(1) **二月革命**(1848)…選挙法改正要求の集会の弾圧に対し，パリ民衆が蜂起→**第二共和政**
・臨時政府…ルイ=ブランらの社会主義者が参加→労働者救済のための国立作業場設置
→ブルジョワを代表する自由主義者⇔労働者を代表する社会主義者
・男性普通選挙(4月)→農民が自由主義者を支持→社会主義者敗北，国立作業場閉鎖
→パリの労働者による〔⑨　　　　　　〕が鎮圧される
(2)〔⑩　　　　　　〕(ナポレオンの甥)…大統領選挙(12月)で当選
→クーデタで独裁権掌握(1851)→国民投票で皇帝〔⑪　　　　　　〕となる(**第二帝政**)

» 1848年革命

(1) 二月革命の影響
・イギリス…チャーティスト運動の大集会開催(1848)
・イタリア…〔⑫　　　　　　〕**王国**が北イタリアの統一のためにオーストリアに宣戦し敗北
…ローマ共和国成立(1849)←「〔⑬　　　　　　〕」の**マッツィーニ**も加わる
→教皇の要請を受けたフランス軍が鎮圧
・オーストリア帝国…**三月革命**(ウィーン)→メッテルニヒ亡命
…ハンガリーで〔⑭　　　　　　〕らが蜂起，ベーメン(ボヘミア)でスラヴ民族会議開催
・プロイセン王国…**三月革命**(ベルリン)→自由主義内閣成立
・〔⑮　　　　　　〕**国民議会**…**大ドイツ主義**と**小ドイツ主義**の対立で紛糾
→小ドイツ主義にもとづきプロイセン王に皇帝就任を要請するが拒絶される

» 1848年の意義

(1) ウィーン体制の解体…自由主義の運動の成果→二つの動きが歴史の舞台に登場(世界史の転換点)
・産業資本家(〔⑯　　　　　　〕)と工場労働者(〔⑰　　　　　　〕)の対立が表面化
・ナショナリズムの明確化…(「〔⑱　　　　　　〕」)→**民族問題**も発生する

MEMO

Check p.246の文字資料『六月蜂起についてのマルクスの分析』において，マルクスは六月蜂起をどのような性格のものと分析しているだろうか。

〔　　　　〕

Point≫ 二月革命の影響のもとヨーロッパ各地でおきた動きについて，下線部が誤っているものを二つ選び，それぞれ正しい語句を答えよう。　〔　　〕→正しい語句〔　　　　〕

〔　　〕→正しい語句〔　　　　〕

① イギリスでは，<u>チャーティスト運動</u>の大集会が開かれた。
② イタリアでは，サルデーニャ王国が<u>フランス</u>に宣戦した。
③ オーストリア帝国では，三月革命がおこり<u>メッテルニヒ</u>が亡命した。
④ <u>マジャール人</u>のハンガリーでは，コッシュートらが蜂起した。
⑤ チェコ人のベーメンでは，<u>フランクフルト国民議会</u>が開かれた。
⑥ プロイセン王国では，三月革命がおこり<u>自由主義</u>内閣が成立した。

Try あなたは，自由主義・ナショナリズム・社会主義のうち，のちの時代に最も影響を与えることになるのは何だと考えるか。理由も含めて答えよう。

〔　　　　〕

2　19世紀後半のヨーロッパとアメリカ(1)　教科書　p.248～250

» イギリスの自由貿易帝国主義

(1)〔①　　　　　　　　〕(位1837～1901)…イギリスの黄金期

・ロンドン万国博覧会(1851)…水晶宮(クリスタルパレス)→イギリスの経済力を世界に誇示

・〔②　　　　　〕…トーリー党→〔③　　　　　〕・ホイッグ党→〔④　　　　　〕

(2) 諸改革

・〔⑤　　　　　　　〕**改正**(1867)→都市労働者が選挙権獲得

・〔⑥　　　　　　　〕**改正**(1884)→農業・鉱業労働者が選挙権獲得

・〔⑦　　　　〕…公立学校の初等教育を定める　・〔⑧　　　　　　〕…組合活動の合法化

(3) 自由貿易帝国主義…「世界の工場」，諸外国に自由貿易を求める→植民地を拡大する

・〔⑨　　　　　　　〕(保守党)…スエズ運河株式会社の株を買収(1875)

…〔①〕を皇帝とするインド帝国創設(1877)

・〔⑩　　　　　　　　〕(自由党)…エジプトを事実上の保護国とする(1882)

» フランス第二帝政

(1)〔⑪　　　　　　　　〕(位1852～70)…鉄道建設，パリの都市大改造，国内産業の育成など

・外征…ヨーロッパ：クリミア戦争，イタリア統一戦争に介入

アジア：第2次アヘン戦争(アロー戦争)，インドシナ侵略

アメリカ：メキシコ出兵→失敗

・失脚…**プロイセン=フランス戦争**(普仏戦争)で大敗(1870)→帝政崩壊

(2)〔⑫　　　　　　　〕…ブルジョワ共和派による臨時政府成立，首班：ティエール

・ドイツと仮講和条約締結→アルザス・ロレーヌを失う

・パリ民衆の蜂起で〔⑬　　　　　　　　　〕樹立(1871)…史上最初の革命的な自治政府

→ドイツ軍の支援を受けた臨時政府との市街戦ののち72日で崩壊

・共和国憲法制定(1875)→〔⑫〕が確立

» イタリア王国の形成

(1) サルデーニャ王国…統一運動の拠点

・首相〔⑭　　　　　　〕…近代化への改革，クリミア戦争でイギリス・フランスとの関係強化

・〔⑮　　　　　　　〕**戦争**(1859)…ナポレオン3世とプロンビエールの密約締結

→オーストリアに勝利→ナポレオン3世がオーストリアと単独講和

→サルデーニャはロンバルディアを併合するのみ

・中部イタリア諸国…住民投票でサルデーニャへの併合決定→カヴールにより併合(1860)

→フランス…併合を承認し，サヴォイアとニース獲得

・〔⑯　　　　　　　〕…千人隊(赤シャツ隊)を率いて両シチリア王国占領(1860)

→〔⑭〕…サルデーニャ国王に献上させる形で両シチリア王国を併合

(2)〔⑰　　　　　　　〕成立(1861)…国王：〔⑱　　　　　　　　　　　　　〕

・プロイセン=オーストリア戦争(普墺戦争)…〔⑲　　　　　　　〕併合

・プロイセン=フランス戦争…〔⑳　　　　　〕併合

→ローマ教皇…「ヴァチカンの囚人」と自称し，イタリア王国と反目を続ける

・「**未回収のイタリア**」…オーストリア支配下のトリエステや南チロルなど

MEMO

Point» ナポレオン3世が積極的な外征をくりかえした理由は何だろうか。

Check p.250の文字資料『イタリア統一後の課題(当時の知識人マッシモ=ダゼリオの認識，1867年)』を読み，イタリア統一後の課題とは何だったか考えよう。また，その課題はイタリアのどのような歴史を背景としているのだろうか。

●イタリア統一後の課題

●課題の歴史的な背景

2　19世紀後半のヨーロッパとアメリカ(2)　教科書　p.251～254

» ドイツの統一

(1) プロイセン…〔①　　　　　　　　〕(1834)の経済力とプロイセンの軍事力→ドイツ統一へ
・〔②　　　　　　　　〕(ユンカー出身)…プロイセン王**ヴィルヘルム1世**のもとで首相に(1862)
→〔③　　　　　〕**政策**宣言…富国強兵政策推進
・〔④　　　　　　　　〕**戦争**(1864)…シュレスヴィヒ・ホルシュタイン両公国を奪う
・〔⑤　　　　　　　　　　　　　〕**戦争**(1866)…両公国の処分をめぐりオーストリアと戦う
→**北ドイツ連邦**…盟主：プロイセン(オーストリアと南ドイツ諸邦のぞく)→ドイツ連邦解体
・〔⑥　　　　　　　　　　　　〕**戦争**(1870～71)…ナポレオン3世降伏→パリ包囲

(2) 〔⑦　　　　　　　　〕成立(1871)…ヴェルサイユ宮殿でヴィルヘルム1世がドイツ皇帝に即位
・ドイツ…フランスから莫大な賠償金，アルザス・ロレーヌ獲得
・連邦制…22の邦(君主国)と3自由都市　・ドイツ皇帝位…プロイセン王が世襲
・二院制…帝国議会(男性普通選挙)・連邦参議院(邦の代表)，帝国議会の権限は予算審議権のみ
・帝国宰相…皇帝による任命，議会に責任を負わない→ビスマルクが任命される

» オーストリアと民族問題

(1) オーストリア…帝国内の多民族の統合が困難
・〔⑤〕戦争敗北→アウスグライヒ(1867)…マジャール人のハンガリー王国の建設を認める
→〔⑧　　　　　　　　　　　　　　〕**帝国**…オーストリア皇帝がハンガリー国王を兼ねる

» 東方問題とロシアの大改革

(1) 〔⑨　　　　　　　　〕…バルカン半島の諸民族の自立化←ヨーロッパ諸国が介入，競合

(2) ロシアの**南下政策**…ボスポラス・ダーダネルス両海峡確保をめざす←列強が阻止
・〔⑩　　　　　　　〕…〔⑪　　　　　　　　　　　〕**戦争**で両海峡の軍艦航行の独占権獲得
←イギリスの干渉で撤回
・〔⑫　　　　　　　〕**戦争**(1853～56)…ギリシア正教徒の保護を口実にオスマン帝国と開戦
→オスマン帝国…イギリス・フランス・オーストリア・サルデーニャを味方につける
→ロシアが敗北し，**パリ条約**(1856)で黒海の中立化決定→ウィーン体制の崩壊

(3) 〔⑬　　　　　　　　　　　〕…工業化の遅れを敗因とし，大改革に着手
・〔⑭　　　　　　　　〕(1861)…ミールを単位に有償で農地を分与→農奴解放→労働力創出
・ポーランドの独立運動(1863)→専制政治強化

(4) 〔⑮　　　　　　　　　〕**運動**…標語：「人民のなかへ」(ヴ=ナロード)
…弾圧されて一部はテロリズムに走る→〔⑬〕をはじめ要人の暗殺続発

(5) 〔⑯　　　　　　　　　　〕**戦争**(露土戦争)(1877～78)
・ロシア…スラヴ民族の連帯と統一を主張する〔⑰　　　　　　　　　〕**主義**を唱える
・〔⑱　　　　　　　　　　　〕**条約**(1878)…ルーマニア・セルビア・モンテネグロ独立
…ブルガリア自治公国の領土を拡大し保護下におく←オーストリアとイギリスが反対
・〔⑲　　　　　　　〕**条約**(1878)…ビスマルク(「誠実な仲介人」を自称)の調停
→ブルガリアの領土縮小→ロシアはエーゲ海への出口を失い南下政策を阻止される
→ルーマニア・セルビア・モンテネグロの独立承認
→オーストリアはボスニア・ヘルツェゴヴィナの行政権，イギリスはキプロス島の統治権を獲得

MEMO

Check ❶ p.251 **2** の図「ドイツ帝国創設の式典」をみて，場所・人物・服装などから，この式典や帝国成立の特徴を考えてみよう。

[　　　　]

Check ❷ p.251の文字資料『ビスマルクの鉄血演説』のなかの，1848年と1849年の重大な誤りとは，何だろうか。

[　　　　]

Point≫ 南下政策をすすめるロシアとイギリスが対立したのはなぜだろうか。

[　　　　]

2　19世紀後半のヨーロッパとアメリカ(3)　教科書　p.254～256

北欧諸国の動き

(1)〔①　　　　　　　〕…北方戦争敗北で絶対王政への不満→自由主義の時代
・鉄鋼業・造船業が発達して工業国に成長(19世紀後半)
(2)〔②　　　　　　〕…〔①〕との同君連合(1814)→憲法を制定し，国民投票で分離独立(1905)
(3)〔③　　　　　　〕…三月革命(1848)で責任内閣制がはじまる
・デンマーク戦争敗北…シュレスヴィヒ・ホルシュタインを失う→農業と牧畜による国づくり
(4) 北欧3国…議会政治発達→女性参政権実現(1910年代)
・〔④　　　　　　〕…国際紛争に介入することをさける

アメリカ南北戦争と再建の時代

(1) **南部**と**北部**…西部への発展とともに奴隷制をめぐって対立
・南部…黒人奴隷を用いたプランテーションで綿花を栽培してイギリスに輸出
→〔⑤　　　　〕**貿易**，奴隷制の存続，州権の強化
・北部…工業化がすすむ
→〔⑥　　　　　　〕**政策**，国内市場統一のため連邦政府の権限強化，奴隷制度拡大に反対
(2) 対立の激化
・〔⑦　　　　　　〕**協定**(1820)…北緯36度30分以北に奴隷州をつくらない
・〔⑧　　　　　　　　　　〕**法**(1854)…奴隷州になるか否かは住民の選択を尊重
→奴隷制拡大に反対，自由労働の原則の確立を求めて〔⑨　　　　　〕結成
→ストウの小説『アンクル=トムの小屋』…北部の人道主義的立場から奴隷制反対
(3)〔⑩　　　　　　〕(1861～65)
・〔⑪　　　　　　〕(共和党)…大統領に当選(1860)
→南部諸州…連邦から脱退して〔⑫　　　　　　　　　　〕(南部連合)結成(1861)→戦争勃発
→〔⑬　　　　　　〕**宣言**(1863)…戦局打開のために公布→奴隷解放のための戦争に変化
→〔⑭　　　　　　　　〕**法**…西部開拓者に土地を無償で与える約束→西部の支持で北部優勢
→連邦軍(北軍)が南部の首都リッチモンドを陥落させる(1865)…北部の勝利
(4) 戦後の合衆国…連邦軍が南部を占領改革する，再建の時代
・奴隷解放…憲法修正13条として明文化(1865)
→黒人に市民権や参政権を付与，自由労働者からなる人種平等のアメリカ社会の創出をめざす
→黒人…プアホワイトとともに〔⑮　　　　　　　　　　〕**制度**のもとにおかれる
…KKK(クー=クラックス=クラン)などによる暴力的な迫害→黒人の投票権剥奪
…南部に人種隔離制度拡大→人種差別撤廃の課題は20世紀にもちこされる
・経済面…国内市場の拡大により，北部の工業が急速に拡大
…自営農による西部開拓で農業発展→ヨーロッパから大量の移民流入
…ゴールドラッシュ→アジアから中国人労働者流入
・太平洋への関心(カリフォルニア獲得後)
…ペリーが日本に来航し，日米和親条約締結(1854)
…ロシアから〔⑯　　　　　〕を買収(1867)
…〔⑰　　　　　　　〕完成(1869)←中国やアイルランドからの移民労働者を投入

MEMO

Point» アメリカ合衆国の北部と南部が対立した理由は何だろうか。

Check p.255の文字資料『リンカンのゲティスバーグ演説』を読み，リンカンが演説でどのようなことを強調しているかを読み取ろう。また，この演説のねらいは何だろうか。

Try あなたは，19世紀後半に最も国家統合に成功した国はどこだと考えるか。理由も含めて答えよう。

ACTIVE⑧ アメリカの黒人奴隷制度

歴史を資料から考える

教科書 p.257

教科書p.257の資料①はアメリカにおける黒人奴隷人口と綿花生産高の推移を示した表，資料②・③は奴隷転売のために開催されたオークションの光景とポスターである。ポスターには名前・年齢・特記事項（職業・健康状態など）とともに，奴隷一人一人に値段がつけられている。

STEP 1

1　**資料**①の総人口・奴隷人口・綿花生産高の数字を利用し，右の折れ線グラフを完成させよう。

2　折れ線グラフから，奴隷人口と綿花生産高がどのような関係にあるか，考えてみよう。

〔　　　　　　　　　　〕

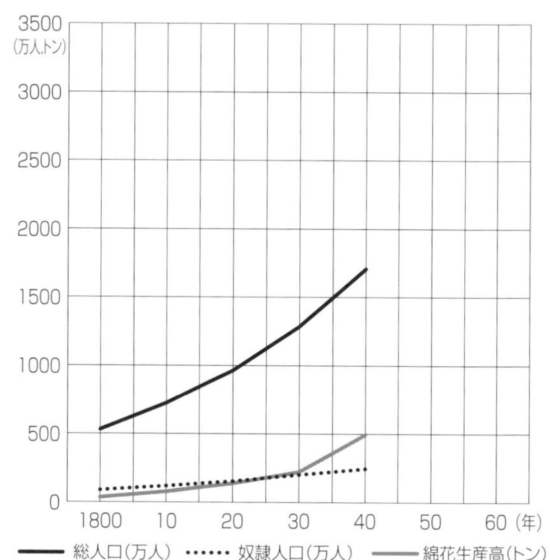

STEP 2

1　次の対話の空欄に語句を入れながら，**資料**②と③から，奴隷はどのように売られていたか，読みとってみよう。

先生：**資料**③には，奴隷のオークションが開かれた場所が書いてあるね。どこだろうか。

生徒：ジョージア州サバンナ，と読みとれます。

先生：ジョージア州は「風と共に去りぬ」の舞台としても知られている。北部か南部か，どちらかな。

生徒：〔①　　　　〕ですね。奴隷主が亡くなって，その資産である奴隷が売りに出されたようです。総額ですごい費用になりそうだし，全員セットで売るわけにはいかなかったのですね。

先生：よい着眼点だね。実際，奴隷には一人一人に番号と値段がつけられている。

生徒：お店の商品みたいな言い方ですが，ばら売りなのですね。人間扱いされていない感じです。

先生：そう，奴隷は商品だ。奴隷主によっては，さまざまな理由から，奴隷の家族や夫婦を一緒に購入することもあったけれど，別々に売られていたことに変わりはない。この売られ方もふまえて，**資料**②をみると，その状況が理解できるはずだね。

生徒：〔②　　　　　　　　〕が切り離されて売られています。**資料**③のリストにも1歳の赤ちゃんがいます。また，**資料**②には，鎖をつけられた黒人や鞭をもった白人がいます。奴隷には〔②〕で一緒に過ごせる保障もなかったのだから，反抗する黒人がいたのもうなずけます。

2 **資料③**と，これを一部意訳して編集した以下の表から，奴隷の価格はどのような条件で決められたか，読みとってみよう。まず，どのような条件であると高価格がつけられたか，考えてみよう。その際，性別の違いについても考察しよう。

番号	性別	年齢	特徴	価格(ドル)
1	男性	27	最上級の米栽培人	1275
2	女性	16	家事と子守り	900
3	女性	30	稲作，体が弱い	300
4	女性	27	綿花，最上級の女性	1200
10	女性	10	台所仕事が上手	675
11	男性	35	最上級の男性，腕の立つ大工	980
18	女性	69	虚弱体質，裁縫	250
19	男性	1	丈夫で有望な男の子	400
22	女性	14	最上級の少女，耳が遠い	850
26	男性	11	役に立つ少年	900
30	女性	19	家事，賢くて肌の色が浅黒い少女	1250

3 どのような条件であると奴隷に低価格がつけられたか，年齢や健康状態に注目して，**資料③**と上の表から読みとってみよう。

Try

① **南北戦争以前，独立宣言や合衆国憲法の理念と奴隷制はどのような関係にあったか，教科書p.228～230を参照し，次の語句を用いて説明してみよう。 【 自由 不自由 大統領 】**

② **現代にまで残る黒人差別の問題をふまえ，奴隷制廃止がもった歴史的意義と限界について，教科書p.255～256を参照し，次の語句を用いて説明してみよう。【 憲法修正 人種隔離制度 】**

3　19世紀のヨーロッパ・アメリカの社会と文化

教科書　p.258～261

市民社会の文化

(1) 19世紀の欧米文化…市民層(中間層)による文化，ナショナリズムとの結びつき

(2)〔①　　　　　　〕…古代ギリシア文化を理想，調和ある人間性(18世紀末～19世紀はじめ)

・文学…ゲーテ，シラー　・美術…ダヴィド　・音楽…ベートーヴェン

(3)〔②　　　　　　〕…感情の解放，個性の尊重，ナショナリズムと結びつく(19世紀前半)

・文学…バイロン，グリム兄弟，ハイネ　・美術…ドラクロワ　・音楽…ショパン，ワグナー

(4)〔③　　　　　　〕(リアリズム)，〔④　　　　　　〕…社会を客観的に観察(19世紀後半)

・文学…スタンダール，バルザック，ゾラ，モーパッサン，ドストエフスキー，トルストイ

・美術…クールベ，ミレー

(5) 19世紀後半の美術

・**印象派**：光と色彩を重視…マネ，モネ，ルノワール

・**後期印象派**：人間の内面も表現…セザンヌ，ゴーガン，ゴッホ

人文科学・社会科学

(1) 人文科学

・〔⑤　　　　　　〕**哲学**…〔⑥　　　　　　〕の弁証法哲学によって完成

・〔⑦　　　　　　〕(唯物史観)…マルクスが〔⑥〕哲学を批判的に継承して樹立

・〔⑧　　　　　　〕…**ベンサム**：「最大多数の最大幸福」，ミル

・〔⑨　　　　　　〕…**コント**が提唱

(2) 経済学・歴史学・法学

・〔⑩　　　　　　〕(自由主義経済学)…**マルサス**，〔⑪　　　　　　〕

・歴史学派経済学…リスト→国家による産業育成や保護関税政策の必要性を提唱

・〔⑫　　　　　　〕…**ランケ**→厳密な史料批判による正確な事実を示す

・歴史法学…各国民に固有の法の歴史的形成過程を重視

自然科学の発展と産業への応用

(1) **第２次産業革命**…**石油**と**電気**→重化学工業・鉄鋼業・電気工業などが進歩(19世紀末)

・交通：〔⑬　　　　　　〕…ガソリンエンジンと自動車　**ディーゼル**…ディーゼル機関

ジーメンス…発電機と電車　**ライト兄弟**…飛行機　〔⑭　　　　　　〕…自動車の大量生産

・通信やメディアでの発明：〔⑮　　　　　　〕…**電信機**　**ベル**…**電話**　**エディソン**…**映画**

…**マスメディア**の登場←初等教育の義務化と識字率の上昇が支える

・医学：〔⑯　　　　　　〕，**コッホ**…細菌学→治療法や予防医学の発達

・生物学：メンデル…**遺伝の法則**　〔⑰　　　　　　〕…**進化論**(『種の起源』)

・科学技術の軍事技術への応用：〔⑱　　　　　　〕…ダイナマイトの発明

・**極地探検**：ピアリ…北極到達　アムンゼン，スコット…南極到達

世紀末文化と「ベルエポック」

(1)**世紀末文化**…神秘的・退廃的な性格19世紀末から第一次世界大戦までを「**ベルエポック**」とよぶ

・文学：象徴主義…先駆者：**ボードレール**　耽美主義…ワイルドら

・哲学：〔⑲　　　　　　〕…超人を賛美し，権力への意志を生の原理とみなす

・心理学：〔⑳　　　　　　〕…深層心理の分析

MEMO

Point» 1 ロマン主義がうまれた背景は何だろうか。

[　　]

Point» 2 探検活動がのちの世界にもたらした影響は何だろうか。

[　　]

Try あなたは，この時代の文化のうち，現代の社会や文化に最も影響を与えたものは何だと考えるか。理由も含めて答えよう。

[　　]

1　ヨーロッパの帝国主義(1)

教科書　p.262～265

帝国主義

(1) [①　　　　　]…植民地獲得競争→世界が分割されつくす
・経済的要因…国内で余った資本の投資先，製品の輸出市場，原材料の供給地を国外に求める
・背景…[②　　　　　]…重化学工業の発達→巨大な資本が必要
→独占的組織(**独占資本**)…[③　　　　　](企業連合)・[④　　　　　](企業合同)
[⑤　　　　　](企業集団)→[⑥　　　　　](銀行資本と産業資本の融合)が力をもつ
・政治的要因…世界のなかでの地位の向上，外交面での優位の追求
…労働運動や社会主義運動の活発化→国民の不満を国外にそらせる
(2) 帝国主義の影響…植民地獲得競争→軍備増強の動きが強まる
・[⑦　　　　　](人種的，民族的な差別意識)，愛国主義，黄禍論などがあらわれる
・グローバル化の先駆的な姿…地域間を移動する人間が増大，電信網が情報伝達の速度を増す

最大の帝国主義国イギリス

(1) イギリス(19世紀後半)…アフリカやアジアで植民地や勢力圏を拡大→最大の帝国主義国
・工業力…ドイツやアメリカに追いこされる
・「**世界の**[⑧　　　　　]」…ロンドンのシティを中心とする強い金融力
(2) 内政面
・第3回選挙法改正(1884)→労働者の政治的発言権の強化
→社会主義団体(フェビアン協会など)と労働組合による労働代表委員会結成(1900)
→[⑨　　　　　]と改称(1906)
→自由党…[⑨]と密接な関係をもち社会政策を展開，国民保険法の制定(1911)など
…[⑩　　　　　]の制定(1911)…上院の権限を弱め，下院の優位を確立
(3) 対外政策
・アイルランド問題…グラッドストン内閣が[⑪　　　　　]**案**(1886)提出
→自由党分裂，法案成立せず
・南アフリカ戦争(1899～1902)…[⑫　　　　　]が推進
・自治領になる…オーストラリア(1901)，ニュージーランド(1907)，南アフリカ連邦(1910)

フランス第三共和政の動揺

(1) 第三共和政下のフランス…大不況期に経済成長の速度がにぶる
・植民地獲得競争…北アフリカのチュニジア，インドシナで領土拡大
・大量の資本輸出(19世紀末～20世紀はじめ)…露仏同盟によって関係が深まったロシアへ
(2) 政局の危機…プロイセン=フランス戦争敗戦の屈辱→ドイツへの報復気運
・[⑬　　　　　]**事件**(1887～89)…右翼勢力によるクーデタ未遂事件
・[⑭　　　　　]**事件**(1894～)…ユダヤ系の軍人をめぐる冤罪事件
→強い抗議…作家ゾラの「私は糾弾する！」など
(3) 内政面
・政教分離法(1905)…国家の宗教的な中立を定める
・社会政策推進…労働者の年金の制定など
・労働者…ゼネストなどの直接行動を重視する[⑮　　　　　]が広がる

MEMO

Check ① p.262❶の地図「分割される世界（20世紀初頭）」をみて，この地図の時期に次の地域を植民地にした国を答えよう。

① インドシナ …〔　　　　〕　② マリアナ諸島…〔　　　　〕
③ フィジー諸島…〔　　　　〕　④ 台湾 …〔　　　　〕
⑤ フィリピン …〔　　　　〕

Check ② p.262❷のグラフ「世界の工業生産に占める主要国の割合」をみて，各国の割合の変化を読みとって，その要因を考えてみよう。

●**変化**

〔　　　　〕

●**変化の要因**

〔　　　　〕

Point» ドレフュス事件がおこった背景は何だろうか。

〔　　　　〕

1　ヨーロッパの帝国主義(2)

教科書　p.265～267

» ドイツの工業化と興隆

(1) ビスマルク(ドイツ帝国宰相)…技術革新と保護関税政策→工業化→経済の飛躍的発展

・[①　　　　　　](1871～80)…カトリック教徒，中央党を弾圧(官僚と軍隊に支えられた強大な権力による)

・[②　　　　　　](1878)を制定する一方，[③　　　　　　](1880年代)を実施
→災害保険法制定など

・当初植民地獲得に消極的→アフリカや太平洋での植民地獲得にのりだす(1880年代)

(2) [④　　　　　　](位1888～1918)→ビスマルク辞任(1890)

・[⑤　　　　　　]…積織的な対外膨張政策→大規模な艦隊建設でイギリスと競合(建艦競争)

・社会主義者鎮圧法撤廃(1890)→[⑥　　　　　　]が急速に勢力拡大
→ベルンシュタインらの修正主義路線(議会による漸進的な社会改良をめざす)

» ロシアの専制と改革

(1) 対外膨張推進…[⑦　　　　　　]→極東方面へ，バルカン半島や中央アジアにも

(2) 専制政治批判の広がり…専制体制(ツァーリズム)に反対するナロードニキの運動が失敗

・マルクス主義運動…[⑧　　　　　　]結成(1898)
→分裂　[⑨　　　　　　]…**レーニン**中心，社会主義革命を追求
　　　　[⑩　　　　　　]…プレハーノフ中心，より穏健な改革を志向

・[⑪　　　　　　](エス=エル)…ナロードニキの流れをくむ政党

・立憲民主党(カデット)…自由主義者の政党，立憲君主政をめざす

(3) [⑫　　　　　　](1905)←日露戦争の戦況悪化

・[⑬　　　　　　]**事件**→労働者・農民による革命
→工場労働者の選挙により[⑭　　　　　　](評議会)結成，軍隊の内部で反乱発生

・皇帝[⑮　　　　　　](位1894～1917)…日本と講和を結ぶ
→十月宣言(ヴィッテ首相が起草)…国会(ドゥーマ)開設を約束

・[⑯　　　　　　]首相…農業改革に着手，革命運動弾圧，ツァーリズムの立て直し

» ユダヤ人問題

(1) ユダヤ教徒…フランス革命で平等な市民権を与えられる→各国の社会への同化の動きを強める

(2) [⑰　　　　　　]**主義**…帝国主義時代→ユダヤ人を独自の人種とみる人種差別意識が広がる

・ポグロム(1881～84)…ロシアにおける大規模なユダヤ人襲撃
→ロシアのユダヤ人がアメリカ合衆国などの外国にのがれていく

(3) [⑱　　　　　　]…ユダヤ人自身の国を建設しようとする運動
→各地に離散しているユダヤ人をパレスティナに集住させようとする動きが強まる

MEMO

MEMO

Point» ビスマルクの政策とヴィルヘルム2世の政策を比較してみよう。

国内政策

〔　　〕

対外政策

〔　　〕

Check p.267の文字資料『ニコライ2世への労働者と住民の請願書(1905年)』を読み，ロシアの民衆は皇帝に何を求めたのか答えよう。

〔　　〕

Try 帝国主義の時代にヨーロッパ各国でみられた社会主義に関わるそれぞれの動きについて，政党名などを答えよう。

フランス

〔①　　〕…ゼネストなど労働者の直接行動を重視した。

ドイツ

〔②　　〕…ラサールの流れをひく社会主義団体と，ベーベルの指導するマルクス派の組織が合同してうまれた。ドイツ社会主義労働者党から1890年に改称した。

ロシア

〔③　　〕…社会主義革命を追求する(レーニン中心)。

〔④　　〕…穏健な改革を志向する(プレハーノフ中心)。

〔⑤　　〕…ナロードニキの流れをくむ。

2　アメリカの帝国主義

教科書　p.268～269

» アメリカの経済発展と移民

(1) 南北戦争後の経済発展…世界一の工業国←共和党政権の保護関税政策
・独占体…カーネギー(鉄鋼業)，ロックフェラー(スタンダード石油)，モーガン(投資銀行業)
→巨大な金融資本の出現
(2) 移民労働力→アメリカ経済の発展を支える
・[①　　　　]…アイルランドなど西欧・北欧から(19世紀なかばまで)
・[②　　　　]…東欧・南欧から(世紀転換期)
・[③　　　　　　]禁止(1882)…自由移民の原則が破棄→移民の質的・量的規制のはじまり
→日本人移民増加(1890年代～)…白人ではない東洋人として差別・偏見の対象
(3) 労働運動・農民運動の高揚…「人民の政治」の復興を求める運動([④　　　　　　　　])
・[⑤　　　　　　　　　　](AFL)結成(1886)
・[⑥　　　　　　]…トラストの弊害や政治腐敗に対する社会改革を求める
→シャーマン[⑦　　　　　　　　](1890)…大企業の市場支配阻止
(4) 先住民…西部開拓の進展により西へ追いやられる
→軍事的制圧…アパッチ族の[⑧　　　　　　　]の敗北が最後
・ドーズ法(1887)…先住民の殺戮をやめ，部族文化を解体して彼らの市民化をめざす
→先住民の多くは土地を追われ，居留地への移動を強制される

» フロンティアの消滅と海外進出

(1) 海外市場を求める姿勢の強化←[⑨　　　　　　　　　　　　]が宣言される(1890)
・[⑩　　　　　　　　　]**会議**…ラテンアメリカ諸国への勢力拡大に力をいれる
・[⑪　　　　　　　　　　　]**戦争**(米西戦争)(1898)…[⑫　　　　　　　　　]大統領(共和党)
…開戦：キューバの独立支援　　結果：アメリカの勝利
→フィリピン・グアム・プエルトリコ獲得，キューバ独立(事実上アメリカの保護下)
・[⑬　　　　　]併合(1898)…軍事上の要地
・[⑭　　　　　　]**通牒**(1899，1900)…国務長官：[⑮　　　　　　　　]
…中国の[⑭]・機会均等・領土保全の提唱
・[⑯　　　　　　　　　　　　]大統領(共和党)
…中米諸国に対して武力干渉をともなう**カリブ海政策**展開(棍棒外交)
→パナマをコロンビアから分離独立させる(1903)→[⑰　　　　　]**運河**開通(1914)
・**ウィルソン**大統領(民主党)…民主主義の伝播を軸に道徳的影響力を広める宣教師外交
→ラテンアメリカの軍事拠点化をすすめる

» メキシコ革命

(1) [⑱　　　　　　]**革命**→ディアス独裁体制の打倒と政治の民主化
・自由主義者[⑲　　　　　　]の蜂起→ディアス政権崩壊(1911)
→農民や労働者をまきこむ民主化運動の展開→労働基本権などを規定した革命憲法制定(1917)
→農民運動の指導者[⑳　　　　　]暗殺(1919)
・ラテンアメリカ各地で独立と革命の運動が発展

MEMO

Check ① p.268**2**の風刺画「アメリカ政治を支配する巨大トラスト」の，後方の巨大な人物の腹に書いてある英単語から商品名を読み取ろう。また，この風刺画は上院を描いたものだが，何を風刺しているのか説明してみよう。

●**英単語（商品名）**

［　　　］

●**何を風刺しているか**

［　　　］

Check ② p.269**3**の風刺画「棍棒外交」の中央の海はどこの海だろうか。また中央の人物がもつ「棍棒」は何を意味しているのだろうか。

［　　　］

Try あなたは，19世紀末～20世紀はじめにアメリカがおこなった対外政策のうち，最も大きな転換点となったのは何だと考えるか。理由も含めて答えよう。

［　　　］

19～20世紀初頭の世界　移民の世紀

教科書　p.270～271

アメリカ合衆国―最大の移民受入国

Check ① 資料①をみると，1840-49から1850-59の移民数は倍増している。とりわけ中・東欧からの移民が急増した背景として，プッシュ要因と考えられるヨーロッパの政治状況は何か。

〔　　　　　　　　　　　　　　　　　　　　　　　　　　　　　　〕

Check ② 1890-99から1900-09の移民数も倍増している。この理由として，プル要因と考えられるアメリカの経済状況は何か。

〔　　　　　　　　　　　　　　　　　　　　　　　　　　　　　　〕

アイルランド系移民の増大とその影響

Check ① 資料②の2枚の絵に描かれた男性を比べて，どのような点が異なるか指摘してみよう。

〔　　　　　　　　　　　　　　　　　　　　　　　　　　　　　　〕

Check ② 資料②の移民のプッシュ要因として，どのようなことが考えられるか。教科書p.249のThemeコラムを確認してみよう。

〔　　　　　　　　　　　　　　　　　　　　　　　　　　　　　　〕

Check ③ 資料③の背景には，アイルランド系移民の増加があった。彼らが排斥された理由について考えてみよう。

〔　　　　　　　　　　　　　　　　　　　　　　　　　　　　　　〕

ハワイへ向かった日本人移民

Check 資料④の歌にある「キビ」とは何か。また「キビ」の生産に従事する日系人の思いがどのように歌われているか，読みとってみよう。

1　「キビ」とは何か。　〔　　　　　　〕

2　日系人の思いがどのように歌われているか。

〔　　　　　　　　　　〕

» 東南アジアへの移民

Check ❶ 資料⑤に示される，マレー半島に渡った中国人は具体的にどのような労働に従事していたのだろうか。また，中国人移民のプッシュ要因について，19世紀の中国の状況から考えてみよう。

1　中国人が従事した労働は何か。　〔　　　　　　〕

2　プッシュ要因は何か。

〔　　　　　　　　　　〕

Check ❷ 同時期，インド人移民の大半はプランテーションの労働者であった。どのような作物を生産していたか，教科書p.285を参照して答えよう。　〔　　　〕

» アジア系移民の排斥

Check ❶ 中国人移民が労働力として南北戦争後に急増した背景（プル要因）は何か考えてみよう。

〔　　　　　　　　　　〕

Check ❷ 資料⑥の第14条は，中国人やその後の日本人移民にとってどのような意味をもつことになっただろうか。

〔　　　　　　　　　　〕

Check ❸ 資料⑦は国境に防御壁を築き，中国人を締めだそうとするアイルランド系移民をあらわしている。資料③も参考にして，移民排斥の構造を多角的に考えてみよう。

〔　　　　　　　　　　〕

Try 現代世界における移民の事例をとりあげて，そのプッシュ要因とプル要因を考えるとともに，移民排斥の動きがないか調べてみよう。

〔　　　　　　　　　　〕

3　西アジアの改革運動(1)

教科書　p.272～274

» オスマン帝国の動揺

(1) オスマン帝国の領土縮小

・**第２次**〔①　　　　　　　　〕失敗(1683)→オーストリアなどとの攻防に敗れる

→〔②　　　　　　　　〕**条約**(1699)…ハンガリーを含む広い領土を失う

・〔③　　　　　　〕**運動**…預言者ムハンマドの教えにもどることを主張

→中部アラビアの豪族〔④　　　　　　　〕**家**と協力して〔③〕**王国**建国(18世紀なかごろ～)

・エジプトの自立，バルカン地域の独立運動への列強の支援→支配領域縮小(19世紀前半～)

・〔⑤　　　　　〕(19世紀)…オスマン帝国の領土内における国際紛争

» エジプトの自立と挫折

(1) エジプト…ナポレオン率いるフランス軍が占領(18世紀末)→フランス軍撤退(19世紀はじめ)

・〔⑥　　　　　　　　　〕(オスマン帝国のエジプト総督)

…中央集権化，富国強兵策推進，西欧化改革，官営工場設立などの諸改革

…アラビア半島侵入(1818)→〔③〕王国を一時的に滅ぼす

(2) 〔⑦　　　　　　　　　〕**戦争**(1831～33，1839～40)

・原因…〔⑥〕がシリアの領有とエジプト総督の世襲権を要求←オスマン政府が認めない

・結果…エジプト勝利(フランスの援助，イギリス・ロシアが干渉)

→ロンドン条約(1840)…〔⑥〕にエジプト総督の世襲権のみが認められる

…エジプトは列強に治外法権を認める，不平等条約で国内市場開放

(3) 戦争後の経済状況

・エジプト産綿花…イギリスの綿織物工業向け商品作物となる

・〔⑧　　　　〕**運河**…〔⑨　　　　　　　〕(フランス)の指導で建設→開通(1869)

→国家財政破綻(工事費)→スエズ運河会社の持ち株をイギリスに売却(首相ディズレーリ)(1875)

(4) 〔⑩　　　　　　〕**運動**(1881～82)…軍人〔⑩〕らが列強と宗主国オスマン帝国に対抗

→立憲制の確立を目的として決起→イギリスの出兵で鎮圧され，イギリスの事実上保護国に

» オスマン帝国の改革

(1) 軍事制度改革…イェニチェリ軍団廃止(1826)→西欧式軍隊創設

(2) 〔⑪　　　　　　　〕(再編成)(1839～76)…軍事･税制･教育などの本格的な西欧化をめざす改革

・〔⑫　　　　　　　　　　〕…〔⑬　　　　　　〕**勅令**発布

…ムスリムと非ムスリムの法のもとの平等を宣言

・イギリスと通商条約締結(1838)…イギリス人商人の特権承認，フランスも続く

(3) クリミア戦争(1853～56)…イギリス，フランスの援助により勝利→両国の干渉が強まる

・外債導入によりイギリス，フランスの経済的支配強化→オスマン帝国の国家財政破綻

» イスラーム改革運動

(1) 〔⑭　　　　　　　〕(イラン出身)

・反帝国主義の立場で〔⑮　　　　　　　　　〕**主義**による全ムスリムの団結を説く

・ムスリムの民族運動，イスラーム改革運動への思想的影響

→アブデュルハミト２世(オスマン帝国)，〔⑩〕運動(エジプト)

タバコ=ボイコット運動(イラン)

MEMO

Point≫ ムハンマド=アリーがオスマン帝国から自立した背景は何だろうか。

〔　　　　〕

Check ① p.273 4 の図「スエズ運河開通式を描いたといわれる絵」に関して，説明文の下線部が誤っているものを二つ選び，正しい語を答えよう。

〔　　　〕→正しい語〔　　　　　　〕　〔　　　〕→正しい語〔　　　　　　〕

スエズ運河は，①イギリス人のレセップスの指導によって建設が開始された。この地中海と②インド洋を結ぶ運河の完成により，ヨーロッパからインドまでの航海日数が，従来の③喜望峰経由より大幅に短縮した。しかし，スエズ運河の工事費によりエジプトの国家財政が破綻し，エジプトは1875年にスエズ運河株式会社の持ち株を④イギリスに売却した。

Check ② p.273の文字資料『ウラービーの見解(1881年)』の「国民党」とは，ウラービーの立場を示すものである。ウラービーが「外国に対する債務」に対してどのような姿勢だったのか読み取ってみよう。またウラービーの目的は何だったか読み取ってみよう。

〔　　　　〕

3　西アジアの改革運動(2)

教科書　p.274〜277

青年トルコ人革命

(1) オスマン帝国の立憲運動…ヨーロッパ留学経験をもつ若手官僚が中心

・〔①　　　　　　〕(オスマン帝国憲法)公布(1876)…大宰相〔②　　　　　　〕

…〔③　　　　　　〕主義：宗教・民族にかかわらず，全住民が平等の「〔③〕人」

→〔④　　　　　　〕…〔⑤　　　　　　〕**戦争**開始で憲法停止(1878)

…パン=イスラーム主義，ドイツに接近，専制政治推進

→「統一と進歩委員会」…専制批判を強め政府から弾圧を受ける(19世紀末)

(2)〔⑥　　　　　　〕**革命**(1908)…〔①〕復活→スルタンが立憲制を宣言

イランの改革

(1)〔⑦　　　　　　〕**朝**(1796〜1925)

・〔⑧　　　　　　〕**条約**(1828)…カフカースの領有を求めて南下してきたロシアとの国境紛争に敗れる

→ロシアにアルメニアなど割譲，治外法権を認める，関税自主権を失う

・イギリス…最恵国待遇を含む通商条約締結→フランスもこれに続く

(2)〔⑨　　　　　　〕**の乱**(1848)←ロシア・イギリスの経済的進出による窮乏化，税負担増大

(3)〔⑩　　　　　　〕**運動**(1891〜92)

・イラン政府がタバコの専売権をイギリス人に売却→ウラマーや商人層の反イギリス・反国王運動

(4)〔⑪　　　　　　〕**革命**(1905〜11)…国民議会開催，憲法制定

→イギリス・ロシアの干渉→ロシアによる直接の軍事侵攻により議会閉鎖，立憲革命挫折

アフガン戦争

(1) アフガニスタン王国(18世紀なかごろ成立)…首都：カーブル

・第1次〔⑫　　　　　　〕**戦争**(1838〜42)

…イギリスがロシアの南下に対抗する→英領インドから進出を試みて失敗

・第2次〔⑫〕戦争(1878〜80)…南下するロシアに対抗して出兵して保護国化

→イギリスはロシアに対抗する緩衝国として位置づける

・第3次〔⑫〕戦争(1919)…アフガニスタンは第一次世界大戦で中立政策→戦後，独立宣言

→イギリス領インドを攻撃し，完全独立

カフカース・中央アジアの抵抗

(1) カフカース地方…イスラーム浸透(11世紀〜)

・ロシア軍…カフカース山脈に進出し征服完了(19世紀末)←ムスリム諸民族の激しい抵抗運動

(2) 中央アジア…トルキスタンはロシアの綿工業向け綿花の供給地として重要(1860年代，南北戦争にともなうアメリカ綿花の輸入停止により重要性が高まる)

・ロシアの南下…〔⑬　　　　　　〕**国**保護国化(1868)

〔⑭　　　　　　〕**国**保護国化(1873)

〔⑮　　　　　　〕**国**併合(1876)

…イリ事件(1871)：清の領土の東トルキスタンのイリ地方を占領

MEMO

Point≫ 1 なぜ青年トルコ人革命がおこったのだろうか。

[　　　　　　　　　　　　　　　　　　　　　　　　]

Point≫ 2 イランでは，列強の介入に対してどのような抵抗運動・改革がおこなわれただろうか。次の説明文の空欄に入る語句を答えよう。

ロシア・イギリスの経済進出による窮乏化や税負担の増大に苦しむ人々が各地で税金の不払い闘争にたちあがり，1848年には〔①　　　　　　　　〕朝に対する〔②　　　　　　　〕の乱がおこった。さらに，1890年にイラン政府がタバコの専売権を〔③　　　　　　〕人に売却すると，ウラマーや商人層を中心として，〔④　　　　　　　　　　〕運動が全土に拡大した。20世紀に入り，〔⑤　　　　　　　〕革命がおこり，国民議会が開かれて憲法が制定されたが，〔⑥　　　　　〕による軍事侵攻で革命は挫折した。

Try あなたは，エジプト・オスマン帝国・イランの改革運動のうち，どれが最も成功したと考えるか。理由も含めて答えよう。

[　　　　　　　　　　　　　　　　　　　　　　　　]

4　アフリカの分割と抵抗

教科書　p.278〜280

アフリカ大陸の分割

(1) アフリカの探検(19世紀後半)…〔①　　　　　　　　　　〕，〔②　　　　　　　〕

(2) 〔③　　　　　　〕**会議**(1884〜85)→ドイツ宰相ビスマルクが利害の調整と対立の収拾をはかる

・発端…ベルギー国王〔④　　　　　　　　　〕…コンゴ川流域の領有をめざして積極的に進出

・アフリカ分割の「先占権」の原則を定める

(3) イギリスとフランスの分割競争

・フランス：〔⑤　　　　　　　〕**政策**…アルジェリアからサハラ砂漠を横切り，ジブチへ

・イギリス：〔⑥　　　　　　　〕**政策**…エジプトからスーダンを経てケープ植民地へ

・〔⑦　　　　　　〕**事件**…両国がファショダで軍事衝突寸前の危機

→フランス…ドイツとの対立，ドレフュス事件を背景に譲歩して撤退→英仏関係改善へ

南アフリカ戦争

(1) 南アフリカ…アフリカーナーとイギリスとの対立

・ケープ植民地…オランダ人植民者の子孫のアフリカーナー(ブール人)が先住民を支配

→ナポレオン戦争以後…イギリスが支配

・〔⑧　　　　　　　　　〕共和国・〔⑨　　　　　　〕自由国…アフリカーナーが北方に建国

→産出する金・ダイヤモンドをめぐり，イギリスとアフリカーナーの対立深まる

・イギリス人〔⑩　　　　　　　　〕…〔⑪　　　　　　　〕植民地建設(1895)

・〔⑫　　　　　　　　〕(ブール戦争)(1899〜1902)…苦戦のすえ，イギリス勝利

(2) 〔⑬　　　　　　　　〕成立(1910)…イギリス系の人々とアフリカーナーの協力体制

・黒人…指定された土地以外での土地取得を禁じられるなどの人種差別を受ける

→第二次世界大戦後，〔⑭　　　　　　　　　〕(人種隔離政策)として定着

アフリカ各地の抵抗

(1) エジプト・スーダン…イギリスに対する抵抗運動

・エジプト：〔⑮　　　　　　　〕の運動…「エジプト人のためのエジプト」←イギリスが鎮圧

・スーダン：〔⑯　　　　　　　〕**派**の抵抗←イギリス，ゴードン将軍の戦死などで苦戦しつつ制圧

(2) 西アフリカ…フランスに対する抗争

・サモリ=トゥーレ…イスラームにもとづく帝国をうちたてて抗争→捕虜となる(1898)

(3) ドイツ領南西アフリカ…ヘレロ人が土地の強奪などに抵抗して蜂起(1904〜07)←ドイツ軍が制圧

アフリカ北部支配をめぐる競合

(1) フランス

・アルジェリア支配(1830年代〜)→チュニジアの保護国化(1881)

→モロッコ…英仏協商(1904)でモロッコに対する優越的権利をイギリスから認められる

→〔⑰　　　　　　〕**事件**(1905，1911)…ドイツ失敗，フランスがモロッコを保護国化(1912)

(2) イタリア

・エリトリア占領(1885)→イギリス・フランスとソマリランド分割→イタリア領ソマリランド

→エチオピア侵入(1895)→〔⑱　　　　　　〕**の戦い**(1896)で敗北

(3) 独立を守った国…エチオピア，〔⑲　　　　　　　　　〕

MEMO

Check ❶ p.278**1**の図「ファショダ事件を風刺するフランスの雑誌表紙」について，オオカミと赤ずきんは，それぞれ何を象徴するものとして描かれているのだろうか。この絵が示している歴史的状況を考えて正しい文を一つ選ぼう。　〔　　〕

① オオカミはフランス，赤ずきんはイギリスを象徴しており，イギリスが弱い立場にある。
② オオカミはイギリス，赤ずきんはフランスを象徴しており，フランスが弱い立場にある。
③ オオカミはフランス，赤ずきんはスーダンを象徴しており，スーダンが弱い立場にある。
④ オオカミはイギリス，赤ずきんはスーダンを象徴しており，スーダンが弱い立場にある。

Check ❷ p.279の文字資料『黒人の南アフリカ戦争体験（1900年1月）』を読み，南アフリカ戦争において，現地の黒人たちがどのような状況におかれていたのかを読み取ってみよう。

〔　　〕

Try 列強によるアフリカ分割は，その後のアフリカにどのような影響を与えただろうか。

〔　　〕

5　インドの植民地化と民族運動

教科書　p.281〜283

» イギリスの植民地支配

(1) **イギリス東インド会社**…インドにおける支配権を樹立
　→プラッシーの戦い(1757)…フランスの支援を受けたベンガル太守軍を破る
　→ブクサールの戦い(1764)…ムガル皇帝・ベンガル太守の連合軍に圧勝
(2) イギリス支配地の拡大
　→〔①　　　　　　　〕**戦争**(南部)，〔②　　　　　　　〕**戦争**(中西部)→諸王国を征服
　→〔③　　　　　〕**戦争**(北西部)→パンジャーブ地方獲得
　→イギリス東インド会社がインド全域支配(19世紀なかば)…直轄支配地，多数の藩王国を統治
(3) イギリスのインド統治
・〔④　　　　　　　　〕**制**(ベンガル管区)
　…ザミーンダール(領主層・地主層)に土地所有権を与えて納税させる
・〔⑤　　　　　　　　〕**制**(マドラス・ボンベイ両管区)
　…ライーヤト(実際の耕作者，自作農)に土地所有権を認めて直接納税させる
(4) インド社会の変化…植民地化による重い地税，経済構造の変化→人々の窮乏化
・機械製綿布がイギリスから流入→インドの綿布生産を圧迫
・農産品(綿花，藍，麻，アヘン，茶など)を輸出⇔イギリスの工業製品を輸入
(5) 東インド会社←本国における産業資本の成長とともに自由貿易への要求が強まる
・貿易独占権の廃止(中国貿易・茶貿易以外)(1813)
　→すべての貿易独占権の廃止，商業活動停止(1833)→貿易会社でなく統治機関となる

» インド大反乱

(1) 〔⑥　　　　　　　〕(1857〜59)
　…東インド会社のインド人傭兵(〔⑦　　　　　　　〕)の反乱(1857)→首都デリー占領
　→ムガル皇帝をいただく大反乱に発展←イギリスがムガル皇帝廃位＝ムガル帝国滅亡(1858)
　→東インド会社解散(1858)，本国政府の直接統治下におく→反乱鎮圧(1859)
(2) イギリス領〔⑧　　　　　　　〕(1877〜1947)…ヴィクトリア女王がインド皇帝を兼ねる
・イギリス…電信・鉄道・港湾などを整備，プランテーションの発展加速
・分割統治…既存の宗教やカーストなどの分断状況を拡大，固定化
・英語の学校教育開始，大学開設→植民地の行政・経済活動を担う人材の養成

» 国民会議派の運動

(1) 民族資本家，近代的な学校教育を受けた新しい知識人→イギリス支配に対する不満の高まり
(2) 〔⑨　　　　　　　〕開催(1885)←イギリスの懐柔策としてインド人エリートを集める
　→国民会議派(民族運動組織)…〔⑩　　　　　　〕らの指導による反英民族運動が高揚
(3) 〔⑪　　　　　　　〕**令**(1905)
　…ヒンドゥー教とイスラームの対立を利用して反英運動を分裂させるための政策
　→国民会議派のカルカッタ大会(1906)
　…4綱領＝〔⑫　　　　　〕・〔⑬　　　　　　〕(国産品愛用)
　　　　　〔⑭　　　　　〕(自治獲得)・〔⑮　　　　　　〕を決議→〔⑪〕令撤回(1911)
(4) 〔⑯　　　　　　　　〕**連盟**(1906)…イギリスの支持でムスリムの保守的特権層が結成

MEMO

Point» 東インド会社は，インドにどのような地税制度を導入したのだろうか。地域別に説明しよう。

●ベンガル管区

[　　　　]

●マドラス・ボンベイ両管区

[　　　　]

Check p.283**3**の写真「インド国民会議の創立大会」の時期から，インド国民会議はどのように変化したのだろうか。次の説明文の空欄に入る語句を答えよう。

写真の創立大会の時期のインド国民会議は，総督に意見を述べるだけの穏健な諮問機関であった。しかし，この会議が出発点となり，〔①　　　　〕が形成されて，〔②　　　　〕らの指導によって反英民族運動が高揚した。1905年，イギリスはヒンドゥー教とイスラームの対立を利用して反英運動を分裂させるために〔③　　　　〕を公布した。これに対し，〔①〕は〔④　　　　〕の大会で4綱領を決議して抵抗運動を強化した。

Try インド大反乱の前後で，イギリスの統治政策はどう変化しただろうか，まとめてみよう。

[　　　　]

6 東南アジアの植民地化と民族運動(1)

教科書　p.284～286

植民地化のさきがけ

(1)〔①　　　　　〕…大部分がスペイン領となる(17世紀はじめ)
・マニラ…メキシコ・中国間の中継交易(アカプルコ貿易)で繁栄，住民のカトリック化がすすむ
・大土地所有制度の成立(18世紀後半)…サトウキビ・マニラ麻・タバコなどの商品作物栽培
・新興地主や知識人…植民地支配に抵抗する人々があらわれる

オランダ領東インドの形成

(1)〔②　　　　〕**島**
・バンテン(西部)，マタラム(中・東部)→オランダ東インド会社領となる
→オランダ東インド会社解散(1799)→会社の領土はオランダ政府直轄の植民地となる
・〔③　　　　　〕(オランダの拠点)…周辺で砂糖，コーヒーの生産が発展
・〔④　　　　　〕**制度**(1830～)…熱帯農産物の開発輸出を拡大強化
…住民にコーヒー・サトウキビ・藍・タバコなどを低賃金で栽培させる
→オランダに莫大な富が流出，〔②〕…農地の拡大と農業の集約化→人口の爆発的増加
(2)〔⑤　　　　　　　〕植民地…現在のインドネシアにあたる植民地
・アチェ戦争(1873～1912)…アチェ地方(スマトラ島北端部)平定
・植民地的経済構造の確立…農産物・鉱物資源を輸出，工業製品・米などの食糧を輸入

イギリスの進出

(1)〔⑥　　　　〕**植民地**(1826)…マラッカ海峡に〔⑦　　　　〕，〔⑧　　　　　〕獲得
・オランダとの条約(1824)…勢力範囲→イギリス：マレー半島，オランダ：スマトラ島
・〔⑧〕…関税を課さない自由貿易港→海域アジアの交通・交易の中枢港市に発展
・マラヤ(マレー半島南部)，北ボルネオ領有
→マラヤ…錫の採掘(中国人労働者導入)，ゴムのプランテーション(インド人労働者導入)
(2) ビルマ(ミャンマー)
・〔⑨　　　　　　　〕**戦争**(1824～26，52～53，85～86)
…〔⑩　　　　　〕**朝**滅亡→ビルマ全土をインド帝国に併合(1886)
・政庁：ヤンゴン，輸出向けの稲作発展(南部ビルマのデルタ地域)

ベトナムと清仏戦争

(1)〔⑪　　　〕**朝**(1802～1945)…都：フエ，国号：〔⑫　　　　〕(ベトナム)
・建国：〔⑬　　　　〕…西山(タイソン)の反乱勢力を破る
・キリスト教の布教を禁止(1825)→フランス…宣教師の処刑を口実にベトナム中部攻撃(1858)
→サイゴン一帯を一時占領→南部(コーチシナ)の東部3省獲得(1862)
→〔⑭　　　　　〕の保護国化(1863)→〔⑪〕朝の保護国化(1884)
(2)〔⑮　　　　〕**戦争**(1884～85)…フランスが清(ベトナムの宗主権主張)と戦う
・天津条約(1885)…フランスのベトナムに対する保護権を認めさせる
(3)〔⑯　　　　　　　　〕**連邦**(1887)…ベトナムとカンボジアをあわせる
・総督府：ハノイ
・〔⑰　　　　〕を保護国化(1893)→〔⑯〕連邦に組み入れる(1899)
・メコン川のデルタ地域の開墾地で生産された米→アジア各国に輸出

MEMO

Check ① p.284**1**の図「マニラの広場と聖堂(18世紀ごろ)」について説明した文として下線部が誤っているものを一つ選び，正しい語を答えよう。〔　　〕→正しい語〔　　　〕

① 16世紀に，スペインは港市マニラを確保して城壁都市を建設した。

② 図の正面にあるのは，キリスト教のカトリックの聖堂である。

③ マニラは，メキシコ・中国間の中継交易であるレヴァント貿易で栄えた。

Check ② p.284**2**の地図「東南アジアの植民地化」および教科書本文を参考にして，19世紀に次の地域を植民地にした国を答えよう。

① スマトラ…〔　　　〕　② マラッカ　…〔　　　〕

③ ラオス　…〔　　　〕　④ ジャワ　…〔　　　〕

⑤ ビルマ　…〔　　　〕　⑥ 東ティモール…〔　　　〕

6　東南アジアの植民地化と民族運動(2)　教科書　p.286～288

独立を維持したシャム(タイ)

(1)〔①　　　　　　〕**朝**(1782～)…都：バンコク，王室が中国との貿易を独占
・ラーマ4世…西洋諸国に対する開放政策→自由な貿易を認める(1855)
・〔②　　　　　　〕(チュラロンコン王)…近代化，中央集権的な近代国家確立への努力
・東南アジアで唯一独立を維持←フランスとイギリスの〔③　　　　〕地帯という有利な国際環境
・チャオプラヤー川下流部…輸出向け稲作地帯として発展

東南アジアの民族運動

(1) **フィリピン**
・〔④　　　　　〕らの民族的啓蒙運動
→〔⑤　　　　　　〕**革命**(1896～1902)…〔⑥　　　　　　〕らの指導→独立をめざす
・アメリカ…アメリカ=スペイン戦争(1898)で勝利→フィリピンの領有権獲得
・フィリピン=アメリカ戦争(1899～1902)…フィリピン共和国(〔⑥〕大統領)対アメリカ
→フィリピン敗北…アメリカの植民地となる→南部のムスリムもアメリカに平定される

(2) **インドネシア**
・〔⑦　　　　　　　　〕(イスラーム同盟)
…ジャワで知識人や商人層を中心に成立(1911)→当初は相互扶助団体の性格
→独立や社会主義をかかげる(1910年代末)←オランダが弾圧(1920年代はじめ)

(3) **ベトナム**
・維新会結成(1904)…〔⑧　　　　　　　　　〕ら
→日露戦争に勝利した日本へ留学生を送る〔⑨　　　　　〕**(東遊)運動**をはじめる
→日本…フランスからの要求で留学生たちを追放
・〔⑩　　　　　　〕結成(1912)…〔⑧〕らが孫文に共鳴，広州で急進的な独立運動推進

オセアニアの分割

(1) **オーストラリア**…イギリスの囚人流刑地として開拓されはじめる(18世紀末以降)
・ヨーロッパからの自由移民も受け入れる(19世紀はじめ～)→農業，牧羊業発展
→先住民(〔⑪　　　　　　〕)…移民に土地を追われ，殺害や疫病により人口激減
・金鉱発見(19世紀なかごろ)→移民急増，全域の開発
・〔⑫　　　　　〕(1880年代～)…アジア系移民の移住制限，有色人種の差別
・〔⑬　　　　　　　〕成立(1901)…イギリス帝国の自治領となる

(2) **ニュージーランド**
・イギリスによる植民地化(19世紀前半～)→先住民(〔⑭　　　　〕)の抵抗を武力制圧
→イギリス人の牧羊業発展，イギリス帝国の自治領(1907)

(3) 太平洋…欧米列強による激しい領土争奪展開(1880年代～)
・フランス…タヒチ島など　　　・ドイツ…マリアナ諸島・パラオ諸島など
・イギリス…フィジー諸島など　(ニューギニア島…西部はオランダ，東部はドイツとイギリス)
・アメリカ…〔⑮　　　　〕併合(1898)
…アメリカ=スペイン戦争→フィリピンと〔⑯　　　　〕**島獲得**
…サモア諸島(石炭産地)に支配拡大

MEMO

Point≫ タイが東南アジアで唯一独立を維持できたのはなぜだろうか。

〔　　　　〕

Check ▶ p.287の写真「ファン=ボイ=チャウ」についての次の説明文の下線部について，誤っているものを三つ選び，正しい語を答えよう。

〔　　　〕→正しい語〔　　　　　　　　〕　〔　　　〕→正しい語〔　　　　　　　　〕

〔　　　〕→正しい語〔　　　　　　　　〕

1904年，ファン=ボイ=チャウはベトナムの①阮朝でおこなわれていた②科挙に合格し，同年に③維新会を結成した。その後，軍事援助を求めて日本に渡り人材育成の必要性をさとり，④日清戦争に勝利した日本に留学生を送る⑤ドンズー運動を開始した。しかし，日本は⑥イギリスからの要求を受けて留学生を追放した。ファン=ボイ=チャウらは，⑦蔣介石の民権思想に共鳴，1912年に広州で⑧ベトナム光復会を結成して，より急進的な独立運動を推進した。

Try ヨーロッパ諸国による植民地化で，東南アジアにはどのような経済構造が形成されただろうか，まとめてみよう。

〔　　　　〕

7　東アジアの国際関係の再編(1)

教科書　p.289〜291

清をめぐる内外情勢の変容

(1)［①　　　　　　］**の乱**(1796〜1804)

・背景：18世紀の人口増→耕地をめぐる競争の激化→競争に敗れた移住民に白蓮教が広まる

・郷紳…団練(自衛組織)をつくって反乱鎮圧に協力→地域への影響力を強める

(2) イギリス…貿易条件の改善や常駐使節の交換を要求(清は西洋との貿易を広州1港に限定)

・［②　　　　　　　　］，アマーストの使節団派遣←清は従来の方式の変更を認めない

…使節謁見時の儀礼の違いも摩擦の原因

・中国への銀の流出…イギリスで紅茶を飲む習慣が定着(18世紀後半)，中国茶の輸入激増

…イギリスの輸出品だった綿製品は中国でほとんど売れない

→インド産**アヘン**の中国への密輸をはじめる

アヘン戦争と南京条約

(1) 銀の流出←清はアヘンの密輸を取り締まりきれなかった

・銀価格高騰…納税者の実質的な負担増→社会不安，財政危機

(2)［③　　　　　］…広州で外国商人からアヘンを没収して廃棄(1839)

(3) **アヘン戦争**(1840〜42)…イギリスが艦隊を派遣して沿岸諸都市を陥落させる

・［④　　　　　］**条約**(1842)

…上海など5都市の開港，自由貿易，［⑤　　　　　　］**の割譲**，賠償金の支払いなど

・［⑥　　　　　　　　］条約(1843)…領事裁判権，片務的最恵国待遇，関税率の固定

・望厦条約(対アメリカ)，黄埔条約(対フランス)締結→同様の権利を認める(1844)

・居留地(租界)…外国人が行政権をもつ区域の設置

第2次アヘン戦争と天津条約

(1) **第2次アヘン戦争**(アロー戦争)(1856〜60)…アロー号事件を口実に英仏が遠征軍を派遣

・広州を占領して天津にせまる…清は英仏との［⑦　　　　　］**条約**に調印

→条約批准のため北京に向かう英仏軍と清が衝突(1859)…英仏軍は円明園を略奪・破壊

→［⑧　　　　　］**条約**(1860，ロシアの調停)

…賠償金の支払い，天津など11都市の開港，外国人の内地旅行権，キリスト教の内地布教権

［⑨　　　　　　］南部のイギリスへの割譲

→［⑩　　　　　　　　　　］(総理衙門)設置(1861)…外国公使の北京常駐に対応

太平天国とあいつぐ反乱

(1)［⑪　　　　　　］(広東省の客家出身)…キリスト教の影響を受け，宗教結社上帝会結成

→［⑫　　　　　　］建国(1851)

…「滅満興漢」をかかげる，辮髪禁止，纏足禁止，天朝田畝制度(実施されず)

→南京を占領して都(天京)とする

(2) 滅亡

・鎮圧…郷紳の団練，［⑬　　　　　］(［⑭　　　　　］の湘軍，［⑮　　　　　］の淮軍など)，諸外国の常勝軍による

→天京陥落，［⑫］滅亡(1864)

MEMO

Check ① p.289の文字資料『イギリス国王に対する乾隆帝の上諭(1793年)』から清の対外関係観を読みとって，p.289**1**の風刺画「マカートニーと乾隆帝の会見(1793年)」で乾隆帝が尊大に描かれている理由を考えてみよう。

〔　　　　〕

Check ② p.290**2**のグラフ「インド産アヘンの輸出額の推移」において，1830年代なかばにアヘン輸出額が急増しているのはなぜだろうか。この時期のイギリスの変化から考えよう。

〔　　　　〕

Check ③ p.291**4**の地図「第2次アヘン戦争と太平天国」をみて，アヘン戦争後の南京条約で開港された5港を，北から順に答えよう。

〔　　　　〕〔　　　　〕〔　　　　〕〔　　　　〕〔　　　　〕

7　東アジアの国際関係の再編(2)

教科書　p.291〜293

清の西洋への対応

(1)［①　　　　　　　］…同治帝の実母［②　　　　　　　］が実権掌握

・［③　　　　　　］**運動**…曾国藩・李鴻章・左宗棠ら有力な漢人地方官僚による新体制での秩序回復

…兵器工場，紡績工場，汽船会社設立，電信網の整備，西洋の学術書の漢訳出版

…儒教的価値観への志向が強く，西洋の事物導入に対する容認や反発の度合いもさまざま

(2) ロシアの東方進出(クリミア戦争敗北後)

・［④　　　　　　　］**(愛琿)条約**(1858)…東シベリア総督ムラヴィヨフ→黒竜江以北をロシア領に

・［⑤　　　　　　　］**条約**(1860)…沿海州獲得→ウラジオストクに軍港建設

・［⑥　　　　　　］**条約**(1881)…新疆でロシアと清との国境画定

日本の開国と明治維新

(1) 江戸幕府(18世紀末〜)…「鎖国」政策の動揺(ロシアの南下，イギリス船やアメリカ船の接近)

・アメリカ東インド艦隊司令官［⑦　　　　　　　］…浦賀に来航し，開国をせまる(1853)

→［⑧　　　　　　　］**条約**(1854)…下田・箱館の開港，領事駐在，片務的最恵国待遇など

・［⑨　　　　　　　　］**条約**(1858)…領事裁判権，日本側の関税自主権の放棄など

→オランダ・ロシア・イギリス・フランスと同様の条約に調印

・開国による市場の混乱，物価上昇→一揆や打ちこわしが頻発

(2) 討幕運動の展開

・尊王攘夷思想…不平等条約の破棄と「鎖国」への回帰を主張

→薩摩・長州藩が武力による倒幕をめざす

・15代将軍の徳川慶喜が天皇に政権を返上→薩長両藩と岩倉具視による王政復古のクーデタ

→明治天皇を中心とする新政権樹立(［⑩　　　　　　　］)

(3) 明治政府…ヨーロッパの文化を積極的に吸収→富国強兵，近代国家の体制をととのえる

・［⑪　　　　　　　　　］(1889)→帝国議会開設(1890)

日本の国際関係

(1) 明治政府の外交

・［⑫　　　　　　］**出兵**(1871)…［⑫］に漂着した琉球島民殺害事件を口実に出兵

・琉球藩設置(1872)→清への朝貢を断絶(1875)→［⑬　　　　　］**県**設置(琉球処分)(1879)

・［⑭　　　　　　　　　］**条約**(1875)…樺太(サハリン)＝ロシア領　全千島列島＝日本領

・朝鮮…西郷隆盛らの征韓論

…［⑮　　　　　　　］**条規**(1871)…清と対等な立場にたつ

…［⑯　　　　　　］**事件**(1875)→［⑰　　　　　　　　］**条規**締結(1876)…日本が優位な不平等条約

朝鮮王朝後期の社会

(1) 朝鮮(19世紀)…両班が実権掌握，政治腐敗，社会不安増大→各地では民衆反乱頻発

・文化，思想面…中国の学問，西洋の学問　思想の流入→自然科学，社会，歴史などの学問形成

・［⑱　　　　　　］(高宗の父)が実権掌握(19世紀後半)…朱子学以外の思想を認めない

…鎖国政策(欧米勢力を武力で排撃)，日本と外交をめぐる対立

・［⑲　　　　　］(王妃一族)が実権掌握…［⑰］条規により開国

MEMO

Point≫ 19世紀後半，ロシアは東アジアにどのように進出したのだろうか。次の説明文の空欄に入る語句を答えよう。p.292❶の地図「19世紀後半のユーラシア東部」も参考にしよう。

ロシアは，〔①　　　　　〕戦争での敗北後に東方進出に転じた。東シベリア総督〔②　　　　　　　〕は，〔③　　　　　　　　〕戦争に乗じて〔④　　　　　　〕条約を清と締結し，〔⑤　　　　　〕以北を割譲させた。また，1860年の〔⑥　　　　　　〕条約で〔⑦　　　　　　〕を獲得し，〔⑧　　　　　　　　　　〕に軍港を建設した。さらに，〔⑨　　　　　〕におけるムスリムの反乱をきっかけに，ロシアと清は〔⑩　　　　〕条約を結んで国境を画定させた。

Check▶ p.293の文字資料『日朝修好条規』を読み，従来の清と朝鮮との関係を考えたとき，第1款や第9款はどのような意味をもつだろうか。また第10款は何を定めたものだろうか。

●第1款，第9款の意味

〔　　　　　　　　　　　　　　　　　　　　　　　　　　　　　　　　　〕

●第10款が定めたもの

〔　　　　　　　　　　　　　　　　　　　　　　　　　　　　　　　　　〕

7　東アジアの国際関係の再編(3)

教科書　p.294～296

朝鮮と清・日本との関係

(1) 清の危機感…朝貢・冊封関係にあった国々が列強の領土や植民地に組みこまれる状況
　→新疆，台湾に省を設置，朝鮮は従来の冊封関係を維持，西洋式の条約締結などで影響力拡大

(2) 朝鮮…〔①　　　　〕**派**の政治家・官僚が台頭
　・壬午軍乱(1882)→清による宗主権強化
　　→〔①〕派分裂…日本と結ぶ勢力⇔清や閔氏政権に協調する勢力
　・〔②　　　　　　〕(1884)…〔③　　　　　　〕らの閔氏政権打倒クーデタ←清軍により崩壊

(3) 天津条約(1885)…日本と清が締結，共同撤兵，出兵の相互事前通告など

日清戦争

(1) 〔④　　　　　　〕**戦争**(東学党の乱)(1894)
　…〔⑤　　　　〕の地方幹部〔⑥　　　　　〕を指導者とする農民蜂起
　→朝鮮政府は清に派兵を要請，日本は居留民保護を名目に出兵

(2) 〔⑦　　　　〕**戦争**(1894～95)…日本が清の北洋艦隊を攻撃してはじまる
　・〔⑧　　　　〕**条約**…清は朝鮮を独立国と認める→朝貢・冊封にもとづく国際関係消滅
　　…日本は清から，遼東半島・台湾・澎湖諸島と膨大な賠償金などを獲得
　　→〔⑨　　　　　　〕…ロシア・フランス・ドイツの要求により遼東半島返還
　・日本…賠償金によって重化学工業化推進，金本位制に移行

戊戌の変法

(1) 中国分割…列強は清に借款を提供
　→租借地周辺の鉄道敷設権・鉱山開発権などを獲得，みずからの勢力範囲とみなす
　・ドイツ：山東省の〔⑩　　　　　〕租借←宣教師殺害事件(1898)
　　ロシア：〔⑪　　　　〕・〔⑫　　　　〕租借　　フランス：〔⑬　　　　　〕租借
　　イギリス：〔⑭　　　　　〕・〔⑮　　　　〕**半島**(新界)租借　日本：福建省を勢力範囲に設定
　・アメリカ…国務長官ジョン=ヘイが門戸開放通牒を発して他国を牽制

(2) 〔⑯　　　　　　　〕(1898)…光緒帝が公羊学派の官僚を登用して改革の実施を試みる
　・公羊学派の官僚…〔⑰　　　　　〕，〔⑱　　　　　〕ら
　　→西太后が袁世凱に命じてクーデタ→光緒帝を幽閉し，変法は失敗に終わる(戊戌の政変)

義和団戦争と光緒新政

(1) 仇教運動…キリスト教徒と既存の秩序を奉じる郷紳や民衆との間で紛争頻発

(2) 〔⑲　　　　　〕**戦争**(1900～01)…山東省の白蓮教系の宗教結社が〔⑲〕を名のって蜂起
　・「扶清滅洋」→キリスト教徒を殺害，教会や鉄道・電信設備などの破壊
　　→清(西太后ら保守派)…義和団を支持して列強に宣戦布告
　　→列強…8か国連合軍を組織し，清軍と義和団を破って北京を占領
　　→〔⑳　　　　　　　〕(辛丑和約)(1901)…北京・天津への列強の駐兵，膨大な賠償金

(3) 〔㉑　　　　　　〕…清における急進的改革
　・外務部設置(総理衙門にかわって外交をおこなう)
　・科挙廃止(1905)　　・西洋式軍隊(新軍)の整備
　・憲法大綱発布(1908)・国会開設の約束

MEMO

Point≫ 下関条約が東アジアの国際関係にもたらした意義は何だろうか。

[ ]

Check p.296の文字資料『大日本帝国憲法』『憲法大綱』を読み，大日本帝国憲法と清の憲法大綱との共通点を答えよう。

[ ]

7 東アジアの国際関係の再編(4)

教科書 p.296～299

》日露戦争と韓国併合

(1) 日清戦争後の朝鮮
- 甲午改革…開化派政権による改革(日本の影響)…議会設置，身分制度廃止，近代教育導入など
- 親ロシア派勢力の台頭←日本公使による閔妃(親ロシア派)殺害事件(1895)…反日感情高まる
- 〔① 〕(韓国)成立(1897)…ロシアの影響下で，**高宗**が〔② 〕を称する

(2) 〔③ 〕**戦争**(1904～05)…背景：韓国での権益をめぐる日本とロシアの対立
- 〔④ 〕(1902)…日本とイギリス(ロシアと対立)→中国と韓国の利権を相互承認
- 講和の気運…日本：優勢だが国力消耗，ロシア：革命運動勃発
  →〔⑤ 〕**条約**(1905)…アメリカ大統領セオドア=ローズヴェルトの斡旋
  …日本：韓国に対する優越権，旅順・大連の租借権，東清鉄道の一部の利権，南サハリン獲得

(3) 日本による韓国の植民地支配…日韓協約(1次～3次)→日本の朝鮮への影響力を強める
- 第2次日韓協約(1905)…韓国の外交権を奪う(保護国化)→〔⑥ 〕設置(1906)
  →ハーグ密使事件(1907)…ハーグ万国平和会議に密使を派遣(目的：第2次日韓協約無効を訴える)
  →日本…高宗を強制退位させる
- 第3次日韓協約(1907)…韓国の行政・司法の両権を奪う，軍隊を解散させる
- 韓国…〔⑦ 〕(反日武装抵抗)，ナショナリズム運動(愛国啓蒙運動)
  → 独立運動家〔⑧ 〕…初代統監だった伊藤博文をハルビン駅で射殺(1909)
- 〔⑨ 〕(1910)…日本が韓国を植民地化→統治機関の〔⑩ 〕設置

(4) 日本の植民地支配…民族運動の徹底的な弾圧，日本語教育を中心とした「同化」教育
- 土地調査事業→多くの土地が総督府・日本企業・日本人の所有となる

》立憲派と革命派

(1) 梁啓超…日本に亡命し，華僑や留学生に清の立憲君主政改革の必要性を訴える

(2) 〔⑪ 〕…ハワイで興中会結成(1894)→広東省で武装蜂起をくりかえす
- 〔⑫ 〕(1905)…東京で興中会などの革命派が組織
  →〔⑬ 〕(民族主義・民権主義・民生主義)…漢人国家の建設を主張

(3) 立憲派…漢・満・蒙(モンゴル人)・回(トルコ系ムスリム)・蔵(チベット人)→清の現行領土維持

》辛亥革命と中華民国の成立

(1) 光緒新政期…郷紳層を中心にナショナリズムが高まる
- アメリカの中国人移民排斥への反対運動，利権回収運動(列強の鉄道や鉱山などの利権)

(2) 〔⑭ 〕**革命**
- 清(満洲人)…民間鉄道の一括国有化，新規路線の敷設に外資導入の方針発表
  →地方の漢人官僚や郷紳が反発，暴動発生(四川省)→新軍の蜂起(武昌)→各省独立宣言

(3) 〔⑮ 〕成立宣言(1912.1)…〔⑪〕を臨時大総統に選出(南京)
  →清に鎮圧を命じられた**袁世凱**…中華民国政府と交渉→〔⑯ 〕(溥儀)退位

(4) 袁世凱…北京で中華民国の第2代臨時大総統に就任
- 国会選挙…〔⑰ 〕(中国同盟会中心に結成)が第一党
- 中華民国臨時約法(暫定憲法)…革命派主導で作成→国会の権限を過度に強化
- 袁世凱→国民党を弾圧，国会の機能を停止→新約法(大総統に大きな権限)公布

MEMO

Check p.297の文字資料『日本の小村寿太郎外相にあてたファン=ボイ=チャウの書簡(1909年)』を読み，ファン=ボイ=チャウが日本のどのような点を批判しているのかを読み取ってみよう。

〔　　〕

Point» 辛亥革命がおこった背景は何だろうか。

〔　　〕

Try アヘン戦争以後，清が滅亡に向かうまでの転換点について，次のできごとの意義をまとめてみよう。

● **アヘン戦争の敗戦(南京条約)**

〔　　〕

● **第2次アヘン戦争の敗戦(北京条約)**

〔　　〕

● **太平天国の鎮圧**

〔　　〕

● **日清戦争の敗戦(下関条約)**

〔　　〕

● **義和団戦争の敗戦(北京議定書)**

〔　　〕

1　第一次世界大戦(1)

教科書　p.300～303

三国同盟と三国協商

(1) ビスマルク…プロイセン=フランス戦争後，フランスの孤立化をめざす
- 〔①　　　　　　〕(1873)…ドイツ・ロシア・オーストリア
- 〔②　　　　　　〕(1882)…ドイツ・オーストリア・イタリア
- 再保障条約(1887)…ベルリン会議(1878)で悪化したロシアとドイツの関係改善をはかる
  …ロシアとフランスの提携阻止
  →皇帝〔③　　　　　　　　〕…再保障条約の延長拒否→〔④　　　　　　〕結成(1891～94)

(2) イギリス…ユーラシア大陸各地でロシアと対立
- 〔⑤　　　　　　〕(1902)…他国と同盟しないという態度(「光栄ある孤立」)を捨てる
- 〔⑥　　　　　　〕(1904)…エジプトでのイギリス優位，モロッコでのフランス優位を相互承認

(3) ドイツ…〔⑥〕に反発
- **第１次**〔⑦　　　　　　〕**事件**(1905)…ドイツがモロッコ進出を試みて失敗→中東への進出姿勢
  →〔⑧　　　　　　〕(1907)…イギリスとロシアがイランでの勢力範囲を定める←ドイツを警戒
- **第２次**〔⑦〕**事件**(1911)…ドイツがふたたびモロッコ進出を試みて失敗

(4) 〔⑨　　　　　　〕成立(1907)…イギリス・フランス・ロシア(〔④〕〔⑥〕〔⑧〕)

バルカン問題

(1) バルカン半島…帝国主義国間の競合が深刻化=「**ヨーロッパの**〔⑩　　　　　〕」
- オーストリア…〔⑪　　　　　　　　　　　　　　〕併合←青年トルコ人革命(1908)
- ドイツ…〔⑫　　　　　　　　〕**主義**→オーストリアを支持
- ロシア…〔⑬　　　　　　　　〕**主義**→セルビア(オーストリアに反発)を支持
  →〔⑭　　　　　　　　〕結成(1912)…セルビア・ブルガリア・モンテネグロ・ギリシア

(2) **第１次バルカン戦争**(1912)…〔⑭〕⇔オスマン帝国(イタリア=トルコ戦争敗北直後)

(3) **第２次バルカン戦争**(1913)…勝利した〔⑭〕内での領土の配分をめぐる対立
  …セルビア・ギリシアなど⇔ブルガリア…敗北

大戦の経過

(1) **第一次世界大戦**(1914～18)
- 〔⑮　　　　　　　　〕**事件**(1914.6.28)
  …オーストリア皇位継承者夫妻を南スラヴ民族の独立をめざすセルビア系青年が暗殺
  →オーストリア…セルビアに宣戦布告←ロシアがセルビアを支持して参戦
  →ドイツ…ロシア・フランスに宣戦して永世中立国ベルギーに侵入←イギリスがドイツに宣戦
  →日本…ドイツに宣戦(日英同盟が理由)→中国や太平洋でドイツの権益を奪って勢力拡大
  →オスマン帝国，ブルガリア…ドイツ側で参戦
  →イタリア…ロンドン秘密条約で「未回収のイタリア」返還を約束→協商国側で参戦(1915)

(2) 戦争の長期化
- 西部戦線…ドイツ軍急進撃←〔⑯　　　　　　〕**の戦い**でフランス軍が反撃し，持久戦(塹壕戦)に
- 東部戦線…〔⑰　　　　　　　　　　〕**の戦い**=ドイツ軍勝利→戦線膠着
- アメリカの参戦…ドイツの〔⑱　　　　　　　　　　〕**作戦**(1917)→ドイツに宣戦
  →戦局は協商国側に有利となる

MEMO

Point» 第一次世界大戦前の国際関係は，ビスマルクの時代からどう変化しただろうか。

[　　]

Check ▶ p.301**4**の地図「第一次世界大戦直前のバルカン半島」を参考にして，次の地図の①～④に入る国名を答えよう。また，サライェヴォの位置に●をつけよう。

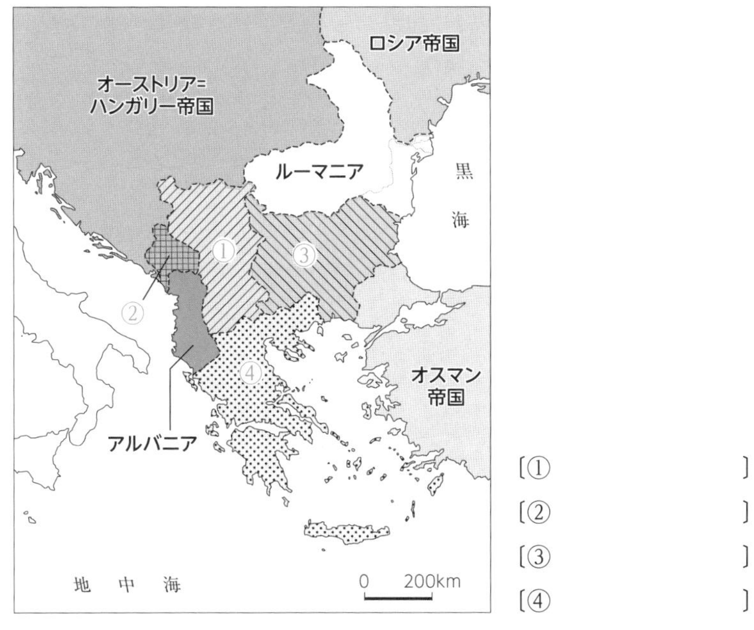

[①　　　　　　　　]

[②　　　　　　　　]

[③　　　　　　　　]

[④　　　　　　　　]

1　第一次世界大戦(2)

教科書　p.303〜305

総力戦と交戦国の社会

(1)［①　　　　　］…人員や物資が戦争のために可能な限り動員される

・経済統制，配給制度(食料品など)→耐乏生活

・社会の変化

…イギリスなど：［②　　　　　］がさまざまな職場に進出

…アメリカ：［③　　　　　］が南部から北部や西部の都市に移る(軍需産業での職につくため)

(2) 反戦，厭戦，戦争への不満

・戦争に反対する人々…宗教的信念による兵役拒否者，反戦社会主義者など

・労働運動の活発化

(3) 交戦国の政府…戦争協力姿勢の確保，［①］体制の維持→戦争目的や平和構想を明言する必要

・［④　　　　　　　　　　　］(1918)…アメリカの［⑤　　　　　　　］大統領が示す

総力戦と植民地

(1) 植民地…人員や物資が植民地支配国の戦争のために動員される

・イギリス…100万人をこえる［⑥　　　　　］の人々を海外に派兵

・フランス…アフリカや［⑦　　　　　　　］から多くの人々を動員

→動員された兵士…植民地支配国の優越性への疑問→植民地独立の種をまくことになる

(2) イギリスの中東政策

・［⑧　　　　　　　　　］**協定**(1916)…英・仏・露でオスマン帝国領土分割を約束

・［⑨　　　　　　　　　　　］**書簡**(**協定**，1915)…アラブ人国家の建設を約束

・［⑩　　　　　　　］**宣言**(1917)…パレスティナでのユダヤ国家の設立を認める

→たがいに矛盾するイギリスの約束は［⑪　　　　　］における紛争の原因となる

ドイツ革命と大戦の終結

(1) ドイツ…アメリカの参戦で不利な状況に追いこまれる

・［⑫　　　　　　　　　　　］**条約**(1918)…十月革命で戦列を離れたロシアと結ぶ

→東部戦線の兵力を西部戦線に移動させて攻勢に出るが失敗

・同盟国側(ブルガリア・オスマン帝国・オーストリア)降伏

(2)［⑬　　　　　］**革命**(1918)…ドイツ帝国の崩壊

・［⑭　　　　　］軍港の水兵の反乱…海軍司令部の出撃命令を水兵たちが拒絶

→各地で労働者や兵士による評議会(［⑮　　　　　］)結成

→共和国設立宣言(皇帝亡命)

(3) 第一次世界大戦終結

・ドイツの臨時政府…休戦条約に調印(1918.11.11)

(4) 第一次世界大戦の特徴

・飛行機・潜水艦・戦車・毒ガスなどの新兵器登場

・軍人戦死者…約900万人

・一般市民の戦争犠牲者…軍人戦死者と同程度と推定

MEMO

Point≫ イギリスが中東でおこなった外交はどのように矛盾していたのだろうか。

〔　　〕

Check ① p.304**2**の写真「動員されたインド兵」について，インドの人々が動員に応じた理由をp.316「インドの独立運動」を読んで考えよう。

〔　　〕

Check ② p.305のコラム「スペイン風邪の流行」を読み，スペイン風邪の流行がはじまった国，世界に広がった理由，「スペイン風邪」という名前がつけられた理由を答えよう。

●流行がはじまった国…〔　　〕

●世界に広がった理由

〔　　〕

●「スペイン風邪」という名前がつけられた理由

〔　　〕

1　第一次世界大戦(3)

教科書　p.305～307

ロシア革命

(1) [①　　　　　　　　](西暦で三月革命)(1917)←戦争の長期化，厭戦気分と人々の不満
- 首都[②　　　　　　　　　　　]…女性労働者を先頭にしたデモ，労働者のストライキ
  →要求…専制打倒・戦争反対に拡大→労働者と兵士の評議会(**ソヴィエト**)結成
- 国会…臨時政府(自由主義派の議員中心)→皇帝ニコライ2世退位，ツァリーズムが終わる

(2) 臨時政府
- 臨時政府(立憲民主党が主)…戦争続行
- ソヴィエト主流派のメンシェヴィキ，社会革命党(エス=エル)…祖国防衛のための戦争は認める
- [③　　　　　　　　](ボリシェヴィキの指導者)…亡命先のスイスから帰国
  →[④　　　　　　　　]…戦争を終わらせ，ソヴィエトが権力をにぎる方針を示す
- 臨時政府…首相をケレンスキー(社会革命党)にかえて戦争続行

(3) [⑤　　　　　　　　](西暦で十一月革命)(1917)
- ボリシェヴィキ，社会革命党左派…武装蜂起で臨時政府打倒([③]指導)

ソ連邦の成立

(1) ソヴィエト大会…新政権の重点政策採択
- 「[⑥　　　　　　　　　　　]」…戦争の即時停止
  無併合・無償金・民族自決の原則による講和交渉の即時開始
- 「[⑦　　　　　　　　　　　]」…土地の私有権の廃止

(2) [⑧　　　　　　　　　　　]**体制**…ボリシェヴィキ(のちに[⑨　　　　　　]と改称)が指導
- [③]…選挙でボリシェヴィキが少数派となった憲法制定会議を強制的に解散(1918)
- ブレスト=リトフスク条約…ドイツとの単独講和
- 社会主義化推進(企業国有化など)→国内の反対勢力が内戦で政権の打倒を試みる

(3) [⑩　　　　　　　　]**戦争**…イギリス・フランス・日本・アメリカなどが反ソヴィエト勢力を支援

(4) ソヴィエト政権側の対応…赤軍の強化，チェカ(非常委員会)が反対派に対する取り締まりを強化
- [⑪　　　　　　　　]…穀物の強制的徴発，中小企業にまで及ぶ国有化など

(5) 内戦をもちこたえたソヴィエト政権…[⑪]のもとでの国民の不満をやわらげ，生産の回復をはかる
- [⑫　　　　　　　　](**ネップ**)(1921)…穀物の徴発廃止，小規模の私企業容認

(6) [⑬　　　　　　　　　　　　　　　　](**ソ連**)成立宣言(1922)
- 4ソヴィエト共和国…ロシア，ウクライナ，白ロシア(現ベラルーシ共和国)，ザカフカース
- [⑭　　　　　　　　](第3インターナショナル)…国際共産主義運動の中心組織

ソ連の一国社会主義

(1) 国際環境の改善…対ドイツ：[⑮　　　　　　　　]**条約**(1922)
- イギリス，イタリア，フランス，日本と国交成立(1924～25)

(2) 権力をめぐる争い←[③]の死(1924)
- スターリン…[⑯　　　　　　　　　]**論**→反対派[⑰　　　　　　　　　]ら(世界革命論)を排除

(3) [⑱　　　　　　　　　　　](1928～32)…急速な工業化による社会主義建設路線
- 農業面…ソフホーズ(国営農場)，コルホーズ(集団農場)への集団化を強行

≫ロシア周辺の変動

(1)〔⑲　　　　　　　　　　　　〕(1919)→ハンガリー共和国で共産党政権誕生←ルーマニア軍が打倒

(2)〔⑳　　　　　　　　　　　　　　〕(1924)…ロシアの赤軍による援助のもとで外モンゴルに樹立

MEMO

Check▶ p.306の文字資料『日本の軍人がみた十月革命直前の状況』について，この軍人はボリシェヴィキなどをどのようにみていたのだろうか。

〔　　　　　　　　　　　　　　　　〕

Point≫ 新経済政策はなぜ導入されたのだろうか。

〔　　　　　　　　　　　　　　　　〕

Try 第一次世界大戦は，それまでの戦争とどこが異なっていたのだろうか。次の語句を用いて説明してみよう。【総力戦　植民地　戦車】

〔　　　　　　　　　　　　　　　　〕

2　ヴェルサイユ体制と国際協調(1)

教科書　p.308〜310

» パリ講和会議と国際連盟

(1)〔①　　　　　　〕(1919)…ドイツとの講和のための会議→**ヴェルサイユ体制**確立
・会議の進行…5大国(英・米・仏・伊・日)が支配
…〔②　　　　　　〕(英)，ウィルソン(米)，〔③　　　　　　〕(仏)
・会議から除外…敗戦国，ソヴィエト政権

(2) **ヴェルサイユ条約**…対独講和条約→ドイツに第一次世界大戦の戦争責任を帰す
・海外の植民地放棄，〔④　　　　　〕・〔⑤　　　　　〕をフランスに返還
・軍備制限，ラインラントを非武装地帯とする　・賠償金…総額1320億金マルクに決定(1921)

(3) 他の敗戦国との条約
オーストリア：サン=ジェルマン条約　ブルガリア：ヌイイ条約　ハンガリー：トリアノン条約
オスマン帝国：セーヴル条約

(4)〔⑥　　　　　〕設立…国際平和維持のための〔⑦　　　　　　〕**の原理**を採用
・〔⑧　　　　　〕…ドイツの植民地や旧オスマン帝国領を連盟が指定した国が後見する制度
・問題点…不参加国＝アメリカ(上院の反対)，敗戦国，ソヴィエト政権　総会決議＝全会一致

» 軍縮と平和

(1) **ワシントン会議**(1921〜22)…東アジア・太平洋地域の国際秩序を討議→**ワシントン体制**確立
・参加国(9か国)…米・英・日・仏・伊・ベルギー・オランダ・ポルトガル・中国
・〔⑨　　　　　〕**条約**…中国の独立と主権の尊重，門戸開放など
・〔⑩　　　　　〕**条約**(米・英・日・仏)…太平洋における平和維持，領土の現状維持
・〔⑪　　　　　　　　〕**条約**(米・英・日・仏・伊)…主力艦の海軍軍備制限

(2)〔⑫　　　　　　〕**会議** (1930)…米・英・日の補助艦の保有量制限

(3) 国際協調
・〔⑬　　　　　〕**条約**(1925)…ドイツとフランス・ベルギー国境の現状維持と不可侵
→ドイツ…国際連盟に加盟(1926)
・〔⑭　　　　　〕**条約**(ケロッグ・ブリアン条約)(1928)…戦争そのものを違法とする

» 戦勝国イギリスとフランス

(1) イギリス…大量の失業者発生，経済停滞
・第4回選挙法改正(1918)…男性21歳以上，女性30歳以上→労働党の支持拡大
→**労働党内閣**(1924)…首相〔⑮　　　　　　〕
→保守党内閣…金本位制への復帰(1925)→経済混乱
・自治領の地位の高まり…大戦に協力したカナダやオーストラリアなど
→**イギリス連邦**…〔⑯　　　　　　　〕**憲章**(1931)で法制化
・アイルランド…第一次世界大戦中の反英蜂起(イースター蜂起)は失敗
→〔⑰　　　　　　〕**党**中心の独立運動→〔⑱　　　　　　　〕発足(1922)

(2) フランス
・右派ポワンカレの政府
…ドイツの賠償支払い不履行→ベルギーとともに〔⑲　　　　　〕**地方**占領(1923)←国際世論の批判
・左派連合政権成立(1924)…〔⑳　　　　　〕首相(外相兼任)→国際協調外交を推進

MEMO

Check ❶ p.308❷の地図「ヴェルサイユ体制下のヨーロッパ」をみて，第一次世界大戦前のオーストリア=ハンガリー帝国の領土を含んで新たに独立した国を答えよう。

[　　　　]

Point≫ 国際連盟が，平和維持のために十分な力を発揮できなかったのはなぜだろうか。

[　　　　]

Check ❷ 中国以外の九か国条約締約国が最も強く望んでいたことは何だったのだろうか。p.309の文字資料『九か国条約』を読んで考えよう。

[　　　　]

2　ヴェルサイユ体制と国際協調(2)

教科書　p.310～313

イタリアのファシズム

(1)〔①　　　　　　〕**党**…指導者：〔②　　　　　　〕←〔③　　　　〕などが支持
・フィウメ(リエカ)などの領土問題など→ヴェルサイユ体制への不満
・インフレ→労働運動，農民運動が激化
→〔④　　　　〕**進軍**(1922)…〔②〕が政権獲得(国王から首相に任命される)
(2)〔①〕党政権…フィウメ獲得(1924)，アルバニアの保護国化(1927)，国内の反対派抑圧
・ファシズム大評議会を国の最高機関とする(1928)
・〔⑤　　　　〕**条約**(1929)でローマ教皇庁と和解…伝統的支配勢力との妥協

ヴァイマル共和国

(1)〔⑥　　　　　　〕**団**の蜂起…社会主義革命を主張←〔⑦　　　　　〕**党**政府が鎮圧
→指導者〔⑧　　　　　　　　　〕，カール=リープクネヒトが殺害される
(2)〔⑨　　　　　　　　〕発足…初代大統領：**エーベルト**(〔⑦〕党)
・〔⑩　　　　　　〕…国民議会で新憲法採択
・ルール占領(1923)←ドイツ側は消極的抵抗を展開→ハイパーインフレで経済的混乱
→〔⑪　　　　　　　　〕内閣によるレンテンマルク発行→インフレ収束
・経済回復←〔⑫　　　　〕**案**(1924)による賠償支払い緩和，アメリカ資本の導入
・国際社会復帰←ロカルノ条約締結(1925)，国際連盟加入(1926)
(3)〔⑬　　　　〕**党**(国民社会主義ドイツ労働者党)…〔⑭　　　　　〕指導
・ミュンヘン一揆(1923)失敗→〔③〕などの幅広い層からの支持を得て勢力拡大

東ヨーロッパの新国家

(1) 東ヨーロッパ…ドイツ・オーストリア=ハンガリー・ロシアの3帝国解体
・新国家…ユーゴスラヴィア，ハンガリー，チェコスロヴァキア，ポーランド，リトアニア
　　ラトヴィア，エストニア，フィンランド
→不安定な政治，複雑な国際関係…大土地所有制に対する農民の不満，民族問題
→独裁者の台頭…ホルティ(ハンガリー)，ピウスツキ(ポーランド)

アメリカの大量消費社会

(1)「繁栄の20年代」…世界の中心が西ヨーロッパからアメリカ合衆国へ移行
・債務国から〔⑮　　　　〕へ…ニューヨークのウォール街が国際金融市場の中心となる
→「パクス=アメリカーナ」の時代へ(「パクス=ブリタニカ」(19世紀)の時代が終わる)
・女性参政権(1920)…憲法修正19条により認められる
(2) 3代にわたる共和党政権(ハーディング，クーリッジ，フーヴァー)
・国内政策…保守的→大企業保護政策，左翼勢力や労働組合への圧迫
・対外政策…国際連盟不参加，〔⑯　　　　　〕の傾向強める
　　ヨーロッパの経済再建…資本輸出急増，ドイツの賠償金支払いに対する〔⑫〕案作成
(3) アメリカ的生活様式←**大量生産・大量消費**
・大量生産…自動車(フォード)のベルトコンベア方式などで実現
・家庭用電化製品(冷蔵庫・洗濯機・ラジオなど)の普及
・〔⑰　　　　　〕…ハリウッド映画，ジャズ，プロスポーツ(野球やボクシングなど)

(4)「不寛容の時代」

・白人至上主義の〔⑱　　　　　　〕復活，「旧き良きアメリカ」への回帰→〔⑲　　　　　〕**法**制定

・移民に対する排外主義→〔⑳　　　　　〕**法**(1924)…日本からの移民の事実上禁止

MEMO

Check p.311 **2** の写真「紙幣の山で遊ぶ子どもたち」についての次の説明文の空欄に入る語句を答えよう。

この写真は，〔①　　　　　　〕とベルギーによる〔②　　　　　〕占領下の時期のものである。このような貨幣価値の下落による急激な物価上昇をハイパー〔③　　　　　　〕という。この状況は，ドイツの重要な工業地帯である〔②〕が占領されたことによって生産力が著しく低下したにもかかわらず，政府が紙幣の増刷をおこなったことによって生じた。この混乱は，〔④　　　　　　　　　〕内閣による新紙幣〔⑤　　　　　　　　〕の発行により収束した。

Point 1920年代のアメリカが「不寛容の時代」ともよばれるのはなぜだろうか。

〔　　　　　　　　　　　　　　　　　　　　　　　　〕

Try 第一次世界大戦後の平和にとって，アメリカの貢献は十分だっただろうか。次の語句を用いて説明してみよう。【国際連盟　軍縮　ドーズ案】

〔　　　　　　　　　　　　　　　　　　　　　　　　〕

3　アジアのナショナリズムの台頭(1)

教科書　p.314～317

トルコ革命

(1)〔①　　　　　〕**条約**(1920)…イギリス・フランス・イタリアによるオスマン帝国の領土分割

(2)〔②　　　　　〕…アンカラにトルコ大国民議会臨時政府樹立(1920)

・トルコ軍…ギリシア軍破る(1922)→イズミル回復，スルタン制廃止

・〔③　　　　　〕**条約**(1923)…関税自主権回復，治外法権の廃止

(3)〔④　　　　　〕樹立(1923)…首都：アンカラ　初代大統領：〔②〕

・カリフ制廃止，共和国憲法発布(1924)

・**トルコ革命**と総称される諸改革…政教分離，文字改革，女性参政権の承認など

エジプトの動き

(1)〔⑤　　　　　〕**党**の独立運動→**エジプト王国**の形式的独立(1922)→完全独立をめざす

→〔⑥　　　　　〕**条約**(1936)…イギリス軍撤退(スエズ運河一帯の駐屯権残す)

イギリス・フランスによる西アジア分割

(1) アラブ地域…イギリスの秘密外交に翻弄される

・〔⑦　　　　　〕**書簡**…アラブ住民の独立を約束→約束は守られず

→〔⑧　　　　　〕**協定**を優先…フランス，イギリスが委任統治領として分割

・**イラク王国**成立→正式にイギリスから独立(1932)

・トランスヨルダン王国成立→ヨルダン王国として正式にイギリスから独立(1946)

・**サウジアラビア王国**…〔⑨　　　　　〕がアラビア半島をほぼ統一(1932)

(2) ユダヤ教徒…〔⑩　　　　　〕**宣言**→シオニズムの実現のためにパレスティナへ移住

イランの近代化

(1) **パフレヴィー朝**←〔⑪　　　　　〕がカージャール朝を倒す(1925)

・イギリスとの不平等条約を破棄して独立→国号を「**イラン**」に改める(1935)

インドの独立運動

(1) 第一次世界大戦中…民族資本家，産業労働者増大→国民会議派は大衆的な基盤を拡大

・イギリス…自治の約束を実行せずインド統治法制定(1919)→〔⑫　　　　　〕**法**施行

(2) 国民会議派の抗議運動

・〔⑬　　　　　〕指導で**非協力運動**(不服従運動)…全インド=ムスリム連盟が共闘

・国民会議派大会(1929)…**ネルー**らが主張する完全独立(〔⑭　　　　　〕)決議

・〔⑬〕…「**塩の行進**」とよばれる抵抗運動展開←イギリス…英印円卓会議による打開(成果小)

・〔⑮　　　　　〕**法**(1935)…不完全ながら各州の自治容認

・州議会選挙…国民会議派が圧倒的支持を獲得←全インド=ムスリム連盟(**ジンナー**指導)と対立

東南アジアの独立運動

(1) オランダ領東インド(現インドネシア)

・インドネシア共産党(アジア最初の共産党)の蜂起←オランダの弾圧により壊滅

・**インドネシア国民党**…〔⑯　　　　　〕らが独立運動を主導←弾圧

(2) フランス領インドシナ

・**インドシナ共産党**…〔⑰　　　　　〕の指導で労働運動・農民運動を展開←弾圧

(3) ビルマ…〔⑱　　　　　〕(主人)**党**の独立運動…〔⑲　　　　　〕のもとで独立運動継続

(4) フィリピン…独立法(1934)により，アメリカからの独立(1946)が約束される
(5) 独立国のシャム(タイ)…国王主導の近代化推進→クーデタにより立憲君主国(1932)となる

MEMO

Point≫ 1 第一次世界大戦後，オスマン帝国とその領土はどう変化しただろうか。p.314❷の地図「第一次世界大戦後の西アジア」をみて答えよう。

●セーヴル条約で失った領土

〔　　　〕

●ローザンヌ条約で回復した領土

〔　　　〕

Check p.315の文字資料『フサイン=マクマホン書簡』『バルフォア宣言』について，この二つの約束にはどのような問題があったのだろうか。

〔　　　〕

Point≫ 2 インドの独立運動において，ヒンドゥー教徒とムスリムの関係はどう推移しただろうか。次の説明文の空欄に入る語句を次から選ぼう。【対立　共闘】

第一次世界大戦後，ガンディーの指導のもとに，ヒンドゥー教徒主体の国民会議派がイギリスの統治に対する反対運動を展開すると，全インド=ムスリム連盟がこれに〔① 　　　〕した。しかし，新インド統治法制定後，1937年に行われた州議会選挙でヒンドゥー教徒主体の国民会議派が圧倒的な支持を獲得すると，全インド=ムスリム連盟は国民会議派と〔② 　　　〕するようになった。

3 アジアのナショナリズムの台頭(2)

教科書　p.317〜320

第一次世界大戦と日本・中国

(1) 日本…日英同盟を理由に参戦→山東半島のドイツ租借地やドイツ領南洋諸島を占領
(2) 〔①　　　　　　〕**の要求**(1915)…袁世凱政権に多くの部分を認めさせる
　→袁世凱の皇帝即位は国内外からの反発により失敗→中国は地方の軍事指導者(軍閥)の抗争
(3) 日本国内の動向
　・大戦景気→三井・三菱などの財閥が主要産業を独占
　・**シベリア出兵**，都市人口の急増→米不足による米価の高騰→全国で米騒動(1918)
　→日本初の**政党内閣**(原敬内閣)誕生→〔②　　　　　　〕…民主主義，社会運動活発化
　・戦後恐慌(1920)，関東大震災(1923)→民衆生活窮迫
　・政府…〔③　　　　　〕**法**と〔④　　　　　〕**法**を抱きあわせで成立させる(1925)

三・一運動と朝鮮

(1) 朝鮮の独立運動←ウィルソンの十四か条の平和原則
　・〔⑤　　　　　　〕(1919)…「独立宣言書」発表→「独立万歳」の示威活動が朝鮮全土に拡大
　→日本の文化政治…朝鮮人地主や資本家を優遇，言論・集会活動などの制限を緩和
　→朝鮮人の民族運動や社会主義運動が活発化，上海に〔⑥　　　　　　〕**政府**樹立

大戦後の国際関係と中国社会

(1) 大戦後の中国…パリ講和会議に参加→〔①〕の要求の取り消し，不平等条約改正を主張
　・ヴェルサイユ条約…山東省の旧ドイツ利権が日本に譲渡される
　→〔⑦　　　　　　〕(1919)…北京で学生の抗議デモ→上海などで労働者のストライキ
　→中国政府…ヴェルサイユ条約の調印を拒否
　→国際連盟に加盟→ワシントン会議で九か国条約締結→山東省の利権返還(日本との交渉)
(2) 〔⑧　　　　〕**運動**…民族資本の企業や都市労働者の増加，国外の思想の紹介
　・雑誌『新青年』…〔⑨　　　　〕らが刊行→儒教道徳を批判
　→〔⑩　　　　〕：白話運動，文学革命　〔⑪　　　　〕：小説『狂人日記』『阿Q正伝』
(3) 李大釗らがマルクス主義紹介→〔⑨〕らが〔⑫　　　　　　〕結成(1921)←コミンテルンの指導

中国の国民革命

(1) 孫文が〔⑬　　　　　　〕組織(1919)→ソ連との提携表明(1923)
　→〔⑬〕改組(1924)=共産党員の個人資格での入党を認める(〔⑭　　　　　　〕)
(2) 北京政府…日本の援助で〔⑮　　　　〕が実権掌握→政治的混乱により権威と統治能力低下
(3) 〔⑯　　　　　〕**運動**(1925)…国民党と共産党の指導による大規模な反帝国主義運動
(4) 〔⑰　　　　　〕樹立(広州)→〔⑱　　　　　〕率いる国民革命軍が**北伐**開始
　→上海クーデタ(1927)…〔⑱〕による共産党弾圧，南京国民政府樹立(国共分裂)
　→北伐完了(1928)

日本の対中国政策

(1) 外相幣原喜重郎の〔⑲　　　　　〕…ワシントン体制下で米・英と協調，ソ連と国交(1925)
　→若槻礼次郎内閣…金融恐慌への対応で枢密院の反発を受けて総辞職
(2) 田中義一内閣の強硬外交…**山東出兵**(三度)で国民革命軍との間で軍事衝突発生
(3) 関東軍…〔⑮〕の列車を爆破して殺害→〔⑳　　　　〕…国民政府に合流

MEMO

Point≫ 第一次世界大戦中から戦後において，山東省の利権はどのように推移していっただろうか。それぞれの時期の空欄に入る国名を答えよう。

第一次世界大戦中…山東省の〔①　　　　　〕租借地を〔②　　　　〕が占領する。

第一次世界大戦後…ヴェルサイユ条約で山東省の旧〔③　　　　　〕利権が〔④　　　　〕へ譲渡される。

ワシントン会議後…山東省の利権が〔⑤　　　　〕に返還される。

Check p.320の写真「蔣介石」の共産党に対する姿勢は，孫文とどのように異なっていただろうか。

〔　　　　〕

Try インドと朝鮮の民族運動に対し，イギリスと日本がとった対応の共通点と相違点をまとめてみよう。

●**共通点**

〔　　　　〕

●**相違点**

〔　　　　〕

ACTIVE⑨ 第一次世界大戦後の中国と国際社会 教科書 p.321

歴史を資料から考える

教科書p.321の資料①〜③は，いずれも第一次世界大戦後の中国に関するものである。資料①は，北京にたてられた第一次世界大戦の戦勝記念碑。資料②は，当時著名な知識人だった陳独秀がパリ講和会議の進行状況をみて書いたコラム。資料③は，五・四運動の際に北京の学生団体が発表した宣言である。

STEP 1 次の対話の空欄に語句を入れながら，**資料**①・③から，第一次世界大戦直後，中国がどのような外交的立場にあったか，確認しよう。

生徒：**資料**①でも確認できることですが，中国は第一次世界大戦でドイツやオーストリアに宣戦し，戦勝国になりましたね。

先生：そう。一方で，大戦中の中国は，外交的敗北とみなされるような経験もしたね。

生徒：日本による［① ］か条の要求を受諾したことですね。**資料**③にもありますが，その第1号には，［② ］省のドイツ権益を日本が継承するという内容が含まれていました。

先生：この要求に関連して，「国恥記念日」が設定されたほど，中国にとっては屈辱だった。大戦直後の中国は，外交的敗者と大戦の勝者という，複合的な立場にあったんだね。

STEP 2

1 次の対話の空欄に語句を入れながら，**資料**②と下の追加資料から，考察を深めよう。

先生：大言壮語だということで，孫文は「孫大砲」とよばれていた。この「大砲」は「大ほら吹き」という意味で，陳独秀はウィルソンも孫文のようなほら吹きだと言っているんだね。

生徒：たしかに，三民主義をかかげた孫文には，理想主義的な側面があったように思います。現在の日本を考えてもそうですが，社会を変えるためには理想も必要ですよね。ただ，理想を掲げて，その通りにいかないことも多いので，ときに現実との妥協が必要になると思いますが。

先生：ウィルソンはどうだろうか。次の資料は，『新青年』の姉妹誌『毎週評論』創刊号に掲載された陳独秀の文章で，ウィルソンに言及している。追加資料として読んでみよう。

> アメリカ大統領ウィルソンの幾たびもの演説は，いずれも公明正大であり，現在の世界で第一の善人といえるだろう。彼が話したことは数多いが，そのなかでいちばん重要なのは二つの主義である。第一に各国が強権を用いて他国の平等と自由を侵害することを許さない。第二に各国の政府が強権を用いて庶民の平等と自由を侵害することを許さない。この二つの主義は，まさに公理を重んじ強権を重んじないものではないか。私はだから彼を世界で第一の善人だというのである。
> （『毎週評論』第1号，1918年12月22日）

生徒：すごい褒め方です。それなのに，1919年2月には，ウィルソンをこき下ろしています。これはやはり，［① ］講和会議の状況と関係しているんでしょうね。

先生：そうだね。2月の時点では，山東問題について決着はついていないけれど，2月2日刊行の雑誌には，次の文章を掲載している。そこで言及される［② ］という概念について，十四か条で明言はされてないが，非ヨーロッパ地域は強い期待をいだいた。陳独秀は，孫文やウィルソンの理想主義を批判しているけれど，彼自身が理想主義者だったといえるね。

協商国がドイツを攻撃した際の旗印は，「公理は強権に勝利する」だった。いまかの海洋の自由の問題，国際連盟問題，バルカン問題，植民地占領問題は，いずれも五大強国〔英米仏伊日〕が密室で取り仕切っている。まして弱小国の権利の問題，軍備縮小問題，〔②〕問題に至っては，影すらみえない。（『毎週評論』第7号，1919年2月2日）

2　**資料**②で，陳独秀がウィルソンのことを「大ぼら」とよんだのはなぜか，対話や追加資料もヒントにして考えてみよう。

〔　　〕

STEP③　これまでの **STEP** や対話，**資料**①～③を活用し，「公理」という語を用いて，五・四運動のおきた理由をまとめてみよう。

〔　　〕

Try

陳独秀に「大ぼら」と揶揄されたウィルソンだが，十四か条の平和原則(→教科書p.303)は，どこまでが「理想」で終わり，どこまでが実現したのだろうか。以下の二つの観点から考えてみよう。

① **第四条「軍備縮小」，第十四条「国際平和機構の設立」について，ヴェルサイユ条約(→教科書p.308)とその後の展開から考えてみよう。**

〔　　〕

② **第六条から第十三条は，おもにヨーロッパ諸国の領土や国境問題に関するものであった。ヨーロッパ地域の「民族自決」について，第五条「植民地問題の公正な調整」という観点から非ヨーロッパ地域の「民族自決」と対比してまとめてみよう。次の語句を用いて説明してみよう。**
【　イタリア　　委任統治　】

〔　　〕

1　世界恐慌とファシズム(1)

教科書　p.322〜325

世界恐慌とその影響

(1)〔①　　　　　　〕…原因：1920年代の繁栄→生産過剰，過度の株式投機熱

・発端…ニューヨークの〔②　　　　　　〕**街**での株価大暴落(「暗黒の木曜日」)(1929.10.24)

・世界への波及…世界各地に投下していたアメリカの資本ひきあげ

→資本主義国，植民地・従属国→各国の工業生産の著しい低下，大量の失業者

・対策…〔③　　　　　　　　　　〕(1931)…賠償と戦債の1年間の支払い停止宣言

・影響…資本主義国…中間層没落，労働条件悪化→不安定な政治状況→ファシズム勢力の台頭

植民地・従属国…農民が経済的打撃を受ける→人々の不満拡大→民族運動の高まり

ニューディールと善隣外交

(1)〔④　　　　　　　　〕(新規まきなおし)…政府の経済介入強化を特徴とする経済復興政策

・〔⑤　　　　　　　　　　　　　〕大統領(民主党)が推進…政府資金での銀行救済から

・〔⑥　　　　　　　　〕(NIRA)…企業に生産や価格の規制をさせて産業の回復をはかる

・〔⑦　　　　　　〕(AAA)…農産物価格ひきあげのために補償金を払って生産制限をさせる

・〔⑧　　　　　　　　　　　〕(TVA)…失業救済事業と地域総合開発を組みあわせた計画

・〔⑨　　　　　　〕(1935)…団結権，団体交渉権の保障

→〔⑩　　　　　　　　〕(CIO)結成(1938)

(2) 外交政策

・〔⑪　　　　〕**外交**…ラテンアメリカ諸国との関係改善，内政干渉緩和，キューバ独立承認(1934)

・フィリピンに独立を認める法案(10年間の準備期間)，ソ連承認(1933)

ブロック経済

(1) イギリス

・第2次マクドナルド内閣…政府支出削減(失業保険など)の方針←与党労働党が反対

・マクドナルドの〔⑫　　　　　　〕**内閣**→金本位制停止，保護貿易政策…成果小さい

→〔⑬　　　　　　　　　　〕(オタワ会議)(1932)

…特恵関税制度(連邦内＝無税・低関税　連邦外＝高関税)

(2)〔⑭　　　　　　　〕**圏**…主要国が自国を中心につくった排他的な経済圏

・〔⑮　　　　　　　　　　　〕…イギリス通貨ポンド(スターリング)による金融面の結合

・世界的な競合関係強まる…フラン=ブロック，ドル=ブロックなど

ナチ党の政権掌握

(1) **ナチ党**…**ヒトラー**が率いて勢力をのばす←失業者600万人以上，経済的・政治的不安定の拡大

・ナチ党…イタリアのファシスト党とならぶ〔⑯　　　　　　〕の担い手

→ヴェルサイユ体制打破・ヴァイマル共和国反対を訴える(たくみな宣伝術)

→中間層(資本家と労働者階級にはさまれて没落感を強める)，若者の間で支持が広がる

(2) ナチ党政権…選挙(1932.7)で第1党になる→政権掌握(1933.1)

・国会議事堂放火事件(1933.2)→責任を共産党に帰して徹底的に弾圧

・〔⑰　　　　　　〕制定…政府に立法権をゆだねる

→反対した社会民主党の活動禁止，その他の政党解散→ナチ党の一党独裁体制成立

・ヒトラー…総統(フューラー)として第三帝国の元首となる←ヒンデンブルク大統領死去(1934)

(3) ヒトラー政権の政策

・経済施策…土木工事(アウトバーン建設など)，軍需産業→失業者削減，国民余暇の機会を提供

・親衛隊(SS)，秘密警察(ゲシュタポ)…国民生活の統制，言論・出版の自由を奪う

・人種主義思想…ユダヤ系の人々を迫害→亡命者多数(物理学者アインシュタインなど)

MEMO

Check ❶ p.322❷の写真「職を求める失業者」の背中のプラカードには何と書かれているだろうか。

[ ]

Point» アメリカではじまった恐慌が，世界に拡大したのはなぜだろうか。

[ ]

Check ❷ p.325の文字資料『ヒトラーのユダヤ人観』を読み，ヒトラーのこうしたユダヤ人観は，どのような政策につながっていっただろうか。

[ ]

1　世界恐慌とファシズム(2)

教科書　p.325~327

≫ ドイツ・イタリアの対外侵略

(1) ドイツ…ナチ党がヴェルサイユ体制の打破をめざす

・国際連盟からの脱退通告(1933)，ザール地方併合(1935)，〔①　　　　　〕**宣言**・徴兵制復活

→イギリス…〔②　　　　　　　　〕で海軍の保有をドイツに認める

・ロカルノ条約破棄，〔③　　　　　　　　〕**進駐**(1936)…理由：仏ソ相互援助条約

→列強の強い反対おこらず

・四か年計画(1936)…戦争遂行のための自給自足体制の準備

(2) イタリア…対外膨張姿勢

・〔④　　　　　　　　〕**戦争**(1935)…〔④〕併合←国際連盟の経済制裁(不十分)

→国際連盟脱退(1937)

(3) ドイツ・イタリア・日本の接近

・スペイン内戦…フランコ支援でイタリアとドイツは足並みをそろえる

→〔⑤　　　　　　　　　　〕**枢軸**成立(1936)

・〔⑥　　　　　　　　　　　　〕(1937)…日独防共協定にイタリアが加入

→「持たざる国」を自称する3国が〔⑦　　　　　〕国を構成

≫ 人民戦線とスペイン内戦

(1) **人民戦線**方式…反ファシズム勢力が幅広く協力→民主主義を守り戦争を防ぐ

・コミンテルン第7回大会(1935)で正式に提唱→世界各地に広がる

・フランス…**人民戦線政府**(共産党・社会党・急進社会党)，首相：〔⑧　　　　　〕(社会党)

(2) 〔⑨　　　　　　　　〕(1936~39)

・スペイン…王政が倒れて共和政成立(1931)→人民戦線政府(社会党・共産党)誕生(1936)

→**フランコ**将軍ら反人民戦線勢力(右翼勢力，軍部)による反乱(〔⑨〕)

・イギリス・フランス…〔⑩　　　　　〕**政策**

・ドイツ・イタリア…フランコ側を積極的に支援→ドイツ空軍によるゲルニカ爆撃など

・ソ連，〔⑪　　　　　　〕軍(ヘミングウェイら)…人民戦線政府を支援

・結果…フランコ側が勝利→フランコ独裁体制の出現

≫ スターリン独裁

(1) 第1次五か年計画(1928~32)→世界恐慌の影響をあまり受けず(資本主義国との経済関係少ない)

・農業集団化の強行…抵抗する農民の大量追放→農業生産停滞，大量の餓死者

(2) 〔⑫　　　　　　　　〕**計画**(1933~37)…工業化と農業集団化をいっそうおしすすめる

(3) 〔⑬　　　　　　　〕**憲法**制定(1936)…言論の自由などの基本的権利は現実には守られない

・〔⑭　　　　　〕…〔⑬〕個人の権力強大化→大量の人々の逮捕・処刑

(4) 国際的地位の向上

・アメリカからの承認(1933)

・国際連盟加入(1934)

・フランス，チェコスロヴァキアと〔⑮　　　　　　〕条約(1935)←ドイツの侵略にそなえる

MEMO

Check p.326**1**の風刺画「日独伊三国防共協定の風刺画」に描かれている足跡として示されている国はどの国だろうか。〔　　　〕

Point» スペイン内戦が第二次世界大戦の前哨戦といわれるのはなぜだろうか。

〔　　　〕

Try ファシズムの台頭を防ぐために，当時の政治家がおこなうべきことは何だったのだろうか。アメリカ大統領，イギリス首相の立場で考えよう。

●アメリカ大統領の立場

〔　　　〕

●イギリス首相の立場

〔　　　〕

ACTIVE ⑩ なぜ人々はナチ党を支持したのか

歴史を資料から考える

教科書 p.328～329

1

教科書p.328の資料①～④から，ナチ党が台頭した理由を考えてみよう。

STEP 1

1 **資料①**より，1928年の選挙（議席数491）と1930年の選挙（議席数577）での各党の議席数と議会に占める割合を確認してみよう。

	1928年5月の議席数（割合）	1930年の議席数（割合）
ドイツ共産党	54(11)	①
ドイツ社会民主党	153(31)	②
中央党	62(13)	③
国民社会主義ドイツ労働者党	12(2)	④
その他	210(43)	⑤

2 ナチ党とともに議席数の割合を伸ばした政党はどこだろうか。　［　　　　］

STEP 2

1930年ごろのドイツの状況について，教科書p.322～325も参照して，次の文章の空欄に入る語句を答えよう。

・1929年10月のアメリカでの株価大暴落は世界に波及し，［①　　　　］となった。
・ドイツが受けた打撃は大きく，［②　　　　］率は，アメリカやイギリスよりも高かった。
・恐慌は，低所得の農民や労働者の生活に影響し，中間層の没落感を強めた。
・また，ヴェルサイユ条約により，ドイツには［③　　　　］が課せられていた。

STEP 3

1 ナチ党の主張とドイツの失業率を確認して，次の空欄に入る語句を答えよう。
・ナチ党の主張…［①　　　　］体制の打破，［②　　　　］共和国に反対。
・失業率…アメリカ，イギリス，日本より高く，1932年には［③　　　　］%に達していた。

2 **資料②**から，ヴェルサイユ条約では，第一次世界大戦とその損害の賠償責任はどこが負うべきだとしているだろうか。　［　　　　］

3 ナチ党とともにヤング案反対運動を展開した政党によるポスターが**資料③**である。このポスターは，ドイツ国民のどのような不安に訴えかけているのだろうか。

［　　　　］

4 **資料④**のポスターに描かれている人々はどのような印象を与えるだろうか。人々はどのような指導者を求めていたと考えられるだろうか。

［　　　　］

5 ナチ党に投票した人々は，ナチ党に何を期待したのだろうか。

［　　　　］

2 教科書p.329の資料⑤～⑦から，人々がナチ党の統治を受け入れた理由を考えてみよう。

STEP 1

1　**資料**⑤から，人々がナチ党政権を受け入れた理由を考えてみよう。

Aより：少女の「家の経済状態ではできなかった」こと，つまり

→［①　　　　　　　　］がヒトラー・ユーゲントでできたから。

Bより：「ふだんまともな考えをする多くの者」が「ヒトラーに満足しだした」のは，

→［②　　　　　　　　　　　　　　　　　　　　］という理由から。

Cより：パン屋を営んでいた男性がナチ党を支持したのは，

→［③　　　　　　　］の解決を約束し，実際に解決したから。

2　**資料**⑥のポスターには，ヒトラーが生産を命じた大衆向けの車と家族が描かれている。彼らは何をしているのだろうか。そしてポスターは人々に何を示しているのだろうか。

［　　　　　　　　　　　　　　　　　　　　　　　　　　　　　　］

STEP 2　19世紀から20世紀にかけて人々の権利が認められるようになり，それを守るしくみも徐々にととのいだしてきた。ドイツの内政上の後退，つまりドイツの国内政治で後戻りしてしまったことは何だろうか。教科書p.311のヴァイマル憲法の内容や，教科書p.325を読んで考えてみよう。

［　　　　　　　　　　　　　　　　　　　　　　　　　　　　　　］

STEP 3

1　Aの母親が，娘がヒトラー・ユーゲントに入りたいと言ったときに，「賛成しなかった」でも「反対した」でもなく，「喜ばない」という態度をとった理由は何だろうか。

［　　　　　　　　　　　　　　　　　　　　　　　　　　　　　　］

2　Cのパン屋の男性は，「失業問題の解決」にもかかわらず，「ナチズムの行く先に見当がつかなかった」と述べている。彼は，ナチズム(ナチ党の思想)のどんな点が気になっていたのだろうか。

［　　　　　　　　　　　　　　　　　　　　　　　　　　　　　　］

Try　**以下の点を考えてTryの課題に取り組んでみよう。**

・ナチ党の支持者のなかには，不安を感じたり，何かしら疑問をもったりした人がいた。彼らがその不安や疑問を表明しなかったのはなぜだろうか。
・**資料**⑦の「私」は何を不安に感じていたのだろうか。そして「私」はいつ，どう行動すればよかったのだろうか。
・私たちは，このナチ党台頭の歴史を学んで，どんなことに気をつければ良いだろうか。

2　満洲事変と日中戦争

教科書　p.330〜332

満洲事変

(1) 浜口雄幸内閣

・緊縮財政と金解禁による経済再建→世界恐慌の直撃で不況深刻化(〔①　　　　〕恐慌)

・農産物(米や繭など)の価格急落→農村も大きな打撃

・協調外交(幣原喜重郎外相)→ロンドン海軍軍縮条約調印←軍部や強硬派の政党が攻撃

(2) 軍部内…将来の対ソ戦に備えるため「満蒙」領有を主張

・〔②　　　　　〕事件(1931)…関東軍が南満洲鉄道の線路を爆破

・〔③　　　　〕**事変**…関東軍の軍事行動(独断)→中国東北部のほぼ全域を占領

→〔④　　　　　〕建国宣言(1932)…執政：〔⑤　　　　〕(1934年から皇帝)

・第1次上海事変(1932)…日本軍と国民党軍の大規模な軍事衝突

(3) 〔⑥　　　　　　〕事件…犬養毅首相が青年軍人たちに暗殺される→政党内閣時代の終焉

(4) 国際連盟…〔⑦　　　　　　〕**調査団**派遣(国民政府からの提訴)

→国連総会が〔④〕の不承認を決議→日本は**国際連盟を脱退**(1933)

(5) 日独伊三国防共協定締結→枢軸国との提携を強める

蔣介石と国民政府

(1) 国民政府…蔣介石→日本との正面戦争をさけ，共産党などの反対勢力の制圧と国家建設を優先

・関税自主権の回復　　・幣制改革…法幣(統一貨幣)と管理通貨制の導入

・新生活運動…社会生活の改善と近代的国民の創出めざす

・指導理念…三民主義，憲政への移行を議論→憲法草案公布(1936)

(2) 共産党軍(紅軍)

・〔⑧　　　　　　　　　　　〕**臨時政府**(1931)…〔⑨　　　　　〕らが樹立　首都：瑞金

→国民党軍の包囲→長い逃避行(〔⑩　　　　〕)→陝西省延安で根拠地を再建

日中戦争

(1) 日本…金輸出の再禁止，積極財政，輸出拡大(高橋是清蔵相)開始

・関東軍の華北分離工作…冀東防共自治政府を組織(1935)→国民政府との関係改善交渉失敗

(2) 〔⑪　　　　〕**事件**(1936)

・中国共産党の〔⑫　　　　　〕**宣言**…抗日民族統一戦線の結成を訴える

→〔⑬　　　　　〕が蔣介石を監禁し，内戦停止と一致抗日をせまる→蔣介石は要求を受け入れる

(3) 〔⑭　　　　　　〕(1937〜45)

・きっかけ…〔⑮　　　　　〕**事件**(1937)…北京郊外における日本軍と中国軍との軍事衝突

→日本軍が北京・天津への全面攻撃開始，上海に上陸(第2次上海事変)

・**第2次**〔⑯　　　　　　〕…共産党の軍と根拠地が国民政府に編入される

・南京事件…日本軍→首都南京陥落，捕虜や民間人への略奪・暴行・虐殺行為が発生

(4) 国民政府…重慶に遷都して抵抗→戦線膠着

・近衛文麿内閣…南京国民政府(首班：〔⑰　　　　　〕)などを組織して占領地を統治させる

・重慶国民政府…憲政の実施は延期，さまざまな党派を含む抗戦体制を構築

(5) 共産党…華北・華中の農村部に根拠地を築いて勢力を拡大

MEMO

Check ① p.330**2**のポスター「満洲国の治安維持ポスター」は何をアピールしようとしているのだろうか。

[　　　　]

Check ② p.331の文字資料『中華民国憲法草案』で，国民の自由や権利はどのように位置づけられているか。大日本帝国憲法や日本国憲法と比べて考えてみよう。

[　　　　]

Try 日中戦争の勃発はどのようにすれば防ぐことができただろうか。中国，日本，国際連盟それぞれの立場から考えてみよう。

●中国

[　　　　]

●日本

[　　　　]

●国際連盟

[　　　　]

3　第二次世界大戦(1)

教科書　p.333〜335

ドイツの侵略

(1) ドイツの侵略政策

・〔①　　　　　　　〕**を併合**(1938.3)

→チェコスロヴァキアの〔②　　　　　　　〕**地方**併合を要求←列強は**宥和政策**をとる

・〔③　　　　　　　〕**会談**(1938.9)…ドイツの〔②〕地方併合を承認

…出席：ヒトラー(独)，ムッソリーニ(伊)，ネヴィル=チェンバレン(英)，ダラディエ(仏)

(2) 第二次世界大戦の開始

・ドイツ…チェコスロヴァキア解体

ポーランドにダンツィヒ(グダニスク)・ポーランド回廊の領土要求

→〔④　　　　　　　〕**条約**(1939.8)…ソ連とポーランド分割を約束

・**第二次世界大戦**開始…ドイツの**ポーランド侵入**←イギリス・フランスがドイツに宣戦布告

(3) ソ連…ポーランドをドイツ・ソ連で分割占領

・フィンランド侵入，バルト3国(エストニア・ラトヴィア・リトアニア)併合

ヨーロッパでの戦争

(1) 初期の戦況…ドイツと英仏の間では本格的な戦闘のない状態(「奇妙な戦争」)が続く

・ドイツ…デンマーク・ノルウェー攻撃開始(1940.4)

→オランダ・ベルギー・フランスを攻撃し勝利(パリを占領)

・フランス…ドイツに協力的な〔⑤　　　　　　　〕**政権**(首班：ペタン元帥)誕生

・イタリア参戦(1940.6)

・イギリス…〔⑥　　　　　　　〕首相のもとでドイツの激しい空爆に耐える

(2) 戦況の展開

・ドイツ…バルカン侵略→ドイツとソ連の関係悪化→〔⑦　　　　　　　〕**戦**開始(1941.6)

・日本…対米英攻撃(1941.12)→ドイツがアメリカと開戦

→枢軸国(日独伊)⇔連合国(米英ソ連など)

(3) 連合国の反撃

・米英連合軍…北アフリカで反撃，成功(1942秋)

・ソ連軍(東部戦線)…〔⑧　　　　　　　〕でソ連軍がドイツ軍を破る(1943)

・イタリア…連合軍側のシチリア上陸作戦→ムッソリーニ打倒

→〔⑨　　　　　　　〕政権が無条件降伏

・連合軍…〔⑩　　　　　　　〕**上陸作戦**成功(1944.6)→パリ解放(1944.8)

ドイツの占領政策と抵抗運動

(1) ドイツの占領政策…占領地域で農産物や原料・機械・製品を略奪，労働者の強制徴発

(2) ユダヤ人迫害…組織的な迫害と大量虐殺(〔⑪　　　　　　　〕)

→オシフィエンチム(〔⑫　　　　　　　〕)などの強制収容所で毒ガスなどにより殺害

・スラヴ系住民，ロマも大量殺戮の的となる

(3) 〔⑬　　　　　　　〕…ドイツの支配に対する抵抗運動

・フランス…〔⑭　　　　　　　〕(イギリス亡命)の自由フランス政府と国内抵抗勢力が結ぶ

・ユーゴスラヴィア…〔⑮　　　　　　　〕が率いるパルチザン部隊が解放区を広げる

MEMO

Check ① p.333 **2** の風刺画「ミュンヘン会談の風刺画」について，この風刺画があらわしている内容を考えて，スターリンが話しているとした場合の彼の言葉を想像してみよう。

〔　　　　　　　　　　　　　　　　　　　　　　　　　　　　〕

Check ② p.334 **1** の地図「第二次世界大戦中のヨーロッパ」をみて，次の説明のなかで誤っているものを二つ選ぼう。〔　　　〕〔　　　〕

① イギリスは枢軸国に支配されなかった。
② スペインは枢軸国として戦争に参加した。
③ ハンガリーは枢軸国として戦争に参加した。
④ ノルマンディーはフランスの南西部に位置する。

Check ③ p.334 **2** の写真，p.334 **3** の写真，p.335 **4** の写真について説明した次の文の下線部が誤っているものを選び，正しい語句を答えよう。

誤っている語句…番号〔　　　〕→正しい語句〔　　　　　　　〕
番号〔　　　〕→正しい語句〔　　　　　　　〕
番号〔　　　〕→正しい語句〔　　　　　　　〕

p.334 **2** の写真は1940年6月にドイツ軍がパリを占領したときのものである。この後，フランスには，①ド=ゴール元帥を首班としてドイツに協力的な政権が②ヴィシーに誕生した。ドイツ軍は引き続きイギリスへの空襲をくりかえし，p.334 **3** の写真のようにロンドンの人々は地下鉄の駅で避難生活を送った。イギリス側は③チャーチル首相のもとでその攻撃に耐えた。1942年秋以降，連合国側が優勢となり，翌年イタリアの④ムッソリーニ政権が降伏した。フランスでは，国内の⑤パルチザン勢力が蜂起を試みた後，連合国が侵攻して1944年8月にp.335 **4** の写真のようにパリは解放された。

3 第二次世界大戦(2)

教科書　p.335〜339

» アジア・太平洋での戦争

(1) 日本の動き…近衛内閣の東亜新秩序建設声明(1938)←援蔣ルート(米英が重慶国民政府支援)
- 〔①　　　　　　　　〕**事件**(1939)…日本・満洲国軍がソ連・モンゴル軍に敗れる

(2) 日本の南進政策
- 仏領インドシナ北部に進駐(1940)(←仏の降伏)→〔②　　　　　　　　〕**同盟**を結ぶ
- 仏領インドシナ南部に進駐(1941)←〔③　　　　　　　　〕**条約**により北方の安全確保
  →英・米・蘭などと利害対立→米…日本に対する経済制裁(くず鉄・石油の輸出禁止など)

(3) 〔④　　　　　　　　〕**戦争**…開戦：東条英機内閣…英領マラヤとハワイの真珠湾を攻撃(1941.12)
- 開戦直後：日本軍が東南アジアのほぼ全域と中・南部太平洋を占領
- 戦局転換：〔⑤　　　　　　　　〕**海戦**敗北(1942)，ガダルカナル島攻防戦敗北(1943)
  →日本軍…インパール作戦(1944)でインド北東部に遠征して失敗(無理な計画，英軍の反攻)
- 戦争末期：米軍…サイパン島，レイテ島などを占領→硫黄島陥落→日本本土空襲激化
  …〔⑥　　　　　〕上陸，占領…激しい地上戦で一般住民多数が犠牲

» 日本の植民地支配と抗日闘争

(1) 日本国内…国家総動員体制，満洲国への日本人移住政策強化

(2) 植民地…〔⑦　　　　　　〕政策…神社参拝の強制，日本語使用の徹底と現地語の抑圧
- 朝鮮…「〔⑧　　　　　　〕」(台湾でも類似の同化政策)
- 「〔⑨　　　　　　　〕」構想(第2次近衛内閣)…植民地・占領地から人的・物的資源収奪
  …朝鮮人，日本占領下の中国人→鉱山や土木事業などで低賃金労働，民族差別
  …朝鮮，台湾では徴兵制実施，「慰安婦」として戦場に送られた人もいた

(3) 抗日運動
- 中国…華北を中心に抗日戦激化，ゲリラ活動活発化←日本軍は掃討作戦実施
- 朝鮮…金日成らが中国共産党の部隊に参加→満洲国との国境地帯で抗日運動
- ベトナム…ホー=チ=ミン指導下にベトナム独立同盟(ベトミン)結成(1941)→独立をめざす
- フィリピン…米からの独立の約束→日本に対する激しいゲリラ活動
- インドネシア…スカルノらの指導者層が日本の軍政に比較的協力的→日本降伏直後に独立宣言
- ビルマ…アウンサン率いるビルマ国軍が一斉蜂起→日本軍を撤退に追いこむ(1945)

» 戦後構想と戦争の終結

(1) 連合国首脳会談
- 大西洋上会談(1941.8)：ローズヴェルト・チャーチル→〔⑩　　　　　　　　〕発表
  →連合国共同宣言(1942)＝連合国側の戦争目的を明示
- カイロ会談(1943.11)：ローズヴェルト・チャーチル・蔣介石
  →〔⑪　　　　　　　〕発表…日本に無条件降伏をさせる方針など
- 〔⑫　　　　　　〕**会談**：ローズヴェルト・チャーチル・スターリン…議題：第二戦線問題など
- 〔⑬　　　　　〕**会談**(1945.2)：ローズヴェルト・チャーチル・スターリン
  …〔⑬〕**協定**(ドイツ，東欧の戦後処理方針，国際連合設立など)，秘密協定でソ連の対日参戦

(2) 第二次世界大戦の終結
- ヒトラー自殺(1945.4)→ソ連軍によりベルリン陥落→〔⑭　　　　　　　〕**降伏**(1945.5.7)

・〔⑮　　　　　　〕**会談**(1945.7～8)：トルーマン・チャーチル(途中からアトリー)・スターリン
…ドイツの戦後処理方針，日本の降伏条件，戦後処理方針→〔⑮〕**宣言**(米英中)

・〔⑯　　　　　　〕投下…広島(1945.8.6)・長崎(1945.8.9)，〔⑰　　　　　〕の対日参戦(1945.8.8)
→〔⑮〕宣言受諾(1945.8.14)

(3) 戦争の犠牲者…軍人戦死者：約1500万人，市民の戦争犠牲者：約3800万人

MEMO

Point» 日中戦争の開始後，日本の朝鮮・台湾に対する統治政策にどのような変化がみられただろうか。

〔　　　　　　　　　　　　　　　　〕

Check▶ p.338の文字資料『大西洋憲章』において，戦争の目的はどのように語られているだろうか。

〔　　　　　　　　　　　　　　　　〕

Try あなたは，第二次世界大戦において連合国が勝利できた最も重要な要因は何だと考えるか。理由も含めて答えよう。

〔　　　　　　　　　　　　　　　　〕

4　戦後の変革と冷戦のはじまり(1)

教科書　p.340～342

国際連合の成立

(1) **国際連合**…世界の平和と民主主義を守り，基本的人権を尊重することなどを目的とした国際組織

・ダンバートン=オークス会議(1944)…〔①　　　　　　　　〕の原案作成

・〔②　　　　　　　　　　　〕**会議**(1945.4～6)…〔①〕採択

→原加盟国51か国で発足(1945.10)　本部：ニューヨーク

・組織…全加盟国からなる〔③　　　　　　〕

平和維持のための〔④　　　　　　　　　　〕…常任理事国(米英仏ソ中)は拒否権をもつ

国際司法裁判所など

・専門機関…国際労働機関(ILO)・〔⑤　　　　　　　　〕(国連教育科学文化機関)

〔⑥　　　　　　　　　　〕(WHO)など

・集団安全保障…軍事制裁を含む(国際連盟よりも強化)

(2) 戦後の国際経済体制

・国際連合の経済面の専門機関

…〔⑦　　　　　　　　　　〕(**IMF**)…各国の為替相場の安定化が任務

…〔⑧　　　　　　　　　　　　〕(**世界銀行**)…戦災国の復興資金と発展途上国への開発資金融資

・「関税と貿易に関する一般協定(〔⑨　　　　　　　　〕)」締結…自由貿易促進のためのとりきめ

・アメリカの経済力に支えられた国際経済体制(ブレトン=ウッズ体制)

…〔⑩　　　　　　〕**を基軸通貨**とする〔⑪　　　　　　　　〕相場制(1970年代はじめまで)

ヨーロッパ諸国の戦後改革

(1) イギリス(戦勝国)

・労働党内閣(〔⑫　　　　　　　　　〕首相)…〔⑬　　　　　　〕**国家**(社会保障の充実)建設

…社会保険整備，国民医療制度創設，石灰・電気産業などの**重要産業の**〔⑭　　　　　　　〕

(2) フランス(戦勝国)…大戦中の抵抗運動を基盤とした政府

…第四共和国憲法制定(1946)→〔⑮　　　　　　　　　〕発足

(3) イタリア(敗戦国)…反ファシスト政党の政府による国民投票→王政廃止，共和国となる

(4) ドイツ(敗戦国)…米英仏ソの4か国による分割占領，ソ連占領地区に囲まれたベルリンは4か国の分割管理下

・占領政策…非軍事化，非ナチ化→軍隊解体

〔⑯　　　　　　　　　　　　　　〕**裁判**…ナチ党の指導者を戦争犯罪人として裁く

西側3国占領地区とソ連占領地区との相違がしだいに目立つ

(5) オーストリア…米英仏ソの4か国による分割占領→永世中立国として主権回復(1955)

(6) 東欧諸国

・〔⑰　　　　　　　　　　〕…第二次世界大戦中の抵抗運動が基礎，ソ連の影響力

ファシズム協力者の処罰，王政廃止，土地改革など

・ソ連の影響力…決定的なものではなく，各国で議会制度が機能

MEMO

Point≫ 国際連盟と国際連合のしくみの違いは何だろうか。説明してみよう。

〔　　〕

Check ❶ p.340の文字資料『世界人権宣言』を読み，フランス革命の人権宣言（→p.235）と比べて，どのような違いがあり，それは世界史のどのような変化を示しているかを考えよう。

●違い

〔　　〕

●違いが示す世界史の変化

〔　　〕

Check ❷ p.342**1**の風刺画「冷戦のはじまりについての漫画」のこちらを向いている二人はだれで，彼らは何をしようとしているのだろうか。

向かって右の人物〔　　〕

→〔　　〕

向かって左の人物〔　　〕

→〔　　〕

4　戦後の変革と冷戦のはじまり(2)

教科書　p.342～345

冷戦のはじまり

(1) 戦後のアメリカとソ連

・アメリカ…経済的，軍事的に世界最強国として戦後をむかえる

・ソ連…広い地域が戦場となって著しい被害をこうむる→戦災からの復興が急務

(2) 〔①　　　　〕(1947～本格化)…資本主義(アメリカ中心)⇔社会主義・共産主義圏(ソ連中心)

・アメリカ…共産主義への「〔②　　　　〕**政策**」

…〔③　　　　〕：ギリシア，トルコに経済・軍事援助を与えることを約束

…〔④　　　　〕=**プラン**：ヨーロッパの経済復興援助(国務長官〔④〕が発表)

・ソ連…〔⑤　　　　〕設立：各国共産党の間の連絡・調整機関

(3) 冷戦下の緊張…チェコスロヴァキアで共産党が政権掌握(1948.2)

・西欧資本主義諸国…〔⑥　　　　〕(ブリュッセル条約)締結(1948.3)

→〔⑦　　　　〕(**NATO**)結成(1949)…集団防衛機構(アメリカ，カナダも加わる)

・ソ連…〔⑧　　　　〕(**コメコン**)(1949)→東側諸国の結びつきの強化

(4) 冷戦の激化(ドイツ)

・ソ連による〔⑨　　　　〕(1948～49)←米英仏による占領地区の通貨改革

→西側諸国は空輸で対抗

・東西分断(1949秋)

…〔⑩　　　　〕(西ドイツ)，〔⑪　　　　〕(東ドイツ)

脱植民地化のはじまり

(1) **脱植民地化**…植民地であった地域が次々に独立していく動き

(2) 東南アジア

・インドネシア…〔⑫　　　　〕らの独立宣言をオランダが認めず→独立戦争で独立達成(1949)

・ベトナム…ベトナム独立同盟(ベトミン)の蜂起

→〔⑬　　　　〕が〔⑭　　　　〕建国宣言

→〔⑮　　　　〕…フランス侵攻→南部にバオダイを擁立してベトナム国樹立(1949)

→フランスがディエンビエンフーで敗北→〔⑯　　　　〕**協定**締結(1954)

・フィリピン…アメリカが独立を認めることを大戦前から約束→独立(1946)

(3) 南アジア

・インド…国民会議派(ガンディー，ネルーが指導)⇔全インド=ムスリム連盟(ジンナー指導)

→分離独立(1947)…インド(ヒンドゥー教徒多数)，〔⑰　　　　〕(ムスリム多数)

・セイロン(1972～スリランカ)，ビルマ(1989～ミャンマー)…イギリスから独立(1948)

(4) 西アジア

・〔⑱　　　　〕…レバノン，シリア，ヨルダン，エジプトなどが結成(1945)

→レバノン，シリア…フランス委任統治領から独立(1946)

→ヨルダン…イギリス委任統治から独立(1946)

・委任統治領パレスティナ…アラブ人とユダヤ人の衝突にイギリスが対処できなくなる

→国連総会…〔⑲　　　　〕**案**を決定(パレスティナ住民の合意なし)

→ユダヤ人…〔⑳　　　　〕建国宣言(1948)→〔㉑　　　　〕**戦争**(1948～49)勃発

MEMO

Check ❶ p.344の写真「ホー=チ=ミン」について説明した次の文の空欄に入る語句を答えよう。

写真のホー=チ=ミンは，各国共産党の国際組織である〔①　　　　　　　〕の活動家となった。〔②　　　　　　〕領インドシナの時代に，ベトナム青年革命同志会を組織し，1930年に〔③　　　　　　〕共産党を組織したが，弾圧されて党は壊滅した。1940年，〔②〕がドイツに降伏すると，日本は〔②〕領インドシナに進駐した。日本の敗戦で，ベトナムでは〔④　　　　　　　　　　〕(ベトミン)が蜂起し，ホー=チ=ミンは〔⑤　　　　　　　　　　〕の独立を宣言した。しかし，インドシナ戦争がはじまった。〔②〕は〔⑥　　　　　　〕を擁立してベトナム国を樹立したが，〔⑦　　　　　　　　　　〕で敗北し，〔⑧　　　　　　〕休戦協定を締結して撤退した。

Point≫ インドが一つの国家として独立できなかったのはなぜだろうか。

〔　　　　　　　　　　　　　　　　　　　　〕

Check ❷ p.345の文字資料『第1次中東戦争での占領についての証言』を読み，こうして家を追われた人々がどのような状況におかれることになったかを考えよう。

〔　　　　　　　　　　　　　　　　　　　　〕

4　戦後の変革と冷戦のはじまり(3)

教科書　p.345～347

中華人民共和国の成立と朝鮮戦争

(1) 大戦中の中華民国…国民党が軸となり英米との不平等条約改正→治外法権撤廃に成功

(2) 国共内戦…国民党と共産党が国家の主導権をめぐって対立→内戦

・国民党…中華民国憲法公布(1947)→国会選挙実施→経済政策の失敗による急激なインフレ

・共産党…内戦に勝利←ソ連の援助，国民党政権の腐敗を批判して社会の不満を吸収

(3) [①　　　　　　　　]成立(1949)←人民政治協商会議(北京)

・主席：[②　　　　　]　首相：[③　　　　　]

・内モンゴル，新疆の独立運動を解散(ソ連の合意)　・チベットに軍を進駐(1951)

(4) 台湾…日本の敗戦後→中華民国の領土

・[④　　　　　　]**事件**(台湾住民の蜂起)(1947)←台湾住民の政治参加を認めないなど

→国民党…徹底的に弾圧→政府を台北に移して中華民国を存続させる

(5) 中国を代表する政権

・西側諸国(アメリカなど)…台湾の中華民国政府を承認

・東側諸国(ソ連など)…中華人民共和国を承認

(6) 朝鮮…日本の敗戦後→朝鮮半島は**北緯**[⑤　　　　　　]を境として南北に分断→分離独立(1948)

・南部…アメリカ軍が進駐→[⑥　　　　　　]（韓国)成立…大統領：[⑦　　　　　]

・北部…ソ連軍が進駐→[⑧　　　　　　　　　　　　]（北朝鮮)成立…首相：[⑨　　　　　]

(7) [⑩　　　　　　](1950～53)…開始：北朝鮮が南北統一をめざして韓国に侵攻

・国連安全保障理事会(ソ連欠席)…北朝鮮の侵略と認定

・経過…当初北朝鮮軍優勢→アメリカ軍を中心とする国連軍が仁川上陸作戦に成功→北朝鮮軍敗走
　　→国連軍が中国国境にせまる→中国軍が義勇軍として北朝鮮側で参戦→戦線膠着

・休戦…休戦交渉(1951～)→[⑪　　　　　　]で休戦協定締結(1953)→朝鮮半島の分断固定化

日本の戦後改革

(1) 敗戦後の日本…連合国軍(アメリカ軍中心)の占領下

・[⑫　　　　　　　　　](東京裁判)…主要な戦争指導者に対する裁判

・連合国軍最高司令官総司令部([⑬　　　　　])指導の改革
…非軍事化，教育改革，農地改革，財閥解体など

・[⑭　　　　　　　]公布(1946)…平和主義，国民主権→労働者の権利拡大，女性の地位向上

(2) 占領下の日本…冷戦，中国の変化

・アメリカ…日本の役割を重視→改革より復興を優先する方針へ

・[⑩]…国連軍向けの軍需物資などの特需→復興加速化

・非軍事化の方針の変化(アメリカ主導)…警察予備隊(のちの自衛隊)創設→再軍備はじまる

(3) 占領体制の終結

・[⑮　　　　　　　　　　　　]**会議**(1951)→講和条約発効(1952)→独立回復

→[⑯　　　　　　　　]**条約**締結…アメリカ軍駐留継続→日本…西側陣営に組みこまれる

MEMO

● p.272 を開いて，この部で学んだことをふりかえってみよう。

Point≫ 中国内戦で共産党が国民党に勝利できたのはなぜだろうか。

[　　]

Check p.346 の文字資料『北緯38度線の選択(ディーン・ラスクの回想)』を読み，朝鮮半島での米ソの関係は，どのようなものだったのだろうか，考えてみよう。

[　　]

Try あなたは，朝鮮戦争が戦後の世界史においてどのような意義をもったと考えるか。

[　　]

1　冷戦下の安全保障体制(1)

教科書　p.350〜353

冷戦下の安全保障体制

(1) 西側陣営…アメリカ・イギリスを中心とした反共包囲網形成
・アジア〜太平洋(アメリカが結んだ条約)
…日米安全保障条約(日本)，相互防衛条約(フィリピン)
…太平洋安全保障条約([①　　　　　])(オーストラリア・ニュージーランド)
…相互防衛条約(韓国)←朝鮮戦争の休戦協定成立(1953)　相互防衛条約(台湾の国民政府)
…[②　　　　　　　　　　](SEATO)←インドシナ戦争のジュネーヴ休戦協定調印
・西アジア…相互防衛条約(バグダード条約)(1955)…トルコ，イラク間で締結
→イギリス・パキスタン・イラン加盟→[③　　　　　](バグダード)**条約機構**(METO)結成
・ヨーロッパ…西ドイツが[④　　　　　　](1955)で主権回復→NATOに加盟(1955)
(2) 東側陣営…[⑤　　　　　　　　　　　]**条約**(1950)→[⑥　　　　　　]により冷却
・[⑦　　　　　　　　　　](1955〜91)…ソ連と東欧諸国の軍事同盟

Theme 核実験と反核運動

(1) 核兵器保有国
・アメリカ…第二次世界大戦終了時，唯一の核兵器保有国→[⑧　　　　　　]実験(1952)
・ソ連…原爆実験成功(1949)→[⑧]保有が明らかに(1953)　・英仏…核兵器保有国となる
(2) 核実験による被曝者
・第五福竜丸(日本)…アメリカの水爆実験(1954)→「死の灰」をかぶった日本の乗組員が死亡
・ソ連…中央アジアで周辺住民が被曝　・イギリス…オーストラリアでアボリジナルに被害及ぶ
(3) 核兵器をめぐる動き
・[⑨　　　　　　　　]**会議**(1957)…科学者による核兵器廃絶←ラッセル，アインシュタイン
・[⑩　　　　　　　　　]**条約**(1963)…大気圏内，宇宙空間，水中での核実験禁止(米英ソ)

冷戦の曲折

(1) 東側陣営の変化←スターリン首相(ソ連)死去(1953)
・ソ連共産党[⑪　　　　　　]大会(1956)
…[⑫　　　　　　　　]第一書記の[⑬　　　　　　　　　]演説
・東ベルリン…労働者のストやデモ(1953)→統一労働党(共産党)への権力集中への不満
・ポーランド(ポズナニ暴動)…[⑭　　　　　　]が一定の改革に成功
・ハンガリー(ハンガリー事件)…ソ連軍の介入→ナジ=イムレ首相失脚
(2) 冷戦の「[⑮　　　　　]」←アジア・アフリカ諸国…平和を求める声が高まる
・[⑯　　　　　　　　　　]**会談**(1955)…米英仏ソ4か国首脳→[⑰　　　　　　]の気運
→コミンフォルム解散(1956)，[⑫]首相(ソ連)のアメリカ訪問(1959)
(3) 「[⑮]」のなかの冷戦
・[⑱　　　　　　　　](1961)…東ドイツ政府がベルリンを東西に分断
・[⑲　　　　　　　　](1962)…米ソ間での核戦争の危機
…**キューバ革命**(1959)で社会主義を宣言したキューバにソ連がミサイル基地を建設
→アメリカが海上封鎖断行→米ソ間一触即発の危機状態(核戦争の危険)
→ケネディとフルシチョフの交渉…トルコとキューバの米ソのミサイルを撤去→戦争回避

MEMO ●板書事項のほか，気づいたこと，わからなかったこと，調べてみたいことを自由に書いてみよう。

Check ① p.351の文字資料『フルシチョフのスターリン批判』について，ここで述べられていることが顕著にみられたのは，いつごろだろうか。

〔　　　　　　　　　　〕

Point» スターリンの死は，ソ連と東ヨーロッパの国々にどのような影響を与えただろうか。説明文の下線部が誤っているものを二つ選び，正しい語句を答えよう。

番号〔　　　〕→正しい語句〔　　　　　　〕
番号〔　　　〕→正しい語句〔　　　　　　〕

1953年に①西ベルリンで賃金引き上げなどを求める労働者のストやデモがおこった。1956年，ソ連共産党②第20回大会でフルシチョフ第一書記がスターリン批判の演説をおこなった。その情報が伝わった③チェコスロヴァキアではポズナニ暴動が発生し，④ゴムウカは一定の改革に成功した。ハンガリーの暴動(ハンガリー事件)では，⑤ワルシャワ条約脱退を唱える動きが，ソ連軍の介入によりおさえられた。そして，改革をすすめようとした首相⑥ナジ=イムレが失脚した。

Check ② p.352の写真「カストロとゲバラ」について説明した次の文の空欄に入る語句を答えよう。

写真右のカストロは，写真左の〔①　　　　　　〕生まれのゲバラとともにキューバの革命軍を指導し，1959年にアメリカの援助を受けていた〔②　　　　　　〕独裁政権を打倒した。その後，社会主義を宣言したキューバにソ連がミサイル基地を建設したことから，米ソ間の核戦争勃発の危険が生じた。しかし，〔③　　　　　　〕大統領とフルシチョフとの間で，キューバと〔④　　　　　　〕のミサイルを撤去するという交渉が成立し，戦争は回避された。

1　冷戦下の安全保障体制(2)

教科書　p.353〜355

ヨーロッパ統合の出発

(1) 西ヨーロッパの地域統合

・〔①　　　　　　　　〕(1950)…フランスと西ドイツによる石炭・鉄鋼の共同管理提案

→イタリア，ベネルクス3国(ベルギー，オランダ，ルクセンブルク)が参加

→〔②　　　　　　　　〕(ECSC)成立(1952)

・〔③　　　　　　　　〕(**EEC**)発足(1958)←ローマ条約調印(1957)…上記6か国

・EEC，ECSC，〔④　　　　　　　　〕(EURATOM)の決定機関・執行機関を統合

→〔⑤　　　　　　　　〕(**EC**)(1967)

(2) 西ドイツ…〔⑥　　　　　　　　〕首相のもとで経済発展

・西側の繁栄にひかれる東ドイツの人々が多数→ベルリンの壁が築かれる

(3) フランス…アルジェリアの独立運動で政局動揺

・〔⑦　　　　　　　　〕…首相就任(1958)→〔⑧　　　　　　　　〕発足，大統領就任

→**アルジェリアの独立**を認める(1962)

→〔⑨　　　　　　　　〕(1968)…学生の大学改革，労働者の経営参加要求→大統領辞任(1969)

(4) イギリス…当初ヨーロッパ統合に不参加

・EEC諸国の発展をみて加盟申請(1961，67)←〔⑦〕による反対のために退けられる

・EC加入(1973)←〔⑦〕辞任後実現

中国社会主義の展開

(1) 第1次五か年計画(1953〜57)…企業の国営化，農業の集団化の実施

(2) 中ソ関係悪化←ソ連でのスターリン批判，平和共存の動きに毛沢東が反発

(3) 〔⑩　　　　　　　　〕**政策**(1958)…農業・鉄鋼の生産目標を人民公社と民衆動員で達成をめざす

→壊滅的打撃，自然災害により膨大な餓死者発生→毛沢東退く→劉少奇が部分的に市場経済を復活

(4) 〔⑪　　　　　　　　〕(1966〜76)…権力を奪還した毛沢東が指導

・紅衛兵の急進化→古いもの，資本主義的なものを破壊，知識人や党幹部を迫害

→中国社会混乱，経済大打撃→軍の介入，学生を農村に送る(下放)ことで秩序回復

・中ソ対立の進行…ソ連が科学技術援助を打ち切る(1960)

→〔⑫　　　　　　　　〕(1963)…中ソの公開論争　・中ソ国境で武力衝突発生(1969)

(5) チベット…中国政府が社会的・経済的圧力を強めていた→大規模な蜂起(1959)

・指導者ダライ=ラマ14世…インドに亡命してチベット臨時政府を組織

→中印関係悪化…国境をめぐる大規模な軍事衝突(1962)

アメリカの繁栄と変化

(1) アメリカ…冷戦下で西側陣営の中心，最先端科学技術，大量生産による豊かな消費社会実現

(2) 「赤狩り」(〔⑬　　　　　　　　〕)→共産主義者とされた人々を排除，1950年代なかばまで

(3) 〔⑭　　　　　　　　〕大統領(共和党)…ソ連の勢力圏に対する「巻き返し政策」唱える

(4) 〔⑮　　　　　　　　〕大統領(民主党)

・「ニューフロンティア」政策(医療，教育，住宅問題の改善などをめざす)

・〔⑯　　　　　　　　〕**牧師**らが指導する〔⑰　　　　　　　　〕**運動**に理解を示す

→〔⑰〕法…ケネディ暗殺(1963.11)後，〔⑱　　　　　　　　〕大統領のもとで制定(1964)

MEMO

Check ① p.353の文字資料『シューマン=プラン』を読み，ドイツとフランスの関係がこれほど重視されている理由について，19世紀なかば以降の1世紀をふりかえり，両国の関係について説明した次の文のなかで下線部が誤っているものを二つ選び，正しい語句を答えよう。

番号〔　　〕→正しい語句〔　　　　　　　〕

番号〔　　〕→正しい語句〔　　　　　　　〕

① ドイツはプロイセン=フランス戦争で勝利することにより統一された。

② 20世紀初頭，フランスのモロッコ進出に対し，ドイツのビスマルクが挑戦して失敗した。

③ 第一次世界大戦で敗れたドイツはヴェルサイユ条約でザール地方をフランスに返還した。

④ 第二次世界大戦の初期，ドイツに敗れたフランスではドイツに協力的なヴィシー政権が成立した。

Check ② p.354**2**の写真「天安門広場の紅衛兵」について，紅衛兵はどのような活動で中国社会を混乱させたのだろうか，また，その混乱からの秩序の回復はどのようにしておこなわれたのだろうか。

●中国社会を混乱させた活動

〔　　　　　　　〕

●秩序回復の方法

〔　　　　　　　〕

1　冷戦下の安全保障体制(3)　教科書　p.355~357

≫ ベトナム戦争とアメリカの動揺

(1) ベトナムの南北分断

・ジュネーヴ休戦協定(1954)…インドシナ戦争終結
→南北ベトナム統一のための選挙は実施されず→**北緯**〔①　　　　　〕で南北分断

・南ベトナム…ゴ=ディン=ジエム(アメリカ支援)の独裁的支配
←対抗勢力の〔②　　　　　　　　　〕結成(1960)

(2) ベトナム戦争

・ケネディ大統領(アメリカ)…南ベトナム政府支援を強化(共産主義勢力拡大を抑止)

・ジョンソン大統領(アメリカ)…トンキン湾事件(1964)を理由に本格的な軍事介入
→ベトナム民主共和国(北ベトナム)への爆撃(〔③　　　　〕)開始(1965)→**ベトナム戦争**

・ベトナム民主共和国(中国，ソ連支援)→〔②〕も激しい抵抗を継続

(3) ベトナム戦争の終結←アメリカ社会の動揺(ベトナム反戦運動，公民権運動など)

・〔④　　　　　　〕の深刻化←ベトナム戦費の増大により国際収支が悪化
→ジョンソン大統領…〔③〕停止表明(1968)，休戦会談開催提唱→〔⑤　　　　　　〕会談難航
→〔⑥　　　　　　〕大統領…カンボジア・ラオスへの侵攻，〔③〕再開→戦争の状況変化なし

・〔⑦　　　　　　　　　〕成立(1973.1)→アメリカ軍撤退

・北ベトナム軍，解放戦線軍→南ベトナムの首都〔⑧　　　　　　〕(現ホーチミン市)攻略
→ベトナム戦争終結(1975)→南北統一…〔⑨　　　　　　　　　　　　〕誕生(1976)

≫ 冷戦下の日本

(1) 独立を回復した日本…「雪どけ」→ソ連と国交回復，国連加盟(1956)

・東南アジア諸国との賠償交渉妥結(1950年代後半)

・日米安全保障条約改定(1960)←岸信介内閣の強引な政治手法に対する国民の激しい反発

・池田勇人内閣…所得倍増計画→〔⑩　　　　　　　　〕

・東京オリンピック(1964)，国民総生産が西側諸国で第2位(1968)

・〔⑪　　　　　　〕**条約**(1965)…韓国との国交正常化交渉がすすみ締結

・沖縄返還(アメリカから)(1972)

≫ 緊張緩和

(1) 冷戦下の東側陣営…中ソ対立深刻化

・〔⑫　　　　　　　〕(1968)…チェコスロヴァキアの民主化と経済改革(ドプチェクら指導)
←ワルシャワ条約機構軍の軍事介入により抑圧

(2) 〔⑬　　　　　　〕(デタント)←米ソ両国間で冷戦の対立をやわらげようとする気運

・西ドイツ首相〔⑭　　　　　　〕(社会民主党)
…〔⑮　　　　　　　〕=ソ連・ポーランド・東ドイツとの関係改善
→東西両ドイツ…国際連合に同時加盟(1973)

・米中関係…中国：中ソ対立によりアメリカへの姿勢見直し　アメリカ：ベトナム戦争で苦境
→アメリカが関係修復の方針示す(1971)→〔⑥〕大統領訪中…中国政府を事実上承認(1972)
→日本：〔⑯　　　　　　　〕首相訪中，中国との国交正常化(1972)
→台湾：国連の代表権を失う　中国：安全保障理事会の常任理事国の地位につく

MEMO

Check p.356の文字資料『ベトナム反戦兵士の声明』を読み，なぜアメリカ兵のなかで反戦運動に参加する者があらわれたのか，理由を考えてみよう。

Point» 1970年代にアメリカと中国の関係が変化した背景は何だろうか。

Try あなたは，冷戦のなかで緊張緩和がうまれるきっかけとなったできごととして，何が最も重要だと考えるか。理由も含めて答えよう。

2　脱植民地化と非同盟(1)

教科書　p.358〜361

非同盟運動と平和の希求

(1) **第三勢力**…東西両陣営に属さない非同盟中立，冷戦体制を批判，世界平和を求める運動の展開

・〔①　　　　　〕**会議**(1954)

…セイロン・インド・パキスタン・ビルマ・インドネシアの首脳会議

→アジア=アフリカ会議の開催提唱

・〔②　　　　　〕(中国)，〔③　　　　　〕(インド)→〔④　　　　　〕発表(1954)

…〔④〕＝領土と主権の尊重，相互不可侵，内政不干渉，平等互恵，平和共存

・〔⑤　　　　　〕(バンドン会議)(1955)…インドネシアのバンドンで開催

29か国参加→〔⑥　　　　　〕発表(〔④〕をさらに具体化)

・〔⑦　　　　　〕**会議** (1961)…第三勢力諸国がユーゴスラヴィアのベオグラードで開催

・第三勢力諸国…〔⑧　　　　　〕と総称される

植民地の独立と地域協力

(1) アフリカにおける植民地独立

・モロッコ，チュニジア…フランスから独立(1956)

・ガーナ…イギリスから独立(1957)←〔⑨　　　　　〕(**エンクルマ**)指導

・「〔⑩　　　　　〕」(1960)…一挙に17か国が独立達成

・アルジェリア…民族解放戦線(FLN)結成(1954)→激しい反仏抵抗運動展開

→〔⑪　　　　　〕**戦争**(1954〜62)→独立(1962)

・アンゴラ，モザンビーク独立(1975)←植民地支配に固執したポルトガルの独裁体制が倒れる

・ジンバブエ(旧イギリス領)…南ローデシア(白人政権が独立宣言)→黒人多数派支配実現(1980)

(2) アジア

・〔⑫　　　　　〕←マラヤ連邦(1957独立)とシンガポール，北ボルネオが統合(1963)

→シンガポール…マレーシアから離脱(1965)

(3) 地域協力組織

・アフリカ…〔⑬　　　　　〕(**OAU**)結成(1963)

・東南アジア…〔⑭　　　　　〕(**東南アジア諸国連合**)創設(1967)

＝インドネシア・タイ・フィリピン・マレーシア・シンガポールの5か国

独立後の苦悩

(1) 政治的に独立した国々

・植民地の境界線が国境線となった国→国家としてのまとまりの維持が困難

・課題…経済面の改革(モノカルチャー克服など)，文化面での自立

(2) アフリカ

・〔⑮　　　　　〕(コンゴの内戦)…ベルギーの干渉，首相ルムンバが反対派に殺害される

・ガーナ…初代大統領〔⑨〕がクーデタで失脚(1966)

・ナイジェリア…内戦(ビアフラ戦争)勃発(1967)←背景：石油資源

(3) 南アジア

・パキスタン…東パキスタン(インド支援)が自治要求→パキスタンとインドが戦争(1971)

→インド側勝利→東パキスタンが〔⑯　　　　　〕として独立

MEMO

Check ① p.358の文字資料『第1回非同盟諸国首脳会議宣言』を読み，戦争がおこる背景と戦争防止の可能性について，この宣言が述べている内容を，どう評価するか。

〔　　〕

Check ② p.360の文字資料『文化面での脱植民地化の課題』を読み，植民地支配や脱植民地化にとって，言語というものがもった意味や力をどう考えるか。

●植民地支配にとって

〔　　〕

●脱植民地化にとって

〔　　〕

Check ③ p.360**1**の風刺画「ビアフラ戦争での列強の武器支援を風刺した漫画」において，武器を支援しているのはどこの国だろうか。

向かって左から…〔　　〕〔　　〕〔　　〕

2　脱植民地化と非同盟(2)

教科書　p.361〜363

》民主主義と独裁

(1) アフリカ，アジアの新独立国…独裁的な体制の広がり
- アフリカ…モブツ大統領(コンゴ動乱収拾)などの独裁的指導者が多く登場
- インド…ネルー首相のもとで議会制民主主義実施→インディラ=ガンディーはしだいに強権的に
- インドネシア…スカルノ大統領の独裁的傾向→〔①　　　　　　〕**事件**(1965)
  →〔②　　　　　　〕将軍が政権掌握…抑圧的な支配体制をしく
- フィリピン…マルコス大統領の独裁的な政治
  →〔③　　　　　　〕…独裁体制のもとで経済開発(〔②〕やマルコスなど)
- カンボジア…内戦状態(1970〜)→〔④　　　　　　〕派政権(1975〜79)による大規模な虐殺
- 韓国…民主化運動により李承晩政権打倒(1960)→〔⑤　　　　　　〕がクーデタで政権掌握(1961)
- 北朝鮮…金日成が独裁的体制を固める
- 台湾…国民党政権の支配のもとで民主主義抑圧

(2) ラテンアメリカ諸国…アメリカに支持された軍部の力が強い独裁的体制が目立つ
- チリ…選挙で〔⑥　　　　　　〕政権成立(1970)…農地改革，鉱山国有化など(成功せず)
  →軍(アメリカが後押し)のクーデタ…ピノチェト大統領の独裁的政権誕生

》中東をめぐる争い

(1) エジプト…形式的に独立(1922)(実質的にはイギリスによる支配)←不満高まる
- 〔⑦　　　　　　〕(1952)…軍(自由将校団)によるクーデタ→エジプト共和国成立(1953)
  →〔⑧　　　　　　〕政権(1954〜)…アスワン=ハイダム建設着手，スエズ運河の英軍を撤兵させる
  →米・英のダム建設資金援助停止に対抗→〔⑨　　　　　　〕宣言(1956)
  →〔⑩　　　　　　〕(**スエズ戦争**)(1956)…英・仏・イスラエルのエジプト侵攻

(2) パレスティナをめぐるイスラエルとアラブ諸国の抗争
- 〔⑪　　　　　　〕(**PLO**)組織(1964)…パレスティナ人が武装闘争を展開
- 〔⑫　　　　　　〕(1967)…イスラエルがエジプト・シリア・ヨルダンに奇襲攻撃
  →シナイ半島，ガザ地区などを占領
- 〔⑬　　　　　　〕(1973)…シリア・エジプトがイスラエルを攻撃
  →アラブ産油国の石油供給制限政策→〔⑭　　　　　　〕(**オイルショック**)
  →イスラエルが最終的にシリア・エジプトを後退させる
- エジプト=イスラエル平和条約(1979)…カーター大統領(米)の仲介で締結

(3) イラン(中東産油国)
- 〔⑮　　　　　　〕宣言(1951)…民族主義者の運動を背景に**モサデグ**首相が宣言
  →国王パフレヴィー2世を支持する将校のクーデタ(1953)…アメリカ介入，〔⑮〕挫折
- **白色革命**…国王の指導による近代化改革(莫大な石油収入が背景)
- 〔⑯　　　　　　〕**革命**(1979)　指導者：〔⑰　　　　　　〕
  …**イスラーム主義**をかかげる勢力の権力奪取
- 〔⑱　　　　　　〕**戦争**(1980〜88)…隣国イラクが革命波及防止，領土拡大をめざして開戦

MEMO

Point» スハルトやマルコスがおこなった政治には，どのような特徴があっただろうか。

〔　　〕

Check p.362の文字資料『アジェンデ政権の発足』を読み，アジェンデ政権が独占の廃止をめざした理由を考えよう。

〔　　〕

Try 戦後，独裁体制がみられたアジア・アフリカ・ラテンアメリカの国を各地域ごとに一か国あげ，独裁体制がうまれたいきさつや独裁の特徴を説明しよう。

●アジア…国名〔　　〕

〔　　〕

●アフリカ…国名〔　　〕

〔　　〕

●ラテンアメリカ…国名〔　　〕

〔　　〕

3　冷戦の終結と現代世界(1)

教科書　p.364～367

新冷戦の重荷

(1) 〔①　　　　　〕＝冷戦の新たな段階…1970年代にすすんだ緊張緩和の動きの中断
- アフガニスタン(内戦中)…親ソ政権を維持するためにソ連軍が侵攻(1979)
- ソ連，アメリカ…中距離核戦力をヨーロッパに配備→米ソ両国に新たな経済的負担

(2) アメリカ
- 〔②　　　　　〕大統領(任1981～89)…〔③　　　　　〕のもとで緊縮財政政策
- 「〔④　　　　　〕」＝財政赤字と貿易赤字…債権国から債務国に転落(1985)
  →〔②〕…経済困難を解消する必要性→反ソ・反共からソ連との関係改善の道を選ぶ

(3) ソ連
- 〔⑤　　　　　〕ソ連共産党書記長(任1985～91)…経済の活性化をめざす
  …〔⑥　　　　　〕(改革政策)実行，〔⑦　　　　　〕(情報公開)すすめる
  …〔⑧　　　　　〕**発電所**の爆発事故(1986)→改革に拍車がかかる
- 新思考外交…アメリカとの対話を強化→〔⑨　　　　　〕(**INF**)**全廃条約**調印(1987)
  →〔⑩　　　　　〕**からの撤兵**完了(1989)

東欧革命と冷戦の終結

(1) ポーランド(東ヨーロッパの変動の先駆け)
- 自主管理労働組合「〔⑪　　　　　〕」結成(1980)　指導者：〔⑫　　　　　〕(**ヴァウェンサ**)

(2) 〔⑬　　　　　〕(1989)…民主化を求める改革運動が一挙に加速化←ソ連の変化(〔⑥〕など)
- ハンガリー…複数政党制導入決定(1989.2)　・ポーランド…選挙で「〔⑪〕」圧勝(1989.6)
- 東ドイツ…ホーネッカー政権が倒れる(1989.10) →〔⑭　　　　　〕くずされる(1989.11)
- チェコスロヴァキア…比較的平穏な政権交代で民主化実現(「ビロード革命」)(1989.12)
- ルーマニア…〔⑮　　　　　〕大統領の逮捕，処刑→独裁体制崩壊(1989.12)

(3) 冷戦の終結…〔⑯　　　　　〕**宣言**調印(1989.12)…ブッシュ(父)大統領，ゴルバチョフ
- ドイツ統一(1990.10)…西ドイツが東ドイツを編入する形
- 東欧社会主義圏消失←コメコン，ワルシャワ条約機構解体(1991)

(4) **ソ連の解体**(1991.12)
- ゴルバチョフに批判的な勢力によるクーデタ失敗(1991.8)→〔⑰　　　　　〕**の解散**宣言
- バルト3国，ウクライナの独立→〔⑱　　　　　〕(**CIS**)結成(中心：ロシア連邦)

政治的変動と民主化

(1) ラテンアメリカ諸国…経済的困難(累積債務など)→民主化や経済改革を求める動き強まる
- アルゼンチン，チリ…民政移管による民主化の実現
- グアテマラ，エルサルバドル…内戦終結(国連の仲介などによる平和条約の締結)

(2) 東南アジア…独裁の終結，民主化の動きがみられる
- フィリピン…マルコス政権終わる(1986)　・インドネシア…スハルト政権終わる(1998)
- ミャンマー(ビルマ)…民主勢力(アウンサンスーチーら)が選挙で圧勝(1988)→軍が政権奪取
- ベトナム…〔⑲　　　　　〕(刷新)政策＝市場経済・対外開放政策(1986～)

(3) 南アフリカ…〔⑳　　　　　〕(人種隔離政策)廃止(1991)
- 全人種参加の選挙(1994)→アフリカ民族会議(ANC)勝利，〔㉑　　　　　〕が大統領就任

MEMO

Point≫ レーガン大統領のソ連に対する姿勢は，どのように変化しただろうか。

[　　　　]

Check ❶ p.364の文字資料『ペレストロイカ(1987年1月のゴルバチョフ演説)』を読み，ソ連の現状と未来について，このときゴルバチョフがどのように考えていたのかを読み取ろう。

[　　　　]

Check ❷ p.366の文字資料『ソ連解体直前の状況(ゴルバチョフに宛てた側近の覚え書き)』を読み，ソ連を構成していたロシア以外のほとんどすべての地域が，なぜこうした姿勢をとったのかを考えてみよう。

[　　　　]

3　冷戦の終結と現代世界(2)

教科書　p.367～370

» 冷戦終結と東アジア

(1) 中国…毛沢東死去(1976)→江青ら四人組逮捕，文化大革命終息
・「〔①　　　　　　　〕」(農業・工業・国防・科学技術)…華国鋒が唱える
・〔②　　　　　〕…「〔①〕」を積極的に推進→〔③　　　　　　〕政策…市場経済導入，対外開放
・対外関係…日本との交流拡大，中ソ関係改善←ゴルバチョフのソ連共産党書記長就任
〔④　　　　〕返還(1997)…イギリスから
・〔⑤　　　　　　〕(1989)…学生，市民が北京の天安門広場で民主化を求める←武力で弾圧

(2) 韓国…朴正熙暗殺(1979)
・〔⑥　　　　　　〕(1980)…民主化を求める運動←軍部により鎮圧
・全斗煥大統領(任1980～88)…抑圧的な政治→民主化運動が盛り上がり再選断念
・盧泰愚大統領(任1988～93)…直接選挙により当選→民主化定着
・〔⑦　　　　　〕大統領(任1998～2003)…初の南北首脳会談を実現

(3) 台湾…国民党による独裁的体制→民主化→経済的発展
・民主進歩党(民進党)結成(1986)←本省人(戦前から台湾に居住)の政治参加拡大
・蔣経国総統死去(1988)→本省人の〔⑧　　　　　〕(国民党)が副総統から昇格→民主化
→初の総統直接選挙(1996)→〔⑧〕が当選

(4) 北朝鮮…金日成の独裁体制に変化なし→農業増産計画の失敗で食糧事情悪化
・金日成死去(1994)→金正日が最高指導者となる(政治方針は変らず)
・国連同時加盟(1991)…孤立する北朝鮮が韓国の提案に同意して実現

(5) 日本…高度経済成長により世界の経済大国となる
・〔⑨　　　　　〕経済(1986ごろ～)…地価や株価の大幅上昇→終息(1990年代はじめ)→不況
・自由民主党の政権独占体制→非自民党の連立政権が誕生(1993)→その後，自民党が政権に復帰

» 多発する紛争・内戦

(1) 〔⑩　　　　　　〕(1991)…原因：イラクがクウェートに侵攻，併合宣言(1990)
→アメリカが多国籍軍を組織(国連決議にもとづく)して，イラクを攻撃→イラク軍撤退

(2) 旧東ヨーロッパ…社会主義体制瓦解→民族対立が激化する地域があらわれる
・ユーゴスラヴィア…連邦制国家解体(1992)→セルビアとクロアチアの紛争
→〔⑪　　　　　　〕**内戦**＝モスレム人・セルビア人・クロアチア人が相互に対立
→〔⑫　　　　　　〕**紛争**＝セルビア人とアルバニア系住民の対立←NATO軍による空爆

(3) ロシア…独立をめざす〔⑬　　　　　　　〕に軍事介入がくりかえされる

(4) アフリカ…政府軍と反政府組織の内戦(ルワンダ・ソマリア・シエラレオネ・スーダンなど)
・〔⑭　　　　　　〕**内戦**…フツ人によるツチ人の大量虐殺発生

(5)パレスティナ…イスラエルの支配←反イスラエル民衆蜂起(〔⑮　　　　　　　　〕)(1987)
・中東和平会議(1991)
・〔⑯　　　　　　　　　　　　〕(オスロ合意)(1993)…クリントン大統領(米)の仲介
・イスラエルのパレスティナ人所有地への入植強行⇔パレスティナ人側の報復活動
→パレスティナ国家の国際的承認にアメリカが反対→緊張続く

MEMO

Point≫1 ソ連のペレストロイカ，ベトナムのドイモイ政策，中国の改革開放政策にはどのような共通点があるだろうか。

〔　　　　〕

Point≫2 1980年代以降の韓国と台湾で進展した政治的変動には，どのような共通点があるだろうか。

〔　　　　〕

Check p.368**1**の写真「選挙運動中の李登輝」について説明した次の文の下線部が誤っているものを二つ選び，正しい語句を答えよう。

番号〔　　〕→正しい語句〔　　　　〕

番号〔　　〕→正しい語句〔　　　　〕

第二次世界大戦後，台湾では①国民党による独裁的体制が続いていたが，民主化を求める運動が展開されるようになり，1986年に②民主社会党が結成された。1988年に③蔣経国総統が死去すると，④外省人の李登輝(写真中央)が副総統から昇格し，民主化の方向にすすんだ。そして，1996年に初の総統直接選挙が実施されて李登輝が当選した。

Point≫3 冷戦終結後，ユーゴスラヴィアが解体していったのはなぜだろうか。

〔　　　　〕

3 冷戦の終結と現代世界(3)

教科書　p.370〜372

地域統合の進展

(1) 地域協力・地域統合の活発化(冷戦後の世界)

・ヨーロッパ…ヨーロッパ共同体(EC)の市場統合完成(1992年末)

→[①　　　　　　　　]**条約**(1992年調印)

…経済・通貨統合の推進，共通市民権や共通外交・安全保障政策の追求

→[②　　　　　　　　](**EU**)発足(1993)→共通通貨[③　　　　　]導入(1999)

→旧東ヨーロッパ諸国の加盟(2004〜)←冷戦の終結

・アフリカ…アフリカ統一機構(OAU)→[④　　　　　　　　](**AU**)(2002)(EUがモデル)

・アジア…[⑤　　　　　　](**東南アジア諸国連合**)

→ベトナムやミャンマーなどが加盟(1990年代)→ASEAN10実現(1999)

9.11からイラク戦争へ

(1) [⑥　　　　　　　　](**グローバリゼーション**)→優位を占めるアメリカに対する反発も生じる

(2) イスラーム過激派…アメリカを反イスラーム的であるとみなして敵視

→[⑦　　　　　　　　]**事件**(2001.9.11)…ニューヨークの世界貿易センタービルなど

(3) 「[⑧　　　　　]**戦争**」…ブッシュ(子)大統領がはじめる

・アフガニスタン攻撃←[⑦]の責任はアル=カーイダ(アフガニスタンのターリバーンが保護)

→ターリバーン政権打倒(2001.10)

・[⑨　　　　　]**戦争**(2003〜11)…アメリカが敵視してきたイラクのフセイン政権を打倒

Theme 20世紀の思想と文化

(1) 政治理論

・[⑩　　　　　　]**主義**…レーニンらが発展させる

(2) 哲学・心理学

・[⑪　　　　]**主義**…サルトルら　・プラグマティズム…デューイら

・[⑫　　　　　　]…フロイト(深層心理を分析)

(3) 歴史学

・社会史…ブローデルなどが提唱

・[⑬　　　　　　　　　　]…地球環境と人間の関係や世界的な人々のつながりを重視

(4) 社会分析

・社会学…ヴェーバーら(支配の構造や宗教と社会の関係を追求)

・文化人類学…レヴィ=ストロースら(未開民族の観察から人間社会のしくみに光をあてる)

(5) 新しい潮流

・[⑭　　　　　　　　]…性差別を批判，男性と平等な位置を女性が確保することをめざす

(6) 文学…トーマス=マン，ガルシア=マルケスなど

(7) 美術

・[⑮　　　　　](フォーヴィスム)…マティスら　・[⑯　　　　　　](キュビスム)…ピカソら

・[⑰　　　　　　](シュルレアリスム)…ダリら(第一次世界大戦後の社会不安を反映)

(8)音楽

・[⑱　　　　　]…アフリカ系アメリカ人の音楽から発展

・〔⑲　　　　　〕…アメリカにはじまる→20世紀後半を代表する大衆音楽の潮流に

(9) 日本…文学：大江健三郎，村上春樹　音楽：小澤征爾(指揮者)　アニメーション：宮崎駿

MEMO

Check ❶ p.370❶の地図「EUの拡大」をみて，次の文のなかで誤っているものを二つ選ぼう。

〔　　　〕・〔　　　〕

① ノルウェーやスイスは，EUに加盟していない。

② デンマークやスウェーデンは，ユーロを導入していない。

③ イギリスはEUを離脱したが，ユーロを導入している。

④ バルト3国はEUに加盟し，ユーロも導入している。

⑤ 旧ユーゴスラヴィアの連邦を構成していた国はすべてEUに加盟していない。

Check ❷ p.372の文字資料「対テロ戦争」を読み，この演説に示されたアメリカ大統領の姿勢が，その後の世界で具体的にどのような形をとってきたかを考えてみよう。

〔　　　　　　　　　　　　　　　　　　　　〕

3　冷戦の終結と現代世界(4)　教科書　p.372～375

緊張が続く現代世界

(1) 金融面での危機…グローバル化→投機的資金の動きによる危機
- 〔①　　　　　　〕(1997～98)…タイでの通貨暴落がきっかけ
- 〔②　　　　　　〕(2007～)…アメリカの金融市場の動揺→世界経済動揺，深刻化(2008)
- 〔③　　　　　　〕(2009年末～)…ギリシアの財政危機→EUにおける金融不安

(2) 政治的緊張と内戦
- 「〔④　　　　　　〕」(2010年末～)…チュニジアの反政府デモ→周辺諸国で民主化運動
  →チュニジア・エジプト・リビアなどの長期独裁政権が倒れる→民主化は定着しない
- 〔⑤　　　　　　〕…シリアで過酷な内戦が続く　・イスラーム国(IS)…一時勢力拡大
- ウクライナ…〔⑥　　　　　　〕大統領(ロシア)がクリミアのロシアへの編入を表明(2014)
  →ロシアがウクライナに侵攻し，戦争がはじまる(2022)

(3) **難民**問題…シリア内戦による多数の難民→EUが受け入れで混乱→ヨーロッパ統合をゆるがす

(4) 核兵器をめぐる軍事的緊張…北朝鮮：6回にわたる核実験の強行(2006～17)

Theme 核軍縮問題の現在

(1) 核軍縮の進展
- 〔⑦　　　　　　〕**条約**(**NPT**)(1968)→〔⑧　　　　　　〕(**SALT**)(1970年代)
- 〔⑨　　　　　　〕(**STARTI**)，中距離核戦力(INF)制限交渉→INF全廃条約調印(1987)

(2) 冷戦終結後
- 国連総会…〔⑩　　　　　　〕**条約**(**CTBT**)採択(1996)(臨界前核実験は禁止されず)
- インドとパキスタンの核実験(1998)，北朝鮮…核実験くりかえす(2006～)
- アメリカ(トランプ大統領)…INF全廃条約から離脱(2019)
- 国連総会…〔⑪　　　　　　〕**条約**採択(2017)→核保有国…不賛同　日本…不参加

国際秩序の変化と米中関係

(1) 中国…国家主席：江沢民→胡錦濤　・国内総生産(GDP)世界第2位(2010)
- 国家主席〔⑫　　　　　　〕(任2013～)…経済発展継続→貧富の格差拡大，大気汚染などの問題
  …共産党の一党支配体制による民主主義の抑制←国際的な批判の的
- 香港…「一国二制度」←中国政府が民主的権利の制限を明示

(2) アメリカ…中国に追われる立場
- 〔⑬　　　　　　〕大統領(民主党)…「変化」を訴えて当選(2008)→医療保険法制定などの改革
  →多国間の協調…イラクからの撤兵完了，「対テロ戦争」は継続
- 〔⑭　　　　　　〕大統領(共和党)…「アメリカ第一」主義→世界保健機関(WHO)から脱退

(3) 〔⑮　　　　　　〕(米中二国間の対立)…国際秩序の将来にとって重要→改善が求められる

(4) EUの危機…〔③〕，難民問題，〔⑯　　　　　　〕＝イギリスのEU離脱(2020)

国際社会のなかの日本

(1) 震災と原子力発電事故
- 阪神・淡路大震災(1995)，〔⑰　　　　　　〕(2011)→福島第一原子力発電所爆発事故

(2) 政治の動向…民主党政権(2009)→自民党政権(2012～)…安倍晋三内閣…平和安全法制制定(2015)
- 外交…日米関係が基軸→沖縄の米軍辺野古基地建設問題　・韓国・中国との摩擦継続

(3)〔⑱　　　　　　　　　　　　　　　〕感染症(COVID-19)(2019)…世界的拡大(2020～)

(4) 日本…世界の平和と繁栄のために積極的な役割を演じることが期待されている

MEMO

Check p.373**4**の写真「シリア内戦と化学兵器」について説明した次の文の空欄に入る語句を答えよう。

シリアでは〔①　　　　　〕政権の打倒をめざす反政府勢力が攻勢を続けた。政権側は〔②　　　　　〕やイランの支援を受けて対抗したが，その過程で化学兵器を使ったといわれている(写真)。この内戦のなかで，イスラーム国(〔③　　　　〕)とよばれるイスラーム過激派が勢力を拡大した。また，内戦によって住まいや生活を失った〔④　　　　　〕が激増し，多くの人々がEUへと向かった。

Point» オバマとトランプがすすめた政策には，どのような違いがあっただろうか。

〔　　　　　　　　　　　　　　　　　　　　　　　　　　　〕

Try あなたは，冷戦終結後にグローバル化がすすむなかで生じた危機として最も大きなものは何だと考えるか。理由も含めて答えよう。

〔　　　　　　　　　　　　　　　　　　　　　　　　　　　〕

ACTIVE ⑪ 現代の紛争と解決への国際的取り組み

歴史を資料から考える

教科書 p.376〜377

1

教科書p.376の資料①は第二次世界大戦後のおもな紛争を地図上に示したものであり，資料②はドイツのハイデルベルク国際紛争研究所が，世界でおこっている紛争のうち強度の紛争とよべるものの数の推移を示したグラフである。

STEP 1　**資料**①に示されている紛争を，国内紛争と国家間の紛争に分けてみよう。

国内紛争	
国家間の紛争	

STEP 2　**資料**①・②から，冷戦終結の前後で，紛争の性格がどのように変化したか，考えてみよう。

〔　　〕

STEP 3

1　国連平和維持活動(PKO)とはどういうものか，調べてみよう。

〔　　〕

2　**資料**①に示された紛争で，PKOが展開された紛争を一つ選んで，PKOがはたした役割を調べてみよう。

〔　　〕

2

教科書p.377の資料③は，1992年から95年まで続いたボスニア内戦での情景である。資料④は内戦中の殺戮にかかわった指導者に対する国際法廷の判決である。

STEP 1

1　**資料**③の右側の男性について記述した次の文の空欄に入る語句を考えてみよう。

ボスニア〔　　〕として展開された国連保護軍の兵士。

2　**資料**③の女性は，ボスニア内戦のさなかにセルビア国境に近い山あいの町で発生した「スレブレニツァの虐殺」からトゥズラ(ボスニアの町)へ逃れてきた女性の避難者である。この女性は何を兵士に訴えているのだろうか，考えてみよう。

〔　　〕

STEP 2 **資料**④の判決は，セルビア人勢力がどのようなことをしたと主張しているだろうか。

［　　　　］

STEP 3

1　教科書p.341やp.347を参考に，戦争での行為が国際法廷で裁かれるようになった経緯を，第二次世界大戦直後の日本とドイツを例として考えてみよう。

［　　　　］

2　1の裁判は，平和な世界を築くうえで，どのような意味をもつだろうか，考えてみよう。

［　　　　］

3

現代の世界では，戦争などでの暴力に加え，人々の生活を脅かす力も，構造的暴力や文化的暴力とよび，平和実現のためには，それらをなくすことこそ重要であるとする「人間の安全保障」という考えも強まってきた。

STEP 1 教科書p.377の**資料**⑤をふまえて，**資料**⑥から人間の安全保障の各領域がどのようなことを意味するか，具体的な例を2つあげて考えてみよう。

安全	
安全	

STEP 2 人間の安全保障がめざす平和は，戦争・紛争がおこらないという状態にとどまらず，積極的平和とよばれる。積極的平和を実現していくにはどのような取り組みが必要か，考えてみよう。

［　　　　］

Try

① **紛争を解決するため，国際的にどのような取り組みがなされているのかをまとめてみよう。**

［　　　　］

② **真の平和とはどのようなものか，あなたの考えをまとめてみよう。**

［　　　　］

1　冷戦と経済統合

教科書　p.378〜379

戦後の自由貿易体制とアメリカ

(1)〔①　　　　　　　　　　〕**体制**…自由貿易体制←保護貿易体制への反省

・アメリカ中心の体制…国際通貨基金(IMF)，国際復興開発銀行(世界銀行)の本部→ワシントン

経済ブロックの形成と展開

(1) 西欧の経済統合…マーシャル=プランを受け入れた西欧諸国

・ヨーロッパ経済共同体(EEC)→〔②　　　　　　　　　　〕(**EC**)…「西側」の経済ブロック形成

(2) ソ連・東欧諸国…〔③　　　　　　　　　　〕(**コメコン**)結成…「東側」の経済ブロック形成

(3) 北欧・中欧の中立国，イギリスなど…〔④　　　　　　　　　　〕(**EFTA**)結成

経済のアメリカ化と高度経済成長

(1) 先進資本主義国…ヨーロッパ，日本→〔⑤　　　　　　　　　　〕(急速な経済成長)

・市場経済と計画経済の混合…産業国有化，公共企業体建設，福祉国家政策→経済の安定成長実現

・〔⑥　　　　　　　　　　〕…アメリカの消費文化や生活スタイルの受容

社会主義経済の成長と停滞

(1) 東欧諸国…〔⑦　　　　　　　　　　〕→ファシズム協力者の処罰，王政の廃止，土地改革など

・社会主義経済への転換…冷戦→農業の集団化，計画経済，重化学工業(軍需産業など)を重視

・各国の計画経済の調整…コメコンがすすめる→国家間の分業で工業国と農業国が固定化

(2) 成長と停滞

・「赤い経済の奇跡」…高度経済成長(東ドイツなど)，ただし軍事負担や重化学工業重視の政策

・消費物資の生産減少→市民生活圧迫(プラハの春(1968)の背景)→経済の停滞(1970年前後〜)

2　第三世界の経済

教科書　p.380〜381

独立と新植民地主義

(1) アジア・アフリカ諸国…脱植民地化→〔⑧　　　　　　　　　　〕(経済的に従属したままの状況)

・課題…地主支配，農民の解放，〔⑨　　　　　　　　　　〕(輸出向け商品作物栽培に特化)

旧宗主国や多国籍企業など外国資本の支配からの離脱など

・アフリカ統一機構(OAU)結成(1963)…政治的な解放と協力→経済協力の推進は容易ではない

南北問題と資源ナショナリズム

(1)〔⑩　　　　　　　　　　〕重視の認識形成…途上国の経済開発促進，先進資本主義国との経済格差是正

・〔⑪　　　　　　　　　　〕(**UNCTAD**)設立決定(1962)→第1回総会開催(1964)

・輸入代替工業化政策(1950年代)→輸出志向の工業化政策に転換(1960年代)

・〔⑫　　　　　　　　　　〕…強権政治によって開発を推進する国家もうまれる

(2)〔⑬　　　　　　　　　　〕…イラン：石油国有化　エジプト：スエズ運河国有化など

・「天然資源に対する恒久主権に関する決議」(1962)…国際連合が〔⑬〕を承認

→「新国際経済秩序(NIEO)の樹立に関する宣言」(1974)…国連資源特別総会

新興工業国の成長

(1)〔⑭　　　　　　　　　　〕…第三世界内部の格差

・〔⑬〕…先進国の工業原材料に対する産出国側の主権奪回→資源が豊かな国と乏しい国との格差

・〔⑮　　　　　　　　　　　〕(NIEs)…急速な工業化，所得上昇(1960年代～)

…東アジアでは香港・シンガポール・韓国・台湾

・〔⑭〕に対して…国連を中心に南南協力をすすめる(南の諸国間の貿易拡大，経済協力の振興)

MEMO

Try ① 冷戦時期の西欧諸国と東欧諸国にみられた経済格差を是正しようとする試みをあげ，それぞれの問題点を指摘しよう。

●西欧諸国

〔　　　　　　　　　　　　　　　　　　　　〕

●東欧諸国

〔　　　　　　　　　　　　　　　　　　　　〕

Try ② あなたは，1960年代の時点で，冷戦と南北問題のどちらが先に解決されるべき問題だったと考えるか。

〔　　　　　　　　　　　　　　　　　　　　〕

3　産業構造と社会の変化

教科書　p.382〜383

経済成長と新しい社会運動

(1) 高度経済成長(西欧諸国，日本)→〔①　　　　〕→環境破壊，健康被害→社会不安
(2) 環境保護・エコロジー運動…国連人間環境会議開催(1972)，「緑の党」(ドイツ)などの結成
(3) 女性解放運動…アメリカの〔②　　　　　　　〕**運動**(1960年代後半)から
→社会的性差(ジェンダー)，性の観念(セクシャリティ)，LGBTなどへの理解が広がる

産業構造の転換　／　ドル=ショックと変動相場制

(1) 第3次産業革命(1960〜70年代)…背景：石炭から石油へのエネルギー革命，原子力発電の利用
(2) **第1次**〔③　　　　　　〕(**オイル=ショック**)→スタグフレーション(不況とインフレの同時進行)
→第2次〔③〕(1979)→ハイテク産業への構造転換(産業のソフト化，サービス化)←重厚長大
(3) ドル危機←アメリカの国際収支悪化(ベトナム戦争による膨大な戦費支出など)
→〔④　　　　　　　　〕(1971)…ドルと金の交換を停止(ニクソン大統領)
→ブレトン=ウッズ体制崩壊→〔⑤　　　　　　　〕移行(1973)←固定相場制

4　グローバル化と新自由主義の時代

教科書　p.384〜387

新自由主義の時代

(1) 〔⑥　　　　　　　〕(ネオリベラリズム)→「〔⑦　　　　　〕**政府**」をめざす
・英：〔⑧　　　　　　　〕政権(サッチャリズム)　米：レーガン政権(レーガノミクス)
日本：中曽根康弘政権で民営化政策推進→バブル経済(1985=プラザ合意〜90年代はじめ)
(2) 社会主義国…中国：〔⑨　　　　　　〕政策　ベトナム：刷新政策(〔⑩　　　　　　〕)

経済ブロックとBRICSの形成　／　世界金融危機と格差是正の課題

(1) 市場統合をめざす動き←世界経済のグローバル化への対処
・ヨーロッパ：〔⑪　　　　　　　　〕(**EU**)発足→共通通貨〔⑫　　　　　〕導入(1999)
・北米：〔⑬　　　　　　　　　　〕(**NAFTA**)発効(1994)→USMCA(2020)
・ラテンアメリカ：〔⑭　　　　　　　　　　〕(**MERCOSUR**)発足(1995)
・東南アジア：〔⑮　　　　　　　　　　〕(**ASEAN**)→ASEAN自由貿易地域(AFTA)創設(1992)
→環太平洋戦略的連携協定(TPP)，東アジア地域包括的経済連携(RCEP)に発展
(2) 〔⑯　　　　　〕(ブラジル・ロシア・インド・中国・南アフリカ)…資源が豊富，急速な成長
・中国…GDP世界第2位(2010)，一帯一路構想の推進
(3) **アジア通貨危機**(1997)，アメリカからはじまる〔⑰　　　　　　　　〕(2008)→ユーロ危機
・経済格差是正の動き…世界社会フォーラム(2001〜)，ATTAC，フェアトレード運動など

労働世界の変容　／　グローバルに移動する労働力

(1) 先進資本主義国…賃金・雇用の流動化，非正規雇用への依存→ポスト=フォーディズムへ
(2) 格差の拡大→スラム居住者の増大(世界で10億人，サハラ以南で多数)
(3) 労働者の国際的移動…主に非熟練労働，家事労働者
・産業構造の変化→労働市場の上層(高度な専門知識)への移動(インドのIT労働者など)

グローバル化の光と影

(1) グローバル化→モノ(商品)，カネ(資本)，ヒト(労働)，情報が地球規模で移動→世界経済の緊密化

・歴史的格差が残る…北の世界(グローバル=ノース)⇔南の世界(グローバル=サウス)

→南の世界内部の所得格差も拡大

・保護主義政策の採用，貿易戦争の展開，南の世界の市場・資源・労働力に対する支配の強化

(2) 新型コロナウイルス感染症(COVID-19)(2019～)→全世界に拡大(2020)

→世界経済に甚大な打撃→ポスト=コロナの時代のグローバル化のあり方への問いかけ

MEMO

Try ① あなたは，2度の石油危機とベトナム戦争によってもたらされた世界経済の変化のうち，何が最も重要だと考えるか。理由も含めて答えよう。

[　　　　　]

Try ② あなたは，新自由主義政策によって進行した経済格差を解決するための試みとして，何が最も重要だと考えるか。

[　　　　　]

ACTIVE ⑫ 世界の格差とその解消への取り組み　教科書 p.388〜389

歴史を資料から考える

1

教科書p.388の資料①〜③から，世界各国・地域の経済力について考えてみよう。

STEP 1　**資料**①・②から，次の文章の空欄に「大きくなった」「小さくなった」「あまり変わらない」のいずれかを入れてみよう。

1960年と2015年を比較すると，アメリカ合衆国はあまり変わらない。ヨーロッパは［①　　　　　　］。日本は，少し［②　　　　　　］。インドや韓国，中国は［③　　　　　　］。南米は少し小さくなった。アフリカはもともと小さかったが，さらに小さくなった。

STEP 2

1　アジアのなかで，経済力が大きく伸びた国・地域を四つあげてみよう。

［　　　　　　　　　　　　　　　　　　　　　　　　　　　　　　　　　　　　］

2　1であげた国・地域に共通する点は何だろうか。また,どのようにして経済力が伸びたのだろうか。

［　　　　　　　　　　　　　　　　　　　　　　　　　　　　　　　　　　　　］

STEP 3

1　次の表は，**資料**③から計算した各国の1人あたりGDPの値(ドル)である。空欄に入る数字を計算してみよう。

国名	中国	インド	アメリカ	インドネシア	ブラジル	ロシア	日本
GDP/1人		1677		3440	9000	10000	
国名	トルコ	イギリス	南ア	韓国	ケニア	カナダ	オーストラリア
GDP/1人	11467		6038		1364		

2　ケニアの1人あたりGDPの値を1平方cmと考えると，ブラジルの1人あたりGDPは約6.6倍であるから，2.6cm四方の正方形であらわせる。中国やアメリカ，日本，イギリス，韓国，オーストラリアなどは何cm四方の正方形となるだろうか。実際に図にしてみよう。

中国：［　　　　］cm　アメリカ：［　　　　］cm　日本：［　　　　］cm

イギリス：［　　　　］cm　韓国：［　　　　］cm　オーストラリア：［　　　　］cm

2

教科書p.389の資料④・⑤から，南北問題について考えてみよう。

STEP 1

1　**資料**④から，フランクスは「南北問題」を他のどのような問題と比較して論じているだろうか。

［　　　　　　　　　　　　　　　　　　　　　　　　　　　　　　　　　　　　］

2　1で答えた問題に対して，「12年前」(1947年)にアメリカが提案し，意図したことは何か。

〔　　　　〕

3　フランクスが「南北問題」の重要性をどのように考えていたか，何をすべきと考えていたか，説明してみよう。

〔　　　　〕

STEP 2

1　**資料⑤**の目標10.aにあげられている「後発開発途上国に対する特別かつ異なる待遇の原則を実施」とは，具体的にはどのようなことだろうか，説明してみよう。

〔　　　　〕

2　1で答えたことのほかに，格差是正のためにどのような方策がとられているか，説明してみよう。

〔　　　　〕

3

教科書p.389の資料⑥・⑦から，格差是正の手段について考えてみよう。

STEP 1

1　**資料⑥**をみて，2009年から2018年までに，各国のODAが約何倍に変化したかを確認しよう。

アメリカ：〔　　　　〕　ドイツ：〔　　　　〕　イギリス：〔　　　　〕

日本：〔　　　　〕　フランス：ほぼ同じ　イタリア：〔　　　　〕

カナダ：ほぼ同じ

2　2014年から2018年の5年間の変化については，何が言えるだろうか。

〔　　　　〕

STEP 2

1　教育で得られる「技能」には，どのようなものがあるだろうか。

〔　　　　〕

2　教育で得られる「技能」以外の知識で，とくに社会を発展させるために必要なものは何だろうか。

〔　　　　〕

3　格差是正にとって教育はどのような意味をもつだろうか。

〔　　　　〕

1 地球環境の未来

教科書　p.390〜391

》気候変動と地球の温暖化　**》資源の分配とSDGs**

(1) グローバル化にともなう地球環境問題

・フロンガス→オゾン層破壊・温室効果ガス→〔①　　　　　　〕, 生態系の危機

(2) 〔①〕の防止…各国政府, 国際組織の役割が大きい

・〔②　　　　　　〕**条約**(1992)→〔③　　　　　　〕(1997)→〔④　　　　　　〕(2015)

・〔⑤　　　　　　〕(太陽光・地熱・風力・バイオマスなど)の導入など

(3) 資源の分配…飢餓防止, 生活基盤の安定のため→資源のグローバルな分配方法が課題

(4) 「〔⑥　　　　　　〕(**SDGs**)」…国連サミットで採択(2015)→17項目

・貧困の克服, 開発や経済成長と地球環境の保護の両立→目標：2030年

2 バイオ・生命科学と私たちの生

教科書　p.391〜392

》バイオテクノロジーの発達　**》遺伝子組み換え作物と開発**

(1) DNAの二重らせん構造発見(1953)→ヒトゲノム計画(ヒト染色体の遺伝情報の解析)完了(2003)

→遺伝子治療, 〔⑦　　　　　　〕(iPS細胞などを利用)などに展開

(2) **バイオテクノロジー**の展開→バイオクラスター(産業集積地)が各地につくられる

・遺伝子操作(哺乳類のクローン技術など)→技術倫理や生命倫理に関する社会的合意の必要性

(3) バイオテクノロジーの食糧生産への応用…「緑の革命」(1960年代〜)→収穫量増大

・〔⑧　　　　　　〕**作物**の商業栽培(1996〜)→収穫量が大幅に向上

→人体や環境への影響を危ぶむ意見, 技術(知的財産権)の世界的な争奪, 軍事利用への懸念

》感染症に向きあう世界

(1) 人類と感染症…WHOによる天然痘の根絶宣言(1980)など

・〔⑨　　　　　　〕…エボラ出血熱, HIV／AIDS, SARS, 鳥インフルエンザ, MERSなど

・〔⑩　　　　　　〕…結核, マラリア, コレラ, デング熱, 狂犬病など

・〔⑪　　　　　　〕(**COVID-19**) (2019〜)→国際協力の課題に直面

3 ICTの発達と情報社会

教科書　p.392〜393

》インターネットの成立　**》携帯電話と情報社会の出現**

(1) **インターネット**…商用インターネットの爆発的普及(1980年代末〜)

→ワールド=ワイド=ウェブ(WWW)システムの開発(1990年代)→不可欠な情報基盤に発展

→〔⑫　　　　　　〕(**SNS**)(2000年代〜)…広く発信手段となる

・〔⑬　　　　　　〕(デジタル=デバイド)の問題…常時接続環境をもたない地域や国, 高齢者など

・社会問題や国際問題…情報利用の倫理, リテラシーの必要性, 情報の流出や不正利用など

(2) 〔⑭　　　　　　〕(**ICT**)の発達…携帯電話の普及(1980年代なかば〜)

→高速データ通信, テレビ電話など(2000年代)→スマートフォンの開発(2007)

・社会の変化…情報縁→距離や国境などの境界線をこえる→興味関心にそった個別的関係の創出

…人々の主体的な情報発信→社会運動のあり方が変化

» 第３次産業革命から第４次産業革命へ

(1) **第３次産業革命**(20世紀なかば)…マイクロエレクトロニクスによるデジタル化を中心に展開

(2) **第４次産業革命**(2010年代)…大量の情報(ビッグデータ)を利用した生産活動の展開

・すべてのモノがインターネットでつながる(IoT)，〔⑮　　　　　　〕(AI)による高度技術戦略

(3) 〔⑯　　　　　　　　〕←狩猟(1.0)，農耕(2.0)，工業(3.0)，情報社会(4.0)

・仮想空間と現実空間の融合→経済発展と社会的課題の解決を両立させる人間中心の社会へ

MEMO

Check p.390**1**の国連の「持続可能な開発目標(SDGs)」をみて，17項目のなかで，優先的に取り組むべきであると考えるものを三つ選び，なぜ優先するべきであると考えたのかその理由を説明しよう。

番号…〔　　　〕

〔　　　　　　　　　　　　　　　　　　　　　　〕

番号…〔　　　〕

〔　　　　　　　　　　　　　　　　　　　　　　〕

番号…〔　　　〕

〔　　　　　　　　　　　　　　　　　　　　　　〕

4　知識基盤社会の形成

教科書　p.393～394

» 知的財産と無形資産　» 産業資本主義から知識資本主義へ

(1) 知識集約型産業(1970年前後～)…ニューエコノミー，知識経済，知識主導経済とよばれる
・アメリカ…政府・企業・研究機関が特許権などの〔①　　　　　〕権をつくりだす
・世界各国…〔②　　　　　〕**社会**形成のための共通した政策を推進
・日本…科学技術基本計画策定(1996)→知的財産基本法(2002)→無形資産大国の実現提唱(2011)
(2) 知識資本主義←IMF，世界銀行，WTOなどが積極的に支える
・UAE，エストニアなど…知識資本主義を本格的に採用
・中国…知識資本主義への転換→世界の工場はアフリカ諸国に移転するとみて積極的に投資
(3) 労働力の二分化…高度に熟練した労働⇔大量生産に従事する非熟練の労働
・非熟練の労働→ロボットや〔③　　　〕などにおきかえられていく

5　科学技術と平和

教科書　p.394～395

» 戦争と平和のはざまの原子力

(1) 軍事面での核開発競争
・〔④　　　　　〕の初実験(1945.7)→広島と長崎に投下(1945.8)→ソ連の原爆実験(1949)
・〔⑤　　　　　〕…アメリカが実験成功(1952)→ソ連の水爆保有(1953)
・核兵器開発競争→実験地の住民が被曝→科学者たちの〔⑥　　　　　〕会議開催(1957)
(2) 〔⑦　　　　　〕**発電所**…実用化(1950年代～)
・〔⑧　　　　　〕(**IAEA**)設立(1957)…原子力の国際管理
・第1次石油危機(1973)→石油代替エネルギーとして世界各地で原子力発電所の建設がすすむ
(3) 安全性に対する懸念(原発事故)…人間が原子力を制御できるのかという問い
・スリーマイル島(1979)，〔⑨　　　　　〕(1986)，福島第一(2011)

» 海洋・南極・宇宙の探査

(1) 海洋探査…地震解明，エネルギー，鉱物資源(海底油田，メタンハイドレード，レアアースなど)
・大陸棚条約(1958署名，1964発効)…海底資源の主権的権利についての取り決め
・海洋法に関する国際連合条約(1982制定，1994発効)　・〔⑩　　　　　〕(EEZ) 創設
(2) 南極探査…アムンゼンの南極点到達(1911)→日本：昭和基地建設(1957)
・〔⑪　　　　　〕条約(1961)…領有権の凍結，科学的調査の自由と国際協力，軍事的利用の禁止
・北極海…温暖化による航路拡大，資源開発をめぐる各国の関心→軍事対立の懸念
(3) 宇宙開発…米ソで競争(冷戦期)→宇宙条約採択(1966)…天体の領有禁止，平和利用の原則
・ソ連：人工衛星〔⑫　　　　　〕(1957)→有人宇宙飛行成功(1961)
・アメリカ：〔⑬　　　　　〕の月面着陸成功(1969)
→レーガン政権…〔⑭　　　　　〕(通称スターウォーズ計画)(1983)
…〔⑮　　　　　〕(GPS)…軍事利用から出発して民間の利用に供与

» 軍事技術の革新と武器の拡散

(1) 軍事技術の革新→大国間の軍縮の枠組みに入らない武器の拡散
・ピンポイント爆撃(測位システム)，小型化，化学兵器，ドローン技術の軍事転用など

(2) 戦争や紛争の変化…過激派組織(アル=カーイダなど)対国家(←国家対国家)

・国連小型武器会議開催(2001)　・民間軍事会社←規制が求められている

» 終わりに

(1) 科学技術の発展→国家規模の巨大科学（ビッグサイエンス)の展開

・科学技術の課題…「持続可能な開発目標(SDGs)」に沿った人間生活の質の向上に役立てること

MEMO

● p.272 を開いて，この部で学んだことをふりかえってみよう。

Try 「持続可能な開発目標(SDGs)」を実現していくために，私たちはどのように考え，行動していくべきだろうか。

ACTIVE ⑬ 世界史のなかの感染症

歴史を資料から考える

教科書 p.396～397

1

教科書p.396の資料①～④は，14世紀なかばに世界的に猛威をふるったペスト(黒死病)に関するものである。

STEP 1

1 **資料**①と教科書p.126の記述を参考に，ペスト流行の原因をまとめてみよう。

〔　　　　　　　　　　　　　　〕

2 **資料**②・③から，ペストの感染がどのように広がったのかをまとめた次の文章の空欄に入る語句を考えてみよう。

資料②より1347年にペストは，〔①　　　　　　　　〕を首都としたビザンツ帝国や地中海沿岸の一部地域で発生していた様子が読みとれるが，ペストを広めたのは，**資料**③より地中海商業圏で活躍していた〔②　　　　　〕などの商人であったことがわかる。**資料**②より，ペストは1348年には地中海のほぼ全域に広がった。また1349年前半には今日の〔③　　　　〕南部を含めた西ヨーロッパのほぼ全域や東ヨーロッパの内陸部にも広がり，1349年後半には北ヨーロッパにも広がった様子が読みとれる。

STEP 2

1 **資料**①・④から，ペストの流行がどのような結果をひきおこしたのかを読みとろう。

〔　　　　　　　　　　　　　　〕

2 1がヨーロッパの社会にどのような変化をひきおこしたのかを，教科書p.126の記述を参考にまとめてみよう。

〔　　　　　　　　　　　　　　〕

2

教科書p.397の資料⑤～⑦は，1918～20年に流行したインフルエンザ(スペイン風邪)に関するものである。

STEP 1　**資料**⑤・⑥をもとに，この時期になぜスペイン風邪が世界的に流行したのかを考えてみよう。

〔　　　　　　　　　　　　　　〕

STEP 2　資料⑦から，スペイン風邪の流行時にみられた状況を，近年の感染症流行のときにみられた状況と比較してまとめてみよう。

[　　　　]

3

教科書p.397の資料⑧は，現代の感染症がもたらす変化について述べたものである。

STEP 1　資料⑧がふれている「国家の復権」の日本と諸外国における具体例を探してまとめてみよう。

日本	
諸外国	

STEP 2　資料⑧で述べられている以外に，COVID-19の流行によってどのような変化がもたらされると予測されるか。「分散」と「バーチャル」というキーワードをもとに，調べてまとめてみよう。

[　　　　]

Try

これまでみてきた事例をもとに，パンデミックをひきおこす際にみられた原因や，それが社会のあり方にどのようなインパクトをもたらしたかについて，共通点を考えてまとめてみよう。

① パンデミックをひきおこす際にみられた原因は何か。

[　　　　]

② 社会のあり方にどのようなインパクトをもたらしたか。

[　　　　]

「世界史探究」の学習をふりかえってみよう

第１部～第４部で学んだ諸地域の歴史の展開や，諸地域のつながり，歴史的に形成されてきた現代的諸課題などについて，学習を通じて自分の関心や理解がどのように変わったか，自由に書いてみよう。

第１部　諸地域の歴史的特質の形成(p.2～53)

第２部　諸地域の交流と再編(p.54～149)

第３部　諸地域の結合と変容(p.150～239)

第４部　地球世界の課題(p.240～271)

世界史探究　マイノート

解答編

文章記述式の問題については，模範解答例や参考解説を掲載しました。

実教出版

地球の誕生と生命の進化
1章1　農耕と牧畜のはじまり　(p.2〜3)

①文明　②先史時代　③歴史時代
④直立二足歩行　⑤道具　⑥文化
⑦アウストラロピテクス　⑧ジャワ原人
⑨北京原人　⑩火　⑪ネアンデルタール人
⑫クロマニョン人　⑬旧石器　⑭打製
⑮新石器　⑯磨製石器　⑰都市国家
⑱文字

Try ①

①440万年前　②180万年前　③60万年前
④20万年前　⑤狩猟・採集生活
⑥狩猟・採集生活　⑦狩猟・採集生活，洞窟に住んだ　⑧狩猟・採集・漁撈　⑨礫石器
⑩握斧などの打製石器，火を使用　⑪火や毛皮，剝片石器，死者の埋葬(宗教意識・美意識)
⑫洞窟壁画，石刃などの剝片石器，骨角器，言語の複雑化　⑬南・東アフリカ各地　⑭アフリカ，インドネシア，中国　⑮ヨーロッパ(ネアンデルタール人)　⑯ほぼ全世界

Try ②

解答例
狩猟・採集のために移動する生活から，定住生活をはじめたこと。重要だと考えた理由は，定住生活が都市や国をうみだす条件となったから。
商人や職人などの身分・階級・職業がうまれたこと。重要だと考えた理由は，このことによって人間の社会に権力(または，差別)がうまれたから。

1章2　オリエント文明(1)　(p.4〜5)

①シュメール　②楔形　③太陰暦
④六十進法　⑤アッカド　⑥古バビロニア王国
⑦アムル　⑧ハンムラビ　⑨ハンムラビ法典
⑩ファラオ　⑪ラー　⑫古王国
⑬ピラミッド　⑭ヒエログリフ　⑮パピルス
⑯中王国　⑰ヒクソス　⑱新王国
⑲アメンホテプ4世　⑳イクナートン
㉑アマルナ美術

Check ❶

●違い
同じ行為(罪)でも，相手や行為者の違いによって罰が異なっている。同害復讐法が原則になっているが，相手が賤民や奴隷の場合は金銭的に解決することになっており，また，行為者が奴隷の場合はよりきびしい罰が課せられることになっている。
●違いが生じた理由
古バビロニア王国は，身分制社会，奴隷制社会であったから。

Check ❷

死後の世界において，幸福に安住できることを願って描いた。

1章2　オリエント文明(2)　(p.6〜7)

①鉄製　②カッシート　③ミタンニ
④海の民　⑤フェニキア　⑥アラム
⑦ヘブライ　⑧ダヴィデ　⑨ソロモン
⑩イスラエル王国　⑪ユダ王国
⑫バビロン捕囚　⑬ヤハウェ　⑭選民
⑮メシア　⑯旧約聖書　⑰ディアスポラ

Point≫ 1　①鉄鉱　②木材　③製鉄
④戦車　⑤秘密

Point≫ 2

輸出品でもあるレバノン杉を材料とした高度な造船技術をもち，優れた航海術を有していたから。

Try

解答例
・楔形文字からはじまる文字の発明。理由は，文字による記録や情報交換がさまざまな文化をうみだすうえで重要であるから。
・ヒッタイトが発展させた製鉄技術。理由は，鉄製の農具が農業生産力を大きく向上させたから。また，鉄が現代の機械文明を発達させたから。
・灌漑や治水の技術。理由は，豊かで安定した定住生活を実現したから。また，測量技術は数学を発展させ，科学を発達させるもととなったから。

1章3　インダス文明　4　中国文明　(p.8〜9)

①ハラッパー　②モエンジョ=ダーロ
③インダス　④バラモン　⑤リグ=ヴェーダ
⑥バラモン教　⑦ヴァルナ　⑧クシャトリヤ
⑨ヴァイシャ　⑩シュードラ　⑪仰韶
⑫彩文　⑬竜山　⑭黒陶　⑮殷墟
⑯甲骨　⑰鎬京　⑱宗法

Try ①　大沐浴場，牡牛の神聖視，聖樹の崇拝，自然現象への崇拝，讃歌(ヴェーダ)，バラモン教，

ヴァルナ

Try ②

●共通点

邑の連合体を大邑が中心となって統治した点。

●相違点

殷が上帝の意志を占いながら神権政治をおこなったのに対し，周は同じ祖先をもつ宗族の結束と秩序を重視した封建制度による支配をおこなった。

1章ACTIVE①　古代文明の特質 (p.10～11)

❶

STEP 1

1　①ティグリス・ユーフラテス　②ナイル
　③インダス　④黄河

2　ア　畑　イ　小麦　ウ　アワ　エ　土器
　オ　家畜

STEP 2

古代アメリカ文明は，川の流域ではなく，おもに高地で発達した。トウモロコシやジャガイモが栽培されたが，米や麦は栽培されなかった。また，牛などの大型の家畜は飼育されていなかった。

❷

STEP 1

①粘土板　②石碑，パピルスなど

③印章，土器，象牙など　④亀の甲や動物の骨

STEP 2

すでに解読：楔形文字　ヒエログリフ　甲骨文字

未解読：インダス文字

STEP 3

交易や収穫物，税を管理するため。またハンムラビ法典のように法文を記述して残したり，彼岸で安住するために必要な呪文を記したり，戦争の勝敗や作物の豊凶などを占わせた結果を記録したりするためにも用いられた。

❸

STEP 1　ア　祭司　イ　自由人　ウ　奴隷

STEP 2

1　支配階級は，オリエントの祭司王やインドのバラモンのように祭祀や儀式を司り，神の意志により人民を支配した。またインドのクシャトリヤや周の諸侯のように，軍事力で人民を保護した。

2　奴隷身分や隷属民が存在した。

❹

STEP 1

塩分

STEP 2

インダス川の度重なる洪水，あるいは乾燥化・砂漠化などと推定されている。

Try

①　生産力が増大して余剰生産物が生じると，さまざまな身分・階級がうまれた。また蓄積された富や土地をめぐる抗争がはじまり，指導者となる戦士や祭祀をおこなう神官がうまれ，神と結びついた権力者が社会を支配する身分制社会が成立した。

②　身分・階級社会にみられた支配・被支配の構造が，身分が廃止されたのちにも差別意識として社会に残っており，さまざまな不利益を被る人たちがいること。　など

2章1　春秋・戦国時代の変動 (p.12～13)

①洛邑　②春秋　③戦国　④覇者

⑤戦国の七雄　⑥鉄製農具　⑦牛耕

⑧青銅貨幣　⑨商鞅　⑩儒家　⑪孔子

⑫論語　⑬孟子　⑭荀子　⑮墨家　⑯道家

⑰法家

Point

春秋時代の諸侯は周王を尊ぶ尊王攘夷を唱えていたが，戦国時代の諸侯は周王を無視して王を自称するようになった。

Check　①牛耕　②鉄　③春秋　④戦国

Try

解答例

・春秋時代に諸侯が領域国家を形成しはじめたこと。理由は，今日にいたるまで領土支配を基礎とした歴史が展開されることになるから。

・鉄製農具や牛耕がはじまったこと。理由は生産力が高まり，農業だけでなく，商工業も発達することになるから。

・諸子百家の出現。理由は，なかでも儒家や道家の思想は，日本や朝鮮などアジア全体に大きな影響を及ぼすことになったから。

2章2　中国古代帝国と東アジア(1) (p.14～15)

①始皇帝　②郡県制　③焚書坑儒

④万里の長城　⑤陳勝・呉広　⑥項羽
⑦劉邦　⑧長安　⑨郡国　⑩呉楚七国
⑪張騫　⑫西域　⑬南越　⑭塩・鉄・酒
⑮均輸・平準　⑯郷挙里選　⑰豪族　⑱外戚
⑲宦官　⑳王莽　㉑新

Check ❶　③

Check ❷　①青銅　②度量衡　③半両銭
④車軌

Check ❸

災害や重税などによって没落した多くの農民を奴隷や小作人として使用する豪族が台頭し，貧富の差が拡大して社会不安が増大した。

2章2　中国古代帝国と東アジア(2)　(p.16～17)

①赤眉の乱　②劉秀　③洛陽　④班超
⑤甘英　⑥党錮　⑦太平道　⑧黄巾の乱
⑨董仲舒　⑩五経博士　⑪儒学　⑫訓詁学
⑬紀伝　⑭司馬遷　⑮史記　⑯蔡倫
⑰楽浪郡　⑱弥生　⑲冊封

Point» ❶

秦は，法家思想にもとづく政治をおこなった。漢は当初，法家思想が統治思想として有力であったが，武帝以降，儒学が統治の基本理念となった。

Point» ❷　①水田稲作　②弥生　③楽浪
④光武帝　⑤冊封

Try

●秦

始皇帝は対外積極策をとった。北方では，匈奴を攻めてオルドス地方を奪取，万里の長城の修築・拡張によって匈奴の侵入を防いだ。南方は南海郡など3郡を設置し，北部ベトナムまで支配した。

●前漢

当初，匈奴に屈していたが，武帝が対外積極策を展開した。匈奴挟撃のために大月氏に張騫を派遣，さらに匈奴を攻撃して北方に追いやった。河西地方に4郡，朝鮮北部に楽浪郡など4郡を設置した。南方では日南郡など9郡を設置し中部ベトナムまで支配した。

●後漢

当初，対外消極策をとったが，のちに西域都護となった班超がタリム盆地を一時統治した。また班超は部下の甘英を大秦国に派遣するなどした。

2章3　中央ユーラシアの国家形成　(p.18～19)

①騎馬遊牧民　②草原　③オアシス
④スキタイ　⑤月氏　⑥匈奴　⑦冒頓単于
⑧大月氏　⑨ソグド　⑩鮮卑　⑪柔然
⑫氐　⑬羌　⑭高車　⑮エフタル　⑯突厥
⑰ウイグル　⑱吐蕃　⑲チベット　⑳南詔

Check

男女ともに唐の奴隷となり，唐風の名前に変えさせられて唐皇帝に服属した。そして，皇帝のために働き，遠征の際には出征させられた。

Try

匈奴は冒頓単于の時代に最盛期をむかえ，漢の高祖を破って，烏孫やタリム盆地を支配下におき，東西交易をおさえた。その後，モンゴル高原を支配した鮮卑は後漢をおびやかした。鮮卑に代わった柔然を滅ぼした突厥は，華北の北周・北斉を服属させた。分裂後の東突厥を破ったウイグルは唐を助けて安史の乱を鎮圧したのち，唐を屈服させた。

2章4　胡漢融合帝国の誕生(1)　(p.20～21)

①三国　②曹操　③晋　④司馬炎
⑤五胡十六国　⑥東晋　⑦九品中正　⑧門閥
⑨孝文帝　⑩均田制　⑪六朝　⑫南北朝
⑬清談　⑭仏図澄　⑮鳩摩羅什　⑯法顕
⑰寇謙之　⑱文選　⑲王羲之　⑳顧愷之

Check ❶

5世紀後半の孝文帝のときに，都が洛陽に移され，胡服の禁止などの漢化政策がすすめられたから。

Check ❷　①平城　②インド　③竜門

Point»

門閥貴族は，江南開発の中心となって大土地経営をおこない，支配階級となって隋・唐に続く貴族政治をうみだした。また，陶淵明や謝霊運らの詩，四六駢儷体の美文，書聖と称された王羲之，画聖と称された顧愷之らの芸術など，独特の貴族文化を開花させた。

2章4　胡漢融合帝国の誕生(2)　(p.22～23)

①楊堅　②科挙　③煬帝　④大運河
⑤李淵　⑥長安　⑦李世民　⑧貞観
⑨律令　⑩三省　⑪六部　⑫御史台

⑬均田制　⑭租庸調　⑮府兵　⑯ムスリム
⑰市舶司

Check ❶

政治の中心で畑作地域の華北と水田稲作地域の江南との結合を強化する目的で建設された。また，永済渠は高句麗遠征に利用する目的で建設された。

Check ❷　①中書　②門下　③尚書
④吏　⑤戸　⑥御史台

Check ❸　④

2章4　胡漢融合帝国の誕生(3)　(p.24～25)

①孔穎達　②五経正義　③玄奘　④義浄
⑤李白　⑥顔真卿　⑦唐三彩　⑧都護府
⑨羈縻　⑩冊封　⑪則天武后　⑫玄宗
⑬開元　⑭募兵制　⑮安禄山　⑯安史
⑰藩鎮　⑱両税法　⑲黄巣　⑳朱全忠

Check ❶　①聖書　②慈善　③安史

Check ❷

●共通点

東西・南北の街路で区画されており，正面に宮城(大内裏)がある。また，都城全体の各所に寺院が配置されている。さらに，長安城と平城京には，東西に市が配置されている。

●同じ構造をもつ理由

唐を中心とした国際秩序(冊封体制)が東アジアに広がるなかで，周辺諸国が唐のすぐれた文化や制度を模倣したから。

Check ❸

戸籍が乱れて実態と合わなくなったことや，重税のために逃亡して本籍地に居住する農民がわずかとなってしまったから。

2章4　胡漢融合帝国の誕生(4)　(p.26～27)

①高句麗　②広開土王　③百済　④新羅
⑤骨品制　⑥邪馬台国　⑦卑弥呼　⑧ヤマト
⑨遣隋使　⑩遣唐使　⑪白村江　⑫大宝律令
⑬平城京　⑭平安京　⑮天平　⑯渤海

Point»

唐は，東突厥と連携していた高句麗に対し，新羅を援助して連携することによって高句麗を倒そうとしたから。

Check　①高句麗　②新羅　③慶州
④薬師寺

Try

魏晋南北朝時代の文化は，仏教の発展，道教の成立，および貴族文化などにその特徴がある。唐代の文化は，これらの文化に外来文化が融合したところにその特徴がある。唐代は，仏教・道教に加えて儒教の三教が独自に発展し，さらにゾロアスター教など西方の宗教が伝来した。詩では，六朝時代に陶淵明や謝霊運らの詩人が活躍したが，唐代においては詩作が科挙の科目となったためにさかんとなり，李白や杜甫などの詩人が活躍した。

2章ACTIVE②　漢～唐代の国際関係 (p.28～29)

❶

STEP 1

異民族の君主を懐柔し，その侵入を防いだり，協力してもらうため。

STEP 2　①匈奴　②大月氏　③烏孫

❷

STEP 1

資料②では，倭の奴国は後漢に朝貢し，光武帝から印綬を受けている。また資料③では，永昌郡の国王たちの朝貢に対し，和帝が印綬や返礼品を与えている。このように中国の皇帝が周辺諸民族の首長に「王」の称号を示す印綬を与えたのは，のちに完成した冊封体制のはじまりと考えられる。

STEP 2

1　武帝時代まで：強大化した匈奴に対して公主を送って懐柔をはかった。
武帝の時代：烏孫を懐柔して匈奴を攻撃するなど，匈奴と敵対関係にあった。

2　後漢から匈奴に印が与えられていることから，後漢は匈奴の君主を服属させ，匈奴から朝貢を受けていたと考えられる。

❸

STEP 1　①煬帝　②対等な　③高句麗
④裴清

STEP 2

唐の皇帝は渤海の王に渤海郡王の称号と領土の継承を承認し，渤海を臣従させた。

STEP 3

渤海などの周辺諸国には爵位・官位を与えて冊封し，北方のウイグル・吐蕃など強国には公主を送るなどして兄弟あるいは婿・舅などになぞらえる関係をもった。また日本や東南アジアなどからは朝貢を受けるだけの関係を結んだ。こうした唐を中心とした国際秩序を冊封体制とよぶ。

❹

STEP 1

北魏では妻，奴婢，耕牛にも給田されていたが，人口増加によって土地が不足するようになったため，唐ではこれらへの給田はおこなわれなくなった。

STEP 2

共通点：北魏の均田制と同じく，奴婢や女性にも給田された。

相違点：班田収授法では口分田の受給対象に年齢上限がない。

Try

律令は日本・新羅などに伝わり，政治支配の基礎となる法体系をつくりあげた。

唐代の仏教は日本・新羅・渤海などに伝わり，日本では天平文化が，新羅でも仏国寺にみられる独自の仏教文化が形成された。　など

3章1　インド古典文化の形成（1）

（p.30～31）

①ウパニシャッド　②ジャイナ教
③ヴァルダマーナ　④仏教
⑤ガウタマ=シッダールタ　⑥チャンドラグプタ
⑦マウリヤ　⑧アショーカ　⑨仏典結集
⑩クシャーナ　⑪カニシカ　⑫大乗
⑬ガンダーラ　⑭サータヴァーハナ
⑮シンハラ　⑯上座

Check　④

Point≫　①虐殺　②ダルマ（法）　③石柱
④結集　⑤スリランカ

3章1　インド古典文化の形成（2）

（p.32～33）

①グプタ　②チャンドラグプタ２世
③ヒンドゥー　④マハーバーラタ
⑤ラーマーヤナ　⑥マヌ法典
⑦ナーランダー　⑧グプタ　⑨アジャンター
⑩ゼロ　⑪サンスクリット　⑫カーリダーサ
⑬ヴァルダナ　⑭ハルシャ=ヴァルダナ
⑮バクティ　⑯チョーラ　⑰ジャーティ

Check

●研究されていた学問

大乗仏教や部派仏教（小乗仏教）の教典，ヴェーダなどの書物，論理学，音韻学，薬学，数学などの学問。

●国王との関係

国王はナーランダー僧院を尊敬し，学徒の生活に必要なものを提供して厚く保護した。

Try

解答例

・仏教がすべての人の平等を唱えたので，低い身分の人々にも信仰が広がったから。

・アショーカ王が仏教に帰依して，厚く保護したから。また，その教えを磨崖や石柱などで広めたから。

・大乗仏教の菩薩信仰が，広く民衆の心をとらえたから。

3章2　古代の東南アジアと海のシルクロード

（p.34～35）

①海のシルクロード　②ドンソン　③銅鼓
④日南　⑤港市　⑥香薬　⑦扶南　⑧林邑
⑨チャンパー　⑩ピュー
⑪ドヴァーラヴァティー　⑫真臘
⑬シュリーヴィジャヤ　⑭シャイレーンドラ
⑮ボロブドゥール

Point≫

東西の海上交易路が東南アジアを通り，マラッカ海峡はその通過ルートに位置していて，陸上輸送を必要としないから。

Check

●ローマの金貨がみつかった理由

オケオは，海のシルクロードを通じてローマと交易をした扶南の外港であったから。

●ローマの金貨以外にみつかったもの

インドのヴィシュヌ神，後漢の鏡，中国南朝の仏像

Try

北ベトナムのドンソン文化は，中国の青銅器文化の影響を受けて独特の銅鼓などをうみだした。メコン川下流の扶南は，はじめ中国文化の影響を受けていたが，4世紀ごろからサンスクリット語や文字，ヒンドゥー教や仏教などのインド文化をとりいれた。シュリーヴィジャヤは交易国家として台頭し，唐の義浄がインド留学の帰国途上に長年滞在して経典の

翻訳に従事するなど大乗仏教の中心地として知られるようになった。

4章1　オリエントの統一　(p.36～37)

①アッシリア　②新バビロニア
③ネブカドネザル2世　④リディア
⑤メディア　⑥アケメネス　⑦キュロス2世
⑧ダレイオス1世　⑨ペルセポリス
⑩サトラップ　⑪王の目　⑫王の耳
⑬王の道　⑭ゾロアスター　⑮アフラ=マズダ
⑯アーリマン

Check

●資料から読みとれる支配の特徴
アケメネス朝がゾロアスター教(善神アフラ=マズダ)のもとに多くの国々を従えていたこと，異民族が王に服従していたことがわかる。
●支配を長く存続できた理由
アケメネス朝が異民族の法や宗教を尊重して寛容に扱い，商業民族であるフェニキア人やアラム人の貿易活動を保護していたから。

Try

●秦との共通点
中央集権的な支配が共通している。具体的には，秦が郡県制のもとで官僚を派遣したこととアケメネス朝が全国を州(サトラ)に分割し，サトラップを任命したことが共通している。
●唐との共通点
異民族に対する寛容な政策が共通している。具体的には，唐が服属した異民族に対して，その地の首長に実際の統治を任せるという羈縻政策をとったことと，アケメネス朝が異民族の法や宗教を尊重して寛容に扱ったことが共通している。

4章2　ギリシア文明(1)　(p.38～39)

①クレタ　②ミケーネ　③集住　④ポリス
⑤アクロポリス　⑥アゴラ　⑦植民
⑧ヘレネス　⑨バルバロイ　⑩市民　⑪奴隷
⑫重装　⑬ソロン　⑭財産政治　⑮僭主
⑯ペイシストラトス　⑰クレイステネス
⑱陶片追放　⑲ヘイロータイ　⑳ペリオイコイ

Check ❶

写真2から，クレタ文明が開放的で平和な海洋文明であると考えられるが，写真4の堅牢な城塞から，ミケーネ文明はクレタ文明と違って軍事的な性格をもっていたと考えられる。

Check ❷　①密集　②盾　③槍　④自費
⑤民主

Point»

リュクルゴス制とよばれる体制のもとで，スパルタ市民が生産労働から離れて強力な軍事力の維持に努めたから。具体的には，少年期から軍事訓練をおこない，厳格な規律のもとに集団生活を営んで結束を強化した。また，貨幣経済を排除するとともにきびしい鎖国政策をとって貧富の差の拡大を防止した。

4章2　ギリシア文明(2)　(p.40～41)

①マラトン　②サラミス　③テミストクレス
④デロス　⑤ペリクレス　⑥直接　⑦民会
⑧フィリッポス2世　⑨カイロネイア
⑩ホメロス　⑪ヘシオドス　⑫自然哲学
⑬ソフィスト　⑭ソクラテス　⑮プラトン
⑯アリストテレス　⑰ヘロドトス
⑱トゥキュディデス　⑲パルテノン
⑳フェイディアス

Check

少数者のためでなく多数者の公平のためにおこなわれる政治，すべての人に平等な発言が認められる政治を理想とした。しかし，無差別な平等ではなく，貧しさを理由に道が閉ざされることなく，能力に応じて地位が与えられる社会を求めた。

Point»

ペロポネソス戦争前は市民からなる重装歩兵軍が主力だったが，ペロポネソス戦争後は傭兵や軽装兵の使用が広まった。

Try

<解答例>アテネでは成年男性市民がすべて参加可能な民会で決定する直接民主政だったが，現代の民主政の多くは選挙で議員を選出する間接民主政である。この違いの理由は，人口の規模が現代の方がはるかに大きく，直接民主政をおこなうことが困難だからである。

4章3　ヘレニズム時代　(p.42～43)

①アレクサンドロス　②アンティゴノス
③セレウコス　④プトレマイオス
⑤アレクサンドリア　⑥ヘレニズム

⑦コイネー　⑧ムセイオン　⑨エウクレイデス
⑩アルキメデス　⑪エラトステネス
⑫アリスタルコス　⑬世界市民　⑭ストア
⑮エピクロス

Check ①ポンペイ　②モザイク　③東方
④アケメネス　⑤イッソス

Try

解答例

・エウクレイデスの平面幾何学。近現代につながる自然科学発展の基礎となった数学の大原則を打ち立てたから。

・ムセイオンの設立。アリストテレスなどの古代ギリシア哲学が，イスラーム世界を経て西ヨーロッパに伝えられキリスト教神学に影響を及ぼしたから。また，ムセイオンで研究された科学が，近代ヨーロッパで発展する諸科学に大きな影響を及ぼしたから。

・ヘレニズムの美術様式。西アジアからインドに伝わり，東アジアの仏教美術にも大きな影響を及ぼしたから。

4章4　ローマ帝国(1)　(p.44～45)

①エトルリア　②パトリキ　③プレブス
④コンスル　⑤元老院　⑥ディクタトル
⑦護民官　⑧平民会　⑨十二表法
⑩リキニウス=セクスティウス
⑪ホルテンシウス　⑫ノビレス　⑬ローマ市民
⑭ポエニ　⑮カルタゴ　⑯ハンニバル
⑰ラティフンディア　⑱グラックス　⑲閥族
⑳平民　㉑スパルタクス

Point»

アテネでは参政権の拡大が進み，成年男性市民全員が参政権をもつ民主政がうまれた。ローマにおいても平民の政治参加が拡大したが，上層の平民が新しい貴族(ノビレス)となって旧来の貴族とともに実権をにぎるようになったため貴族支配が続くことになった。

Check ❶ ①フェニキア　②カルタゴ
③シチリア　④属州　⑤ハンニバル
⑥アルプス　⑦カンネー　⑧スキピオ
⑨ザマ

Check ❷

戦争で敗れて捕虜となった人々。

4章4　ローマ帝国(2)　(p.46～47)

①クラッスス　②ポンペイウス
③アントニウス　④クレオパトラ
⑤アクティウム　⑥元首政　⑦アウグストゥス
⑧帝政　⑨パクス=ロマーナ　⑩トラヤヌス
⑪イエス　⑫ペテロ　⑬パウロ　⑭新約
⑮軍人皇帝　⑯ディオクレティアヌス
⑰専制君主政　⑱コンスタンティヌス
⑲コロナトゥス　⑳コンスタンティノープル

Check ❶ ①ポエニ　②ガリア
③プトレマイオス　④アクティウム
⑤トラヤヌス　⑥パリ　⑦ロンドン
⑧ケルン

Check ❷

ローマ社会においては，奴隷であっても主人に気に入られて解放されると，商業を通じて裕福になる可能性があった。

Point»

ローマの支配下にあったユダヤ人は一神教を守って暮らしていたが，ユダヤ教の教義が複雑化し，貧富の差が拡大していた。また，ユダヤ教の律法主義や祭司たちの堕落がイエスの批判の対象となった。

4章4　ローマ帝国(3)　(p.48～49)

①ミラノ　②ニケーア　③アタナシウス
④アリウス　⑤テオドシウス
⑥アウグスティヌス　⑦教父　⑧エフェソス
⑨ネストリウス　⑩カルケドン　⑪三位一体
⑫単性　⑬オドアケル　⑭ビザンツ
⑮ユスティニアヌス　⑯コロッセウム
⑰ローマ法大全　⑱プルタルコス
⑲ウェルギリウス　⑳タキトゥス

Point»

キリスト教が公認され国教とされるなかで，解釈が多様化していたキリスト教の教義を統一する目的で開かれた。

Check

ローマ帝国の支配下におかれた人々は，ローマ帝国による平和な社会の実現を肯定的に受け止め，みずからローマの文化を吸収して身につけていこうとした。タキトゥスはこの状況について，ローマの支配は人々の生活を堕落させ，奴隷状態と同じであると批判した。

Try

解答例

・自営農民を中心とした強力な軍隊の存在。ポエニ戦争までの領土拡張は，自営農民を中心とした強力な軍事力によるものであったと考えられるから。

・ローマ法による支配が大帝国建設の要因として考えられる。法による支配によって政治が安定し，さらにローマ市民権を拡大することによって財政を維持するとともに，法による安定した支配を大きな領土全体に広げることができたから。

4章5　西アジアの国々と諸宗教（p.50～51）

①バクトリア　②パルティア　③アルサケス
④クテシフォン　⑤ササン
⑥アルダシール1世　⑦シャープール1世
⑧ウァレリアヌス　⑨エフタル
⑩ホスロー1世　⑪ゾロアスター
⑫アヴェスター　⑬マニ　⑭アクスム
⑮ニハーヴァンド

Check　①パルティア　②アルダシール1世
③クシャーナ　④ウァレリアヌス

Try

東西を結ぶ通商路をおさえており，東西文化の交流という役割をはたした。具体的には，パルティア時代にヘレニズム文化が西アジアから中央アジアに広まったり，ササン朝時代にローマで異端とされたネストリウス派キリスト教が中国へも伝わったりした。また，ササン朝で弾圧されたマニ教は，ローマ帝国や中国に伝わった。さらに，ギリシアやインドの文化的影響を受けつつ成熟したペルシアの文化が，中国から日本にも伝来した。

4章　1～2世紀の世界　ユーラシア東西でつながる交易路　(p.52～53)

» インド洋（アラビア海）を渡る航海

Check

1　季節風（モンスーン）

2　季節によって向きが変わる風。インド洋の赤道以北では夏に南西から，冬に北東からの風が吹く。

» 海路と陸路の交易の比較

Check ❶　A　船　B　ラクダ

Check ❷

1　多量の貨幣，ペリドット，純正品の衣服少々，錦，珊瑚，加工用ガラス，銅，錫，鉛

2　香油，オリーブ油，小麦，葡萄酒，藁などの牧草

3　資料⑤

4　資料④

5　日常生活に欠かせない食料や物資である。よってそれらは遠隔地でなく近郊で獲得できるのが望ましい。

» 東西をつないだ金貨

Check ❶

オアシスの道や西北インドの海港をおさえて東西交易で栄えた。

Check ❷

1　①アウグストゥス　②ローマ帝国

2　①インド　②ローマ帝国との交易

» 大秦国と後漢の通交

Check ❶

1　班超

2　パルティア

3　①東西交易路をおさえる
②通交しようとした　③船乗り　④地中海
⑤後漢　⑥大秦国　⑦後漢　⑧ローマ帝国

Check ❷

1　①ローマ帝国
②マルクス=アウレリウス=アントニヌス帝

2　略

Check ❸

朝貢とは中国皇帝のもとへ周辺諸国の首長が使節を派遣することで，貢ぎ物と皇帝からの回賜が交換されるものである。

Try

ユーラシアの東西で後漢とローマ帝国という政治的に安定した帝国が成立していた。また，インド洋の東西を海路の交易ルートが結んだことで遠距離交易が可能となった。3世紀になると中国で後漢が滅亡して三国時代となり，「安息」に代わってササン朝ペルシアが成立してクシャーナ朝を圧迫するなど，ユーラシアの東西を結ぶ陸路は政治的に不安定となるため，海路のほうが発展していくと考えられる。

5章1　ビザンツ帝国とギリシア正教圏 (p.54～55)

①ビザンツ　②ユスティニアヌス
③ハギア=ソフィア　④ローマ法大全

⑤ヘラクレイオス1世　⑥軍管区制
⑦プロノイア　⑧キリル　⑨イコン
⑩西スラヴ　⑪南スラヴ　⑫セルビア
⑬東スラヴ　⑭ブルガリア
⑮ウラディミル1世　⑯モスクワ
⑰イヴァン3世　⑱ツァーリ

Check　①ユスティニアヌス　②ビザンツ
③モザイク　④オスマン

Point»
東方からのササン朝ペルシアやアヴァール人の侵入によって圧迫され，さらに新興のイスラーム勢力が台頭して領土縮小を余儀なくされたこと。

Try
解答例
・中心都市であるコンスタンティノープルが，ヨーロッパとアジアを結ぶ交易の要に位置しており，経済的な豊かさを維持することができたから。
・皇帝が，ギリシア正教を中心に据えた宗教政策をおこない，バルカン半島への布教活動によって帝国の勢力を維持したから。

5章2　ラテン=カトリック圏の形成と展開(1)　(p.56～57)

①民会　②ケルト　③フン　④東ゴート
⑤西ゴート　⑥ヴァンダル　⑦フランク
⑧メロヴィング　⑨クローヴィス
⑩カール=マルテル
⑪トゥール・ポワティエ間　⑫ピピン
⑬カロリング　⑭ローマ教皇
⑮ローマ=カトリック　⑯ベネディクトゥス
⑰グレゴリウス1世　⑱修道院　⑲レオン3世
⑳聖画像禁止令

Check ①　①アングロ=サクソン
②フランク　③西ゴート　④ヴァンダル
⑤ブルグンド　⑥東ゴート

Check ②　①メロヴィング　②アリウス
③ローマ　④アタナシウス

5章2　ラテン=カトリック圏の形成と展開(2)　(p.58～59)

①カロリング=ルネサンス　②レオ3世
③ヴェルダン　④メルセン　⑤オットー1世
⑥神聖ローマ　⑦カペー　⑧アルフレッド
⑨イングランド　⑩クヌート　⑪ノヴゴロド
⑫キエフ　⑬ノルマンディー
⑭ウィリアム1世　⑮シチリア　⑯従士
⑰恩貸地　⑱領主裁判　⑲不輸不入
⑳十分の一

Point»
フランク人の移動は，他のゲルマン人諸部族と異なり，移動距離が短く現住地から拡大する形をとった。そして，クローヴィスのアタナシウス派への改宗により，先住のローマ人貴族と対立することなく支配層にとりこむことができ，政治的保護者を求めていたローマ教会との結びつきを強めることができた。以上の理由でフランク王国は発展することができた。

Check
領主(僧院)の直営地における賦役。

Try
解答例
・ローマ教会が，クローヴィスの改宗やピピンの寄進，カールの戴冠を通じてフランク王国と結びつきを強めたことと，ローマ教会の権威を背景に世俗の支配権力が正当化されたから。
・修道院の布教活動が熱心におこなわれたことと，ゲルマン諸部族をカトリックに改宗させることに成功し，西ヨーロッパにおけるローマ教会と教皇の指導力が強まったから。
・各荘園に教会がたてられ，また教会や修道院も荘園を経営したことと，十分の一税を徴収するなど，封建社会のしくみに入り込む形で，人口の多数を占める農民の支配にローマ教会が深く関与したから。

5章3　イスラーム圏の成立(1)　(p.60～61)

①アラブ　②カーバ　③メディナ
④アッラー　⑤預言者　⑥ヒジュラ
⑦ムスリム　⑧ウンマ　⑨クルアーン
⑩シャリーア　⑪ウラマー　⑫正統カリフ
⑬ウマイヤ　⑭アリー　⑮ムアーウィヤ
⑯シーア　⑰トゥール・ポワティエ間
⑱ジズヤ　⑲ハラージュ

Point»
正統カリフ時代のカリフは，ウンマの合意を得てカリフ位に就任したが，ウマイヤ朝のカリフ位は世襲された。

Check ①　④

Check ❷ ①メディナ　②ビザンツ
③ニハーヴァンド　④ダマスクス　⑤西ゴート
⑥ピレネー　⑦トゥール・ポワティエ間

5章3　イスラーム圏の成立(2)　(p.62〜63)

①アッバース　②マワーリー　③マンスール
④バグダード　⑤ハールーン=アッラシード
⑥イスラーム帝国　⑦モスク　⑧スーク
⑨キャラヴァンサライ　⑩カナート　⑪製紙
⑫固有　⑬外来　⑭フワーリズミー
⑮千夜一夜物語

Check ①アッバース　②マンスール
③ティグリス　④100　⑤ギリシア

Try

解答例

・正統カリフ時代からウマイヤ朝時代において，被征服民はジズヤやハラージュをおさめさえすれば，生命・財産の安全や従来の信仰が認められたから。

・アッバース朝時代にムスリムの平等が実現されたので，被征服者の間にイスラームが受容されたから。

・イスラームの征服活動が，ジハードというイスラームの信仰に根ざした形でおこなわれたから。

5章　8世紀の世界　多様な人々が交錯する諸地域・諸都市　(p.64〜65)

» 三つの勢力が鼎立する地中海周辺

Check ❶

①偶像崇拝を禁じるイスラーム圏に近接していたため。

②ゲルマン人教化のために聖画像を用いるローマ=カトリック教会と対立していたため。

Check ❷

1　南部にビザンツ帝国の領地があり，北部にフランク王国があった。

2　東部にビザンツ帝国，アフリカからイベリア半島までイスラーム勢力が進出していた。また西ヨーロッパではフランク王国が台頭していた。

Check ❸

フランク王国のカールがローマ教皇から戴冠されたことで，西ローマ帝国が理念的に復活してビザンツ帝国と対抗するかたちとなった。また，西ヨーロッパの基礎となる領域を支配し，ラテン=カトリック圏をまとめるキリスト教国家の誕生となった。

» 円城都市バグダードの建設と繁栄

Check ❶

王(カリフ)が中央に座したときに，ある特定の場所が他の場所よりも王の近くにならないようにするため。

Check ❷

1　遠く中国からインド洋・ティグリス川を経由して物品が集まり，またジャジーラやアルメニアなどからも食糧がもたらされたから。

2　①官僚が多い　②軍人が多い

» 人口100万の国際都市−長安

Check ❶

1　イラン系ソグド人。東西交易の中継商人として活躍した。

2　音楽や曲芸などの文化，絨毯などの織物など。

Check ❷

唐は安史の乱の鎮圧のためにウイグル軍の力を借りた。それ以降，たびたびウイグルが唐に侵入するようになった。

» 海域世界とつながる広州

Check ❶ A　ヒンドゥー　B　インド

Check ❷

海上貿易を管理する役所である市舶司を港湾都市の広州においた。一方で，遠方の国々とは不定期の朝貢のみの関係にとどめた。

Try

1　①ローマ=カトリック教会
②ギリシア正教会　③イスラーム
④ヒンドゥー教　⑤仏教・儒教・道教

2　ヨーロッパではローマ=カトリック教会がフランク王国と提携して，ビザンツ帝国下のギリシア正教会と対抗するようになった。西アジアから北アフリカにかけてはウマイヤ朝・アッバース朝のもとでイスラームが拡大・定着した。北インドではヒンドゥー国家が分立するなかで，仏教にかわってヒンドゥー教が定着していき，仏教は唐代の中国で，儒教・道教とともに国家の保護を　受けた隆盛をみた。その結果，唐を中心に仏教・儒教が受容され，東アジアの国際秩序が形成された。

6章1　イスラーム圏の多極化と展開(1)　(p.66〜67)

①後ウマイヤ　②アミール　③コルドバ

④サーマーン　⑤カラ=ハン　⑥マムルーク
⑦ブワイフ　⑧イクター　⑨ファーティマ
⑩カイロ　⑪ペルシア湾　⑫紅海
⑬セルジューク　⑭スルタン
⑮ホラズム=シャー　⑯イル=ハン
⑰ガザン=ハン

Check ①後ウマイヤ朝　②ファーティマ朝
③アッバース朝　④ブワイフ朝
⑤サーマーン朝　⑥カラ=ハン朝

Point»

●共通点
両王朝の共通点は，アッバース朝のカリフ位を存続させたまま政治的実権を掌握したことと，イクター制を採用したことである。

●相違点
ブワイフ朝がイラン系のシーア派であるのに対し，セルジューク朝はトルコ系のスンナ派である。また，ブワイフ朝はアッバース朝から大アミールに任じられたが，セルジューク朝はスルタンの称号が認められた。

6章1　イスラーム圏の多極化と展開(2)
(p.68〜69)

①アイユーブ　②サラディン　③マムルーク
④ムラービト　⑤ベルベル　⑥ムワッヒド
⑦ナスル　⑧ガズナ　⑨ゴール
⑩デリー=スルタン　⑪奴隷　⑫クシュ
⑬メロエ　⑭アクスム　⑮ガーナ　⑯マリ
⑰ソンガイ　⑱トンブクトゥ　⑲スワヒリ
⑳モノモタパ

Check ❶ ②

Check ❷ ①グラナダ　②ナスル
③レコンキスタ　④ムワッヒド

Check ❸
マリ国王が右手にもっているものは金塊である。金の産地を支配したマリ王国が，地中海の物資や岩塩をもたらすムスリム商人と交易をおこなっていたことが描かれている。

6章1　イスラーム圏の多極化と展開(3)
(p.70〜71)

①ミナレット　②アラベスク
③ミニアチュール　④マドラサ　⑤ワクフ
⑥イブン=バットゥータ　⑦大旅行記
⑧イブン=ハルドゥーン　⑨歴史序説
⑩スーフィズム　⑪スーフィー　⑫ガザーリー
⑬イブン=シーナー　⑭医学典範
⑮イブン=ルシュド　⑯シャー=ナーメ
⑰ウマル=ハイヤーム　⑱ルバイヤート

Check
ワクフは，巡礼できない人にその費用を与えたり，嫁入り支度ができない家族に代わってその娘を嫁がせたり，旅行者に食べるものや着るもの，故国への運送費用を与えたりする。また，道路の改善や舗道設置をするためのワクフもある。

Point» ①トレド　②シチリア
③イブン=シーナー　④ラテン
⑤アリストテレス　⑥スコラ

Try
解答例
・トルコ系民族のイスラーム化。イスラーム化したトルコ系民族がアナトリアに西進し，ヨーロッパを脅かしたことがきっかけとなり十字軍遠征がはじまったから。
・アッバース朝時代のバグダードで，組織的にギリシア語文献がアラビア語に翻訳されたこと。古代ギリシアのアリストテレス哲学や諸科学がのちにヨーロッパに伝えられ，ヨーロッパ近代の諸学問の発展を準備したから。

6章2　ラテン=カトリック圏の拡大(1)
(p.72〜73)

①三圃制　②定期　③貨幣　④地中海
⑤毛織物　⑥北海・バルト海　⑦フランドル
⑧シャンパーニュ　⑨自治都市
⑩ロンバルディア　⑪ハンザ　⑫フッガー
⑬メディチ　⑭商人ギルド　⑮同職ギルド

Check
●荘園の中心にあるもの
教会，領主の館，農民の家
●耕地の特徴
細長く，垣根がない。また，春耕地・秋耕地・休耕地にわかれている。
●農業生産力が高まった理由
三圃制農法をおこなうとともに，重量有輪犂を使って深く耕すことができたから。

Point

●商人ギルド

相互扶助と市場の独占を目的とした。また，自分たちの力で都市を運営しようとした。

●同職ギルド(ツンフト)

商品の製造方法・品質・価格などを統制し市場の独占を目的とした。商人層と抗争して，都市の統治にかかわろうとした。

6章2　ラテン=カトリック圏の拡大(2)　(p.74〜75)

①クリュニー　②グレゴリウス7世
③ハインリヒ4世　④カノッサ　⑤ヴォルムス
⑥インノケンティウス3世　⑦シトー　⑧托鉢
⑨ウルバヌス2世　⑩クレルモン　⑪第1回
⑫イェルサレム　⑬第4回　⑭ラテン
⑮レコンキスタ　⑯アルビジョワ

Point

ラテン=カトリック圏の拡大に寄与した。具体的には，森林や荒れ地の開墾運動がすすめられ，エルベ川以東の東方植民へとつながっていった。また，托鉢修道会により，都市民への説教がおこなわれ，異端に対する布教もおこなわれた。

Check　①神聖ローマ　②アイユーブ
③イェルサレム　④聖地巡礼　⑤シチリア

Try

解答例

・成功した。理由は，教皇のもとに派遣された十字軍は聖地奪回を実現できなかったが，王権が伸張し，遠隔地商業がさかんになったことで，長い目で見れば西ヨーロッパの勢力が世界に拡張することにつながったといえるから。

・失敗した。理由は，聖地を奪回することができず，提唱した教皇の権威が失墜したから。

6章ACTIVE③　キリスト教圏とイスラーム圏ー「衝突」と「交流」　(p.76〜77)

❶

STEP 1

1　「怒り」の理由：自分たちがパレスチナで粗末に扱われていることに気づきはじめた。絶えずちょっとした屈辱感を嘗めさせられたり，嫌がらせを受けたりして，二流の存在と感じさせられていた。

「羨望」の理由：豪壮な邸宅，庶民までもが身につけていた絹やサテンの衣服，

2　①聖地　②異教徒　③領地　④屈辱
⑤羨望　⑥異民族(トゥルクマーン勢力)

STEP 2　①聖地　②災難　③文明

STEP 3　①スンナ　②シーア
③ファーティマ

STEP 4

1　①小アジア　②シリア

2　ビザンツにとっての敵であるセルジューク朝は，ファーティマ朝にとっても敵であり，ビザンツの要請で到着した十字軍が小アジアを攻撃することで，セルジューク朝の勢力が弱まり，自分たちが再びシリアに勢力を伸ばせると考えたから。

❷

STEP 1　①アラビア　②ギリシア
③12世紀のアラブ風の人

STEP 2

①科学は神が創造した宇宙の摂理を探求する

②科学者

③宗教界の信条のもと，科学に対して強制される考え方，またはそのような制度。

STEP 3

(a)　①ビザンツ帝国　②バグダード
(b)　①トレド　②シチリア島

Try

キリスト教圏とイスラーム圏の体感的距離が短くなる。遠隔地交易がさかんとなり，人や物の往来が飛躍的に増加し，アレクサンドリアなどの都市が発展，地中海を中心とした交流が発展。西欧キリスト教圏では君主の権威が高まり，諸侯は疲弊した。ラテン=カトリック圏の拡大。　など

6章3　ラテン=カトリック圏の動揺と秩序の変容(1)　(p.78〜79)

①黒死病　②ジャックリー
③ワット=タイラー　④ヨーマン　⑤独立自営
⑥フィリップ4世　⑦ボニファティウス8世
⑧アヴィニョン　⑨教会大分裂　⑩ウィクリフ
⑪フス　⑫コンスタンツ　⑬プランタジネット
⑭ジョン　⑮マグナ=カルタ
⑯シモン=ド=モンフォール　⑰模範
⑱貴族院　⑲庶民院　⑳ジェントリ
㉑カタリ派　㉒三部会

Check ❶
骸骨の足元にいる人々は，国王や聖職者，貴族である。黒死病の流行を，神の怒りの結果であると考え，神の赦しを懇願しているように描かれている。

Check ❷
ユダヤ人が高利貸しで利益をあげ，人々を苦しめていると考えたから。

Check ❸
聖職者と貴族の会議の同意のことを意味している。

6章3 ラテン=カトリック圏の動揺と秩序の変容(2) (p.80～81)

①ヴァロワ ②エドワード3世 ③フランドル
④シャルル7世 ⑤ジャンヌ=ダルク ⑥バラ
⑦ヘンリ7世 ⑧テューダー
⑨大空位時代 ⑩金印勅書 ⑪七選帝侯
⑫ハプスブルク ⑬スイス ⑭イタリア
⑮ハンガリー ⑯東方植民 ⑰カルマル
⑱ヤギェウォ朝リトアニア=ポーランド
⑲レコンキスタ

Point» ①
フランスでは，諸侯や騎士が没落して，王権が官僚制，常備軍，租税制度を整備して集権化をすすめた。イングランドは，百年戦争後のバラ戦争で混乱したが，その後，王権が強化された。両国ともに，領土がほぼ確定し，王権のもとに中央集権体制が整えられて，主権国家へと移行していくことになった。

Point» ②
神聖ローマ皇帝が，一貫してイタリア政策を続けた結果，ドイツは領邦や帝国都市が独立性を保ち続けることになった。また，イタリアでは，皇帝派(ギベリン)と教皇派(ゲルフ)の抗争がくりかえされ，自律性の高い都市国家があらわれた。このように，ドイツ，イタリアはともに統一的な主権国家の形成が遅れることになった。

Check ①サンティアゴ=デ=コンポステラ
②カスティリャ ③コルドバ ④スペイン
⑤グラナダ

6章3 ラテン=カトリック圏の動揺と秩序の変容(3) (p.82～83)

①カロリング ②12世紀 ③トレド
④パレルモ ⑤ラテン ⑥スコラ ⑦神学
⑧普遍 ⑨トマス=アクィナス
⑩ウィリアム=オブ=オッカム
⑪ロジャー=ベーコン ⑫ボローニャ
⑬ロマネスク ⑭ゴシック ⑮ステンドグラス
⑯騎士道

Point»
イスラーム圏で，アリストテレス哲学などのギリシアの古典や，医学などの自然科学が研究されており，イベリア半島やシチリア島などにおけるアラビア語からラテン語への翻訳活動を通じて，それらがヨーロッパにもたらされたことが背景である。

Check
●ピサ大聖堂
建築様式はロマネスク様式である。半円状のアーチと重厚な石壁，小窓が特徴である。
●シャルトル大聖堂
建築様式はゴシック様式である。尖塔とステンドグラスによる窓が特徴である。

Try
官僚制，常備軍，租税制度の整備による財政基盤の強化などによって，王権を中心とした中央集権体制がととのえられたこと。

7章1 中央ユーラシア諸民族と東アジアの変容(1) (p.84～85)

①トルキスタン ②五代十国 ③高麗
④大理 ⑤大越 ⑥耶律阿保機
⑦燕雲十六州 ⑧澶淵の盟 ⑨二重統治
⑩タングート ⑪趙匡胤 ⑫開封 ⑬文治
⑭殿試 ⑮形勢戸 ⑯佃戸 ⑰官戸
⑱王安石 ⑲新法 ⑳司馬光

Check
契丹(遼)からみて，燕雲十六州は万里の長城の南側に位置する。

Point» ① ①門閥 ②江南 ③契丹
④高麗 ⑤大理 ⑥大越

Point» ②
●理由
唐末以来の軍人優位の風潮をおさえ，安定した長期的な権力をつくろうとした。
●弊害
軍事的に弱体化し，契丹や西夏の侵入に苦しめられ，毎年多額の銀や絹を贈ることを条件とした和議を結ぶことになった。また，文人官僚が多くなり，人件費が国家財政を圧迫した。

7章1　中央ユーラシア諸民族と東アジアの変容(2)　(p.86～87)

①完顔阿骨打　②女真　③カラ=キタイ　④靖康　⑤猛安・謀克　⑥臨安　⑦秦檜　⑧岳飛　⑨景徳鎮　⑩市　⑪草市　⑫鎮　⑬行　⑭作　⑮交子　⑯会子　⑰羅針盤　⑱明州　⑲泉州　⑳広州

Point»

自民族には部族制，農耕民(漢人)には州県制を適用して支配したこと。

Check ❶

多くの人々が集まり，活発に取引している様子が描かれている。また，物資の輸送には，天秤棒だけでなく，馬やラクダが利用されており，遠隔地との商取引がおこなわれていることがうかがえる。

Check ❷

南宋のジャンク船は，大きな船では500～600人が乗船できる大型のものが建造されるようになった。また，内部が隔壁により区切られていて頑丈なつくりとなっている。さらに，精密な羅針盤を使用して，悪天候においてもより安全に航海できるようになった。

7章1　中央ユーラシア諸民族と東アジアの変容(3)　(p.88～89)

①宋学　②周敦頤　③朱熹　④朱子学　⑤陸九淵　⑥全真教　⑦資治通鑑　⑧欧陽脩　⑨蘇軾　⑩院体画　⑪文人画　⑫青磁　⑬白磁　⑭木版　⑮火薬　⑯両班　⑰大蔵経　⑱金属　⑲国風　⑳鎌倉

Point»

貴族にかわって，儒学や詩文の教養を身につけた士大夫が文化の担い手となり，儒学者によって内面的で深い思索がなされた。

Check　①靖康　②徽宗　③院体　④文人

Try

宋は，節度使を廃して文人官僚を重用する文治主義を採用した。文人官僚を輩出したのは，新興地主層の形勢戸である。官僚の家は官戸とよばれ，地主や大商人の子弟が士大夫として地域社会の指導者層となった。また，商業の発展が都市の繁栄をうながし，庶民も文化の担い手となった。士大夫や庶民による宋の文化は，内面的・実用的・庶民的な特徴をもつ。

7章2　モンゴル帝国の成立(1)　(p.90～91)

①サーマーン　②カラ=ハン　③セルジューク　④チンギス=ハン　⑤大モンゴル国　⑥モンゴル帝国　⑦オゴタイ　⑧カラコルム　⑨バトゥ　⑩ワールシュタット　⑪キプチャク=ハン　⑫チャガタイ=ハン　⑬モンケ　⑭フラグ　⑮イル=ハン　⑯フビライ　⑰大都　⑱色目人　⑲漢人　⑳南人

Point» ❶

●キプチャク=ハン国

チンギスの長男ジュチ家のバトゥの西征により，キエフ公国などを従属させて，ロシア南部に成立させた。

●チャガタイ=ハン国

チンギスの次男チャガタイの一族が，中央アジアを広くおさえて，国の基をつくった。

●イル=ハン国

第4代大ハンのモンケの弟フラグが西アジアに遠征し，バグダードを占領してアッバース朝を滅ぼし，イランを中心に建国した。

Point» ❷

実力主義による支配が元の中国支配の特徴である。チンギス家への忠誠心と実務能力をもつ騎馬集団のモンゴル人が支配の中核を担った。さらに，中央アジア・西アジア出身の色目人が重用され，礼儀や道徳を説く儒学は重視されなかった。金の支配下にあった漢人や旧南宋支配下の住民である南人は従属的な立場であったが，能力があれば登用されることもあった。

7章2　モンゴル帝国の成立(2)　(p.92～93)

①パスパ　②モンゴル襲来　③駅伝制　④銀　⑤交鈔　⑥プラノ=カルピニ　⑦ルブルック　⑧モンテ=コルヴィノ　⑨マルコ=ポーロ　⑩イブン=バットゥータ　⑪杭州　⑫明州　⑬泉州　⑭広州　⑮海運　⑯授時暦

⑰ミニアチュール　⑱元曲

Point

モンゴル帝国は，諸ハン国にわかれたもののゆるやかなまとまりを保ち，駅伝制を整備するなど交通路の充実と安全に力をそそいだ。また，銀をおもな通貨として，陸上，海上ともに商業活動が広域で活発におこなわれた。さらに，モンゴル帝国は，支配が安定すると各地の宗教・文化に寛容な態度をとったことも交流がさかんになった要因として考えられる。

Check

ルブルックは，モンゴル人にキリスト教を布教し，十字軍におけるイスラームとの戦いにモンゴル帝国の協力を得ることができるかどうかを探る目的で派遣されたと考えられる。

Try

解答例

・駅伝制の整備。理由は，東西交通路が充実し，その安全が確保されたので交易も活発となってユーラシア大陸の一体化が進んだと考えられるから。

・銀の流通。銀は古代から広範囲で主要な通貨として流通しており，ユーラシア大陸を広く支配したモンゴル帝国が銀をおもな通貨として流通させたことにより，ユーラシア大陸全体の経済的な交流が促進されることにつながったから。

7章　13世紀の世界　モンゴルの衝撃と東西交流　(p.94～95)

ヨーロッパ

Check ❶

1　バトゥの兄

2　①多数のモンゴルの兵士が混乱させられ，戦闘で殺された。

②ポーランド人は互いに妬み合い，モンゴル人に殺害された。

3　モンゴル人はこの戦いでヨーロッパ側を圧倒したわけではない。この戦いにバトゥはいなかったので，モンゴルの軍は主力ではなかった。よって，特筆すべき戦いでないと思われる。

Check ❷

ローマ教皇は修道士プラノ=カルピニをカラコルムに送って，モンゴルの内情をさぐろうとした。

西アジア

Check ❶　アッバース朝

Check ❷

1　①マムルーク朝

2　②カイロ

東南アジア

Check ❶

大越(陳朝)，チャンパー，シンガサリ朝，パガン朝

Check ❷

〔解答例〕①陳朝　②3度の元寇を撃退した。

③チャンパー　④元寇を撃退した。

⑤シンガサリ朝　⑥元寇を受け，元軍を撃退したが，新たにマジャパヒト朝が成立した。

⑦パガン朝　⑧元寇によって弱体化し，やがて滅亡した。

東アジア

Check

1　モンゴル人に加え，高麗の人々が中心であった。

2　モンゴル人・高麗人に加え，南人も加担していた。

ユーラシアの東西交流

Check ❶

1　『世界の記述(東方見聞録)』

2　マルコ=ポーロ

Check ❷

駅伝制において，主要道路におかれた駅站で馬や食糧を提供してもらえる通行証として使われた。

Check ❸

1　ヒトの交流

ローマ教皇の使節モンテ=コルヴィノが中国最初の大司教となった。ヴェネツィア出身の商人マルコ=ポーロやモロッコ出身の旅行家イブン=バットゥータが元を訪れた。

2　モノの交流

イスラーム諸国から天文学が伝わり，郭守敬は授時暦をつくった。イランのコバルト顔料を用いた磁器(染付)が元で生産された。中国から西方へは中国画の技法が伝わった。宋以来の火薬・羅針盤・印刷術などがイスラーム諸国を介してヨーロッパに伝わった。

3　諸文化の融合

色目人を通じて中国にイスラームが流入し，漢人との通婚を経て回民(のち回族)とよばれる人々が形成された。中国画に影響されたミニアチュール(細密画)がイスラーム圏で花開いた。

Try

1　日本

元の襲来に対する恩賞不足による武士の不満を背景に，鎌倉幕府が滅亡し，南北朝の動乱のさなかに足利尊氏が室町幕府を開いた。

2　中国

元の支配下の中国で紅巾の乱がおこり，朱元璋が明を建国して，元の残存勢力を長城の北に追いやった。

3　中央アジア

チャガタイ=ハン国が東西に分裂し，西チャガタイ=ハン国の軍人がティムール朝をたてた。

4　ヨーロッパ

キプチャク=ハン国の支配下でモスクワ大公国が勢力をのばした。また，リトアニア大公とポーランド女王が結婚してヤギェウォ朝が成立した。

7章3　東南アジア諸国の再編　(p.96〜97)

①チャンパー　②ジャーヴァカ　③クディリ
④シンガサリ　⑤マジャパヒト　⑥ワヤン
⑦パガン　⑧クメール　⑨アンコール=ワット
⑩アンコール=トム　⑪スコータイ
⑫アユタヤ　⑬大越　⑭李　⑮陳
⑯チューノム

Check　①パガン　②クメール
③大越(李朝)　④チャンパー　⑤ジャーヴァカ
⑥クディリ

Try

解答例

・ワヤン…ヒンドゥー教の影響を受けながらも，独自の影絵人形劇としての独自性がある。

・アンコール=ワット…ヒンドゥー教の寺院として建立されたが，独自の建築様式をもつ。

・チューノム(字喃)…漢字にもとづく文字であるが，ベトナム語を表記する独自の文字である。

7章4　海域世界の展開と大交易圏の成立　(p.98〜99)

①海のシルクロード　②モンスーン　③港市
④陶磁器　⑤クダ　⑥カイロ　⑦ペルシア
⑧紅海　⑨市舶司　⑩ヴェネツィア
⑪マリンディ　⑫スワヒリ　⑬ソファーラ
⑭世界の記述　⑮大旅行記

Check ❶　①C　②A　③B　④B
⑤A　⑥C

Check ❷

帆が風を受けやすい構造をしており，季節風を利用した航海に向いている。

Try

解答例

・熱帯・亜熱帯の香薬。理由は，大交易圏が成立していくなかで，ヨーロッパでの需要が高まり，のちに，ヨーロッパのアジア市場への参入，進出をひきおこすことになるから。

・絹。理由は，古代から東西交易の主要商品として陸路・海路を通じて取引され，中国とヨーロッパを結ぶ陸・海の交易路(シルクロード)をうみだしたから。

7章ACTIVE④　大交易圏の成立とムスリム=ネットワーク　(p.100〜101)

STEP 1　①アラビア　②ダウ船　③馬
④ジャンク船

STEP 2　①イスラーム　②ヒンドゥー

STEP 3

1　①ジハード　②クルアーン
③イスラーム商人

2　イスラームは，交易圏の拡大やスーフィーの活動もあいまって，アフリカや中央アジア，インド，東南アジアなどにも広がっていた。中国はイスラーム国家にはならなかったが，泉州や広州などの国際都市にはムスリムが滞在しており，そこで共同体を築いていた。また，キルワやサムドゥラのような境域地帯では，武力によるジハードも展開されていた。

Try

①　大交易圏の視点では，ダウ船やジャンク船の交易圏が背景にあった。陸路においては，モンゴル帝国が統合したユーラシア規模の交易網が背景にあった。イスラーム社会のネットワークという視点から考えると，アラビア語を用いた交流が各地で可能となっていたうえ，国際法としてのイスラーム法が旅行者の安全保障に寄与した。また，旅行者や修行者は，各地のムスリムによって歓待・保護され，イスラーム社会におけるワクフと，それにもとづく施設を利用できた。

②　彼の旅行の主目的はメッカ巡礼やイスラームの

学問修行で，旅行自体がジハードでもある。私の旅行については，宗教的理由でなくとも，特定の都市を訪問したり，文化を学んだりする目的もある。彼の交通手段は，陸路では動物がひく荷車，海路ではダウ船やジャンク船だが，私は陸路では電車や自転車・自動車を利用し，海路の場合もふつう帆船ではない。空路で飛行機も利用できる。旅先で出会った自分の日常生活・身近にないものを記録し，伝えたくなるという点には共感できる。

8章1　明と東アジア(1)　(p.102～103)

①紅巾　②朱元璋　③里甲制　④六諭
⑤衛所　⑥賦役黄冊　⑦魚鱗図冊　⑧永楽帝
⑨靖難　⑩北京　⑪内閣大学士　⑫海禁
⑬鄭和　⑭琉球　⑮マラッカ　⑯北虜南倭
⑰土木　⑱アルタン　⑲張居正　⑳李自成

Point≫1
皇帝を頂点とした中央集権体制と巧みな農民支配にその特徴がある。具体的には，中書省を廃し，六部を皇帝に直属させて権力集中をはかった。また，里甲制のもとで農民を支配し，賦役黄冊や魚鱗図冊をつくって，確実な徴税をおこなった。

Check　①　⑤

Point≫2
●琉球
明に朝貢し，中国・東アジア・東南アジア諸国を結ぶ中継貿易を展開した。明の朝貢体制によって取引が制限されるなかで，琉球を介した自由な貿易が展開されることで交易を活性化させる役割をはたした。
●マラッカ
鄭和艦隊の拠点となることで海域東南アジアの中心となり，東シナ海・南シナ海の交易とインド洋の交易を結ぶ役割を担った。

8章1　明と東アジア(2)　(p.104～105)

①山西　②徽州　③会館　④景徳鎮
⑤メキシコ銀　⑥日本銀　⑦一条鞭法
⑧シャヴィエル　⑨マテオ=リッチ
⑩坤輿万国全図　⑪アダム=シャール
⑫永楽大典　⑬陽明学　⑭李成桂
⑮漢城　⑯世宗　⑰訓民正音　⑱勘合
⑲李舜臣　⑳朱印船

Point≫1　①海禁　②綿織物　③生糸
④桑

Point≫2
明代は，内外ともに商業が発展したため，農業・手工業ともにより大きな生産力につながる技術が求められた。このような時期に，ヨーロッパの宣教師から西洋の知識や技術が伝えられたので実学がさかんになった。

Try
14世紀…前期倭寇による略奪の活発化
1368…明成立→洪武帝による海禁政策(朝貢体制)
1405…鄭和による南海大遠征(～33)
1449…土木の変(オイラトのエセン=ハンによる)
16世紀…タタール(アルタン=ハン)による圧迫，後期倭寇の活動の活発化
1567…海禁をゆるめる
1571…アルタン=ハンと和解
→転機になったできごと…土木の変，タタールの圧迫，後期倭寇の活発化
→対外政策の転換…海禁の緩和とアルタン=ハンとの和解

8章2　ヨーロッパの海外進出(1)　(p.106～107)

①香薬　②エンリケ
③バルトロメウ=ディアス
④ヴァスコ=ダ=ガマ　⑤カリカット
⑥リスボン　⑦コロンブス　⑧トスカネリ
⑨サンサルバドル　⑩バルボア
⑪アメリゴ=ヴェスプッチ　⑫トルデシリャス
⑬カブラル　⑭マゼラン　⑮世界周航
⑯トウモロコシ　⑰ジャガイモ

Point≫1
ヨーロッパ全体において，東方に対する関心やあこがれ，アジアの香薬の直接取引による富への期待，オスマン帝国の発展に対する危機感があった。また，技術・知識・の進歩により遠洋航海が可能になっていた。そのなかで，地理的に有利な位置にあったポルトガル・スペイン両国は，レコンキスタにおける異教徒との戦いをイベリア半島から外部の世界へと継続していこうとした。

Check
●喜望峰までの航路
アフリカ大陸からかなり離れて遠洋に出ている。理

由は，すでにバルトロメウ=ディアスが喜望峰までの航路を発見していたから。

●アフリカ大陸東岸の航路

アフリカ大陸東岸の各地に立ち寄りながら沿岸を航海している。理由は，ポルトガル人としては，未知の航路だから。

●マリンディからカリカットまでの航路

インド洋を横切って直航している。理由は，この航路を知っているムスリム商人の案内によって，迷わずに航海できたから。

Point» 2

高度な石造技術をもち，金・銀などの貴金属と一部で青銅を使用した。しかし，鉄は知られておらず，牛・馬，車輪は利用しなかった。農業では，トウモロコシ・ジャガイモを主作物として栽培したが，米，麦などは栽培しなかった。

8章2　ヨーロッパの海外進出(2)
(p.108～109)

①テオティワカン　②アステカ
③テノチティトラン　④マヤ　⑤インカ
⑥クスコ　⑦キープ　⑧コルテス
⑨ピサロ　⑩エンコミエンダ　⑪黒人奴隷
⑫ポトシ　⑬アントウェルペン　⑭アカプルコ
⑮アシエンダ　⑯プランテーション　⑰商業
⑱価格　⑲農場領主制

Point» 1　①エンコミエンダ
②ラス=カサス　③アシエント　④アシエンダ

Point» 2

商業の中心が地中海から大西洋沿岸の国々に移った(商業革命)。また，人口増加とアメリカ銀の流入によって物価が大幅に上昇(価格革命)し，封建領主層が打撃を受けて没落した。さらに，西欧諸国では商工業が発達し，東欧では穀物や原材料を西欧に輸出する目的で大農場経営がおこなわれ，農場領主制が広がった。こうして，ヨーロッパ東西の分業と格差が明確になった。

Try

解答例

・経済的に世界の一体化が進んだこと。理由は，世界経済の一体化により，西ヨーロッパ諸国の勢力が強まり，アジア・アフリカの植民地支配に動き始めることになったから。

・南北アメリカ大陸の古代文明が滅ぼされて，ヨーロッパ諸国が進出したこと。理由は，スペイン人やイギリス人などの移民が進み，現在のラテンアメリカ諸国やアメリカ合衆国を生み出すことになったから。

8章3　大交易時代の海域アジア
(p.110～111)

①ゴア　②日本銀　③生糸　④平戸
⑤マカオ　⑥マニラ　⑦アメリカ銀　⑧後期
⑨朱印船　⑩日本人町　⑪アユタヤ
⑫タウングー　⑬ヴィジャヤナガル
⑭オランダ東インド　⑮バタヴィア
⑯台湾　⑰ケープ　⑱スリランカ
⑲17世紀

Point»

●共通点

権力者の貿易統制に従わず，武装して略奪や密貿易をおこなったこと。

●相違点

前期倭寇は西日本の武装した沿海民が中心であり，おもに朝鮮半島や中国沿岸を襲ったのに対し，後期倭寇は福建省や広東省沿海の人々が中心であり，おもに東シナ海や南シナ海で活動した。

Check　②

Try

拠点の特徴は，いずれも交易に有利な沿岸に位置していることである。その理由は，これらの国々が，東南アジア諸島部の香薬や中国の生糸，日本銀などの交易が活発におこなわれている海域アジアの取引に参入して利益をあげるために進出したからである。

8章　16世紀の世界　銀がつくる世界の一体化
(p.112～113)

» ラテンアメリカ

Check 1　①b　②a

Check 2　①鉱山の採掘で酷使されている
②植民者がもちこんだ天然痘・ペスト・インフルエンザなどの疫病(感染症)が伝染し，免疫のない先住民の命を奪ったこと

» ヨーロッパ

Check 1　①a　②a

Check 2　①銀　②小麦　③需要

④供給　⑤人口

Check ❸

1　ほとんど戦費と宮廷の浪費に消え，国内産業の育成に使われなかったため，17世紀に入るとスペインを衰退させた。

2　イタリア戦争・プレヴェザの海戦・オランダ独立戦争・レパントの海戦・スペイン無敵艦隊とイングランド海軍との戦いなど。

≫東アジア

Check ❶

1　密貿易をしているポルトガル人とアフリカ人，漳州や寧波出身の人々。寧波で銀を騙しとった商人。

2　中国人や日本人ばかりでなく，ポルトガル人など外国人も含めて従事する通常の貿易や密貿易，掠奪行為をつうじて，日本銀が中国に流入していた。

Check ❷

1　①北京

②明の都で宮廷のある場所。北方のモンゴル人の圧力を受けている状況にある。

2　①一条鞭法

②土地税や徭役を簡素化して銀でおさめさせる税制。

Check ❸

1　後期倭寇

2　明が海禁=朝貢体制をとり中国人海商の貿易を非合法化したため，密貿易をおこなう倭寇となった。

3　明は1567年に海禁をゆるめて密貿易を沈静化させ，海商に東南アジア諸港と交易させた。

Try

マニラで，スペイン船がメキシコから太平洋経由でもたらすアメリカ銀(メキシコ銀)と，中国商人がもたらす絹や陶磁器の取り引きがはじまったことで，東西どちらからでも地球を一回りするモノの流れができた。よって，1571年は，世界が継続的に物流でつながったという点で「世界の一体化」のはじまりであり，アメリカ大陸産の銀がきっかけとなったという点で，銀が「世界の一体化」をつくったと言える。

9章1　中央ユーラシアと西アジアの帝国(1)　(p.114～115)

①ティムール　②サマルカンド　③アンカラ
④トルコ=イスラーム　⑤ウルグ=ベク
⑥ブハラ=ハン　⑦ヒヴァ=ハン
⑧コーカンド=ハン　⑨サファヴィー
⑩イスマーイール1世　⑪シャー
⑫十二イマーム　⑬アッバース1世
⑭ホルムズ　⑮イラン=イスラーム
⑯イスファハーン

Check ❶

オスマン帝国，マムルーク朝，デリー=スルタン朝，東チャガタイ=ハン国

Check ❷　①十二イマーム　②サファヴィー
③アッバース1世　④シャー　⑤世界の半分

Point≫

オランダやイギリスの東インド会社の商館がおかれたほか，ヨーロッパやインド，ロシアからの商人を歓待するなど，国内の商人による対外貿易が推奨されて商業活動が活発におこなわれたことが基盤となった。なお，取引された商品としては，生糸や絹織物があげられる。

9章1　中央ユーラシアと西アジアの帝国(2)　(p.116～117)

①アドリアノープル　②バヤジット1世
③スルタン　④ニコポリス　⑤メフメト2世
⑥イスタンブル　⑦セリム1世
⑧スレイマン1世　⑨ウィーン包囲
⑩プレヴェザ　⑪レパント　⑫デヴシルメ
⑬イェニチェリ　⑭ティマール
⑮カピチュレーション　⑯アヤソフィア
⑰トプカプ

Point≫ ❶

プレヴェザの海戦の勝利などで紅海と地中海を結ぶ海上交通路を掌握して，ヨーロッパ・アジア・アフリカにまたがる大帝国に発展したから。また，第1次ウィーン包囲やフランスと同盟して神聖ローマ帝国に圧力をかけるなど，ヨーロッパの国際関係の動向を左右する勢力になったから。

Point≫ ❷　①スンナ　②ズィンミー
③自治　④ミッレト

Try

オスマン帝国は，帝国内の各民族の宗教や慣習を尊重したから。具体的には，征服前の法や税の慣習を調査し，それにもとづいて課税したり，ズィンミー制度のもとで非ムスリム臣民の慣習や自治を認めて

共存したりした。

9章ACTIVE⑤　イスラーム都市の繁栄 (p.118～119)

STEP 1　①人頭税　②関税　③保護
④教会(儀礼)

STEP 2

1　稼ぎを着服して逃げた奴隷が同じ町に住んでいたにもかかわらず，主人である商人が奴隷の手がかりをつかむまでに10年かかった。

2　イスファハーンの市壁内に，モスク，学院，隊商宿，浴場，墓地が多くある。

3　「世界中から来た貿易商が集まっている」は，国際商業都市としての経済的繁栄を示している。さらに，情報・学問・知識も世界中から集まったため，「全東方世界で最も学問の栄えている町」という表現は，学問的水準の高さを示している。

STEP 3

1　①カトリック　②迫害　③ルイ14世

2　イスファハーンでは，キリスト教徒，ユダヤ教徒，ヒンドゥー教徒，ゾロアスター教徒が，イスラーム教徒と共存していることが紹介され，多民族・多宗教の併存が容認された国際色豊かな都市であるということが示されている。これに対して，同時代のフランスは，ナントの王令廃止に象徴されるように，国家としての統一を志向するあまり，多宗教の併存を許さない不寛容な社会であり，イスファハーンとは異なる性格をもっていることが示唆される。

Try

二つの都市においては，非イスラーム教徒であっても，イスラームの支配に服して必要な税さえ支払えば，君主の保護下において，それぞれの信仰・慣習を保持することができた。このように，多民族・多宗教が平和的に住み分け，共存しやすい環境は，商業を活性化させる要因となった。というのは，さまざまな地域からヒト・カネ・モノがひき寄せられ，商品の生産量・取引量が増大したからである。また，資料②にみられるような各種施設は，ワクフを通じて建設されたもので，公共財として機能し，都市を活性化させる原動力ともなった。

9章2　南アジアの帝国 (p.120～121)

①バーブル　②アクバル　③アーグラー
④マンサブダーリー　⑤ジズヤ
⑥ヴィジャヤナガル　⑦アウラングゼーブ
⑧マラーター　⑨シク　⑩ナーナク
⑪バクティ　⑫ムガル　⑬ミニアチュール
⑭タージ=マハル　⑮ヒンディー
⑯ウルドゥー

Check　①ムガル　②ラージプート
③ジズヤ　④アーグラー

Try

●思想(宗教)

イスラームの影響を受けて，カーストを否定し，偶像崇拝や苦行を禁じるシク教が創始された。

●美術

イランから伝わったミニアチュールが，ムガル宮廷で貴族的なムガル絵画に発展した。

●建築

イスラーム建築のアーチとドームを用いたインド=イスラーム建築がうまれた。タージ=マハルがその代表である。

●言語

公用語とされたペルシア語の文学が宮廷を中心に栄えた。また，口語にペルシア語・アラビア語の要素をとりいれたウルドゥー語がうみだされた。

9章3　東南アジア諸国の発展 (p.122～123)

①上座仏教　②アユタヤ　③ラタナコーシン
④コンバウン　⑤大越　⑥黎　⑦阮
⑧フエ　⑨西山　⑩マラッカ　⑪マタラム
⑫ポルトガル　⑬アチェ　⑭マカッサル
⑮バタヴィア

Check ❶

儒教・律令制などにもとづく中国的な官僚国家体制がつくられた。

Check ❷

共通点は，どちらもイスラームを信奉する国家であり，商業上の利害関係においてポルトガルが共通の敵であったことが考えられる。

Try

解答例

・諸島部がイスラーム化したことにより，ヨーロッパからアジアに広がるイスラームの商業圏に深くかかわって発展することができた。

9章4　清と東アジア(1)　(p.124～125)

①ヌルハチ　②後金　③八旗　④ホンタイジ
⑤呉三桂　⑥ダライ=ラマ　⑦ネルチンスク
⑧ジュンガル　⑨キャフタ　⑩藩部
⑪理藩院　⑫三藩　⑬鄭成功　⑭軍機処
⑮緑営　⑯辮髪　⑰文字の獄

Check ❶　①女真　②ヌルハチ
③ホンタイジ　④蒙古　⑤漢軍　⑥緑営

Check ❷

鄭成功は，台湾を拠点として反清復明の立場で戦ったことにより，明の皇室の生き残りから明皇室の姓である「朱」を賜ったので「国姓爺」とよばれた。

Point»

懐柔策と威圧策を巧みに組み合わせて漢人を支配した。漢人士大夫への懐柔策として，中国の伝統文化を尊重して科挙を実施した。威圧策としては，漢人に対し満洲人の風俗である辮髪や満洲服を強制し，反満洲的な思想に対しては，文字の獄や禁書などで言論弾圧をおこなった。古今の書物の編纂事業をおこなったが，これには思想統制と学者の懐柔という両方の側面があった。

9章4　清と東アジア(2)　(p.126～127)

①公行　②地丁銀　③郷紳　④抗租
⑤華僑　⑥皇輿全覧図　⑦典礼問題
⑧カスティリオーネ　⑨円明園　⑩考証学
⑪黄宗羲　⑫顧炎武　⑬朝鮮通信使　⑭鎖国
⑮四つの口

Check ❶

蘇州は，大運河や長江を通じて物資が集まる水上交通の要衝であった。

Check ❷

中国人は，知恵に富み礼儀正しいので，文化的にも他の国民を凌駕している。そのため，理路整然とキリスト教の福音の真理を説明すれば，それを理解し信仰すると思われる。

Try

解答例

・清以前の中国王朝が内陸アジアの諸民族の攻撃や干渉を受けていたのに対し，清(満洲人)はチベット仏教を軸として，満洲・モンゴル・チベットの結びつきを強めて，各民族の自治を認めつつ広く内陸アジアを統治したから。

・清(満洲人)が，威圧策と懐柔策を巧みに組み合わせて漢人を支配したから。具体的には，辮髪の強制などの威圧策をおこなう一方，科挙を実施して漢人の士大夫を懐柔し，科挙官僚と漢人による緑営で地方の治安維持をはかったから。

10章1　ルネサンスと宗教改革(1)　(p.128～129)

①人文主義　②フィレンツェ　③メディチ
④ダンテ　⑤ボッカチオ　⑥ボッティチェリ
⑦レオナルド=ダ=ヴィンチ　⑧ミケランジェロ
⑨ラファエロ　⑩マキァヴェリ
⑪ブリューゲル　⑫エラスムス
⑬トマス=モア　⑭シェークスピア
⑮セルバンテス　⑯火薬　⑰グーテンベルク
⑱地動説　⑲コペルニクス

Point» ❶

古代ローマの遺跡や美術品が各地に残っていたこと，十字軍などによってビザンツやイスラームの文化と接触したこと，東方貿易によって都市が繁栄していたことのほか，オスマン帝国の圧迫からのがれてイタリアに流入したビザンツ帝国の学者が古典研究を刺激したことなどがあげられる。

Point» ❷

①　火薬

火薬を使用した火器は，戦術を一変させて騎士の没落をもたらした。

②　羅針盤

ヨーロッパの海外進出を可能にした。

③　活版印刷

書物の製作を迅速・安価なものにし，新しい知識の普及に貢献した。

10章1　ルネサンスと宗教改革(2)　(p.130～131)

①95か条の論題　②贖宥状
③ドイツ農民戦争　④ミュンツァー
⑤プロテスタント　⑥アウクスブルクの宗教和議
⑦領邦教会制　⑧ツヴィングリ　⑨予定
⑩ピューリタン　⑪ユグノー
⑫トレント(トリエント)公会議　⑬イエズス会

Check　①ルター　②教皇　③カトリック

Point
●共通点
ともにカトリック教会のあり方を批判し，聖書を信仰のよりどころと考えた。
●相違点
ルターは信仰を内面の問題ととらえ，世俗権力を容認したのに対し，カルヴァンは長老が信徒の行動を道徳的に規制する必要を説き，ジュネーヴでは政教一致の厳格な神政政治をおこなった。
Try
解答例
・カトリック教会と結びつく権力のあり方に不満をもつ人が増えてきたこと。
・ルネサンスの人文主義の影響で，純粋な古代教会への復帰を唱える考えが広まっていたこと，など。

10章2　主権国家体制の成立(1)
(p.132〜133)

①イタリア　②カルロス1世
③カール5世　④フランソワ1世　⑤絶対王政
⑥官僚制　⑦常備軍　⑧王権神授説
⑨重商主義　⑩問屋制　⑪マニュファクチュア
⑫フェリペ2世　⑬レパント　⑭無敵艦隊
⑮オランダ独立　⑯オラニエ公ウィレム
⑰ユトレヒト　⑱ネーデルラント連邦共和国
⑲東インド　⑳アムステルダム
Check　①A　②C　③B　④A　⑤A　⑥C
Point 1
スペインは，大航海時代を経てアメリカ大陸やフィリピンなどの広大な領土を獲得しており，そのスペイン王位をヨーロッパ各地を領有していたハプスブルク家が継承したから。さらにスペインは，アジア貿易に参入していたポルトガルを併合したから。
Point 2
商業や毛織物業が発展してカルヴァン派が広がっていたネーデルラントに，スペイン王フェリペ2世が重税とカトリックを強制したこと。

10章2　主権国家体制の成立(2)
(p.134〜135)

①ヘンリ8世　②首長法　③イギリス国教会
④囲い込み　⑤エリザベス1世　⑥統一法
⑦ステュアート　⑧チャールズ1世
⑨権利の請願　⑩航海法　⑪護国卿
⑫審査法　⑬人身保護法　⑭名誉革命
⑮ウィリアム3世　⑯メアリ2世
⑰権利の章典　⑱グレートブリテン王国
⑲ハノーヴァー　⑳ウォルポール
Point 1
他国の絶対王政と異なり，強力な常備軍と官僚制が形成されなかったことが大きな特徴である。また，重要な政策が議会の立法によって実現されるという特徴がある。その絶対王政を支えたのは，地域の治安行政を担い地域社会を代表するジェントリであった。
Check
国王が，課税をはじめとする国政を，議会の同意なしにすすめることができなくなった。
Point 2　③

10章2　主権国家体制の成立(3)
(p.136〜137)

①ユグノー　②アンリ4世　③ブルボン
④ナントの王令　⑤リシュリュー
⑥ルイ14世　⑦マザラン　⑧フロンド
⑨コルベール　⑩ヴェルサイユ
⑪スペイン継承戦争　⑫ユトレヒト
⑬17世紀の危機　⑭三十年戦争
⑮グスタフ=アドルフ　⑯ヴァレンシュタイン
⑰ウェストファリア
Check 1
ルイ14世が，絶対的な権力をもつ「太陽王」として表現されている。ルイ14世の時代は，メダルを配布するなどで権威を伝達したが，現代はテレビなどのマス=メディアを利用して伝達している。
Check 2　①カルロス2世
②マリ=テレーズ
Point
ドイツの領邦君主の主権が認められ，神聖ローマ帝国が事実上解体した。また，三十年戦争の舞台となったため，人口が激減して荒廃し，商工業市民層の発達が大幅におくれた。また，戦禍をあまり受けなかったプロイセンが急速に台頭した。

10章2　主権国家体制の成立(4)
(p.138～139)

①プロイセン　②ホーエンツォレルン
③フリードリヒ=ヴィルヘルム1世
④フリードリヒ2世　⑤オーストリア継承
⑥シュレジエン　⑦七年　⑧外交
⑨ヨーゼフ2世　⑩イヴァン4世
⑪イェルマーク　⑫ロマノフ
⑬ピョートル1世　⑭北方
⑮サンクト=ペテルブルク
⑯エカチェリーナ2世　⑰プガチョフ
⑱ラクスマン　⑲選挙王政　⑳コシチューシコ

Point»

西ヨーロッパ諸国に比べて，近代化が遅れていたため，上からの近代化の必要があったため。

Check

プロイセン　オーストリア　ロシア

参加していない国はオーストリア。フランス革命の対応に追われていたため。

Try

解答例

・イギリス。理由は，政治制度の近代化が進んでいて，学ぶところが多いと考えられるから。

・スウェーデン。理由は，三十年戦争を通じて，北ヨーロッパの大国となったから。

10章ACTIVE⑥　近世ヨーロッパの経済と強国の交代
(p.140～141)

STEP 1　①増加　②増加　③減少　④増加　⑤増加

STEP 2

1　①上昇　②下降　③上昇

2　16世紀のように，人口が増加する時期には小麦価格も上昇する一方，17世紀のように，人口が減少・停滞すると小麦価格は下降するという相関関係がみられる。

STEP 3

1　①17　②経済

2　折れ線の逆転は，イギリスが強国化し，経済力でイタリアを追い抜いていくことを象徴している。その背景の一つは，ヨーロッパの商業の中心が地中海沿岸から大西洋沿岸の国々へと移ったことである。この商業革命は，イギリスにおける人口増加の背景にもなった。また，三十年戦争やペストの流行を含めた「17世紀の危機」の影響も，イタリアの方が強く受けた。

Try

①　①ゴア　②マカオ　③ポトシ　④マニラ

②　オランダは，独立運動でスペインに打撃を与えつつ，17世紀には東インド会社，西インド会社を設立して，アジアやアメリカに進出し，ポルトガルやスペインに対抗した。アジア貿易ではバタヴィアを拠点に，香薬貿易や日中間の中継貿易で栄えた。

③　イギリスとフランスは，重商主義政策でオランダの商業覇権に対抗した。両国の東インド会社は，インドなどに商館を設けて活発に交易した。また，両国は奴隷貿易を含む大西洋三角貿易を展開して富を築き，北アメリカや西インド諸島などでは植民地獲得を競った。植民地戦争の最終的な勝利者は，財政革命をすすめ，効率的に戦費を調達できたイギリスであった。

10章3　激化する覇権競争　(p.142～143)

①大西洋三角貿易　②プランテーション
③モノカルチャー　④ベニン　⑤奴隷貿易
⑥綿織物　⑦ヴァージニア
⑧ニューイングランド　⑨ニューヨーク
⑩ケベック　⑪ルイジアナ　⑫プラッシー
⑬クライヴ　⑭フレンチ=インディアン
⑮パリ

Point»

●西ヨーロッパ

イギリスやフランスに巨大な富がもたらされ，人々の消費生活が大きく変わった。

●アフリカ

奴隷貿易に依存するベニン王国やダホメ王国による奴隷狩りにより，約1200万人がアメリカに送られ，人口が停滞し社会が荒廃した。

●アメリカ

奴隷を酷使したプランテーションによってサトウキビや綿花などの単一の商品作物を生産し，輸出することに依存するモノカルチャー経済が形成された。

Try

解答例

・イギリスの財政革命。創設されたイングランド銀行が発行する国債により，多くの戦費を調達できたから。

・名誉革命。商業覇権を握っていたオランダと同君連合を形成したから。

10章　16〜19世紀の世界　奴隷貿易・奴隷制からみる世界史　(p.144〜145)

» 奴隷として酷使された先住民

Check

1　エンコミエンダ制

2　国王がスペイン人植民者に先住民の支配を委託したことで，過酷な労働や残虐な行為を助長してしまった。またキリスト教化や保護が条件であったが，有名無実となっていた。

» 西アフリカから南北アメリカへ

Check ❶

砂糖・コーヒー・米・タバコ・綿花・鉱物など

Check ❷

1　フランス革命

2　黒人奴隷たちが蜂起し，黒人共和国のハイチとして独立した。

3　独立したハイチからスペイン領キューバへ生産地が移った。

» どれくらいの人々が奴隷としてアメリカ各地へ運ばれたか

Check ❶　ブラジル

Check ❷

1　イギリス

2　ユトレヒト条約で，アシエント(奴隷供給契約)をフランスから獲得したから。

3　人道主義者らの運動により1807年に奴隷貿易禁止法が制定されたから。

» 苛酷な「中間航路」と奴隷船の実態

Check

1　黒人奴隷が船内にすし詰め状態であり，天然痘のような感染症が広まりやすいから。

2　輸送中に黒人奴隷がボートを使って奴隷船から逃げ出す可能性があるから。

3　黒人奴隷どうしが会話することで，一致団結して反乱をおこしかねないから。

4　競売にかけられている奴隷は感染症に罹患していないこと，逃走する者もいなかったこと，仲間意識ももたず徒党を組む危険性がないことなど，商品としての奴隷の品質を保証するため。

» 黒人奴隷はどのような扱いを受けていたか

Check ❶

自伝を書けるだけの読み書き能力を有していた。

Check ❷

奴隷制度をめぐって南部と北部の対立が強まっていた。とりわけ1854年にミズーリ協定が否定されて，カンザス・ネブラスカ法が制定されると，奴隷制拡大に反対する共和党が結成され，北部では人道主義的な立場から奴隷制反対の世論ももりあがっていた。

Try

南北アメリカの大西洋岸では，奴隷を酷使したプランテーションによってサトウキビや綿花など単一の商品作物を生産し，輸出することに依存するモノカルチャー経済が形成された。アフリカの大西洋岸では，奴隷貿易に依存する黒人王国が，奴隷狩りをおこなって約1200万人の男女を送り出したため，人口が停滞し，社会が荒廃した。イギリスでは，奴隷貿易によって巨大な富がもたらされて消費生活が大きく変わるとともに，18世紀にはじまる産業革命のための資本が蓄積された。

10章4　近世ヨーロッパの社会と文化(1)　(p.146〜147)

①バロック　②ヴェルサイユ　③ロココ
④サンスーシ　⑤コルネイユ　⑥ラシーヌ
⑦モリエール　⑧モーツァルト
⑨ベートーヴェン　⑩ルーベンス
⑪ベラスケス　⑫ワトー　⑬ニュートン
⑭科学アカデミー　⑮イギリス経験論
⑯フランシス=ベーコン　⑰大陸合理論
⑱デカルト　⑲カント

Check

ベラスケスは，宮廷画家としてスペイン王室から庇護されていた。

Point » 1

宮廷の権力と財力によって，豪壮で華麗なバロック様式や繊細で優美なロココ様式の建築や音楽，絵画，演劇などのすぐれた文化がうみだされた。

Point » 2

ルネサンスや宗教改革によって，人々の世界観，宗教観に中世とは異なる新たな変化が生じ，「神が創造した世界」の合理性を明らかにしようとする科学者たちの活動をうみだした。また，フランシス=ベーコンやデカルトによって提案された学問の方法は，近代科学をうみだすうえで大きな役割を果たした。

10章4　近世ヨーロッパの社会と文化(2)　(p.148～149)

①王権神授説　②自然法　③ホッブズ
④ロック　⑤グロティウス　⑥重農主義
⑦ケネー　⑧古典派経済学　⑨アダム=スミス
⑩啓蒙　⑪ディドロ　⑫ダランベール
⑬モンテスキュー　⑭ヴォルテール　⑮ルソー
⑯レンブラント　⑰ミルトン　⑱デフォー
⑲スウィフト

Check ❶

立法者が人民の固有権を奪い，破壊しようと努めるとき，あるいは人民を恣意的な権力のもとで奴隷状態に陥れようと努めるとき，彼ら立法者はつねに人民との戦争状態に身をおくことになる。

Check ❷

図から，男性たちが活発に議論している様子がうかがえる。カフェやコーヒーハウスは，市民の情報交換の場であり，さまざまな問題について市民が独自の判断をくだして世論を形成するのを助ける役割をはたした。

Try

解答例

・自然法思想。基本的人権が尊重される社会が実現される基礎となったから。

・古典派経済学の考え方。経済活動における自由放任主義は，世界経済を発展させるうえで大いに役立ったから。また，現代の経済政策にも大きな影響を与えているから。

・ジェンナーの種痘法開発。ワクチン接種による予防医学の開発は，その後，多くの感染症に打ち勝つ歴史をつくりだしたから。また，現在のコロナ禍に対してもワクチン接種による予防対策が進められているから。

11章1　イギリスの産業革命　(p.150～151)

①綿工業　②囲い込み　③ジョン=ケイ
④カートライト　⑤ワット　⑥交通
⑦蒸気機関車　⑧スティーヴンソン　⑨蒸気船
⑩フルトン　⑪資本主義　⑫工場労働者
⑬マンチェスター　⑭リヴァプール
⑮ラダイト運動　⑯労働組合　⑰世界の工場
⑱パクス=ブリタニカ

Point»　①17　②フランス　③囲い込み
④穀物

Check

インドからリヴァプールに輸入された綿花が，マンチェスターに運ばれて綿製品に加工され，その綿製品がリヴァプールに運ばれて輸出された。

Try

解答例

・資本主義社会の成立。資本家が経済活動を支配するようになり，やがて政治的な影響力を強めたから。

・交通革命。鉄道や蒸気船の普及が世界の一体化を加速度的におしすすめたから。

・都市化の進展。都市の人々の生活様式がやがて農村にも広がり，世界中の人々の暮らしを変えたから。

11章　19世紀前半の世界 「パクス=ブリタニカの世界」　(p.152～153)

» アメリカ

Check ❶

1　合衆国南部はイギリスの原料供給地で，大量の綿花輸出の必要から両地域は自由貿易の関係にあった。

2　綿花プランテーションでは，黒人が奴隷として酷使されていた。

Check ❷

1　砂糖など

2　コーヒー・綿花など

» 西アジア

Check

1　カピチュレーションとよばれる通商特権

2　片務的最恵国待遇

» 南アジア

Check ❶

1813年に中国貿易・茶貿易以外の貿易独占権が廃止された。それゆえインドとの貿易には民間貿易商も参入するようになり，貿易量が増加したと考えられる。

Check ❷

インドの綿布生産が圧迫されたことで，伝統的な綿織物業が衰退し，多くの手工業者が没落した。

» 東南アジア・東アジア

Check ❶

1　シンガポール

2　上海

3　イギリスは，シンガポールを拠点に東南アジア諸地域との自由貿易を推進した。また，上海には租界を設けて清との円滑な貿易の拠点とした。

Check ❷

「お許しになった」や「与え」という表現から，戦争に負けたという認識は感じられず，むしろ華夷秩序の延長で，中国皇帝はイギリスにも特権や領地を恵んだり施したりしたという意識が感じられる。

» イギリスの貿易の特徴

Check

1　イギリスの綿工業に必要な原料綿花をはじめ，農畜産物など一次産品の供給地であるとともに，イギリスで生産された綿布など工業製品の市場とされた。

2　砂糖・茶・コーヒーなどは生活必需品ではなく，嗜好品である。これらの商品は日々の生活のなかで，ゆとりのある時間に消費されるものである。

Try

産業革命後の工業生産力を背景に，イギリスは世界各地との貿易自由化を推進するために，積極的に開国や通商条約の締結をせまった。その結果，アジア・アフリカ・ラテンアメリカの各地は，「世界の工場」イギリスに綿花・木材などの原材料を供給する地域となる一方，イギリスでつくられた工業製品の販売市場ともなった。また，工業化がすすんだイギリスで不足する穀物などの農産物や，食肉などの畜産物を供給する地域も形成された。国家統一や近代化の遅れたドイツやロシアも，原材料を供給する地域であった。

11章2　南北アメリカの革命(1)
(p.154〜155)

①13　②植民地議会　③印紙法

④代表なくして課税なし　⑤茶法

⑥ボストン茶会　⑦大陸会議　⑧アメリカ独立

⑨ワシントン　⑩コモン=センス　⑪独立宣言

⑫ジェファソン　⑬パリ　⑭アメリカ合衆国

⑮合衆国　⑯連邦　⑰人民　⑱三権分立

⑲独立革命

Check ❶

そして，いかなる形態の政府であれ，政府がこれらの目的に反するようになったときには，人民には政府を改造または廃止し，新たな政府を樹立し，人民の安全と幸福をもたらす可能性が最も高いと思われる原理をその基盤とし，その権力を組織する権利を有するということ，である。

Check ❷

●「黒人奴隷」の言葉が避けられた理由

独立宣言は自然法思想にもとづいており万人平等の考えを理想としていたが，現実的には黒人奴隷制が温存されており，経済的な理由から奴隷制を擁護する人々も多かったため「黒人奴隷」の言葉が避けられた。

●黒人奴隷人口に５分の３倍で算出する意味

黒人奴隷を１人の人間として認めていない。また，下院議員と直接税の配分に算入することは，奴隷制度を容認することになり，さらに黒人奴隷が多い南部の下院議員数が多くなることにつながる。

Point »

人民主権をかかげて共和政を実現したから。

11章2　南北アメリカの革命(2)
(p.156〜157)

①アメリカ=イギリス戦争　②モンロー

③アメリカ=メキシコ　④ゴールドラッシュ

⑤マニフェスト=デスティニー　⑥フロンティア

⑦ジャクソン　⑧民主党　⑨共和党

⑩インディアン強制移住

⑪トゥサン=ルヴェルチュール

⑫シモン=ボリバル　⑬サン=マルティン

⑭クリオーリョ　⑮メスティーソ

⑯モノカルチャー　⑰フアレス　⑱ディアス

Check

女神は文明をあらわす本と，電線をもっている。そこから，合衆国による西部への領土拡大が，文明化という大義のもとでおこなわれるということを象徴している。

Point »　④

Try

解答例

・黒人奴隷が政治から排除されたこと。現在では，法的に平等となったが，依然として黒人差別が社会問題となっているから。

・共和政を実現したこと。ヨーロッパ諸国にさきがけて共和政を実現したことが，世界全体における民主主義の拡大に大きな影響を与えたから。

11章3　フランス革命とナポレオン帝政(1)　(p.158～159)

①第一身分　②第二身分　③国民議会
④球戯場　⑤バスティーユ牢獄　⑥人権宣言
⑦ヴェルサイユ　⑧1791年
⑨ヴァレンヌ逃亡　⑩立法　⑪フイヤン
⑫ジロンド　⑬オーストリア　⑭8月10日
⑮山岳派　⑯ピット　⑰対仏大同盟
⑱恐怖政治　⑲共和暦　⑳ロベスピエール
㉑テルミドール9日

Check ❶

両方の宣言ともに，人間の平等や自由などの権利が不可侵のものであり，政府によって保障されるべきものであること，また，その政府に対する革命(抵抗)権に言及している。ただし，アメリカ独立宣言では，人権が創造主(神)によって与えられているとしているが，人権宣言では生得的なものであるとしている。また，人権宣言は所有権について明記している。さらに，アメリカ独立宣言では「人民」としているところを，人権宣言では「国民」としている。

Check ❷

ヴァレンヌ逃亡事件で国王に対する国民の信頼が失われたが，風刺画を通じて，国民は国王をいっそう軽んじるようになっていったと考えられる。

Point»　①公安委員会　②最高価格法
③革命　④恐怖　⑤共和暦　⑥メートル

11章3　フランス革命とナポレオン帝政(2)　(p.160～161)

①総裁政府　②ブリュメール18日
③統領政府　④ナポレオン法典　⑤アミアン
⑥第一帝政　⑦トラファルガー
⑧アウステルリッツ　⑨大陸封鎖令
⑩ライン同盟　⑪ティルジット　⑫ロシア
⑬諸国民戦争　⑭ワーテルロー　⑮国民国家
⑯民主主義　⑰ナショナリズム　⑱シュタイン
⑲ハルデンベルク　⑳フィヒテ

Check ❶

革命の成果を守り，さらに革命を進めるためには，対外戦争による犠牲もやむを得ないということを訴えようとしている。皿は，食事をする際に用いたり，室内に飾ったりといった使い方が考えられ，日常生活の中で人々に革命精神が刷り込まれるという効果が期待できる。

Check ❷

ローマ教皇の前で，みずから皇后に加冠する様子を描かせて，自分の権威の偉大さを宣伝しようとした。

Try

解答例

・経済的に優位にあったイギリスに対抗するために，国内の体制を近代化し，より強力な国民国家を形成する必要があった。

・フランス革命中の内外の危機を乗りこえるために，中央集権的でより強力な革命政府をつくる必要があった。

11章ACTIVE⑦　大西洋革命 (p.162～163)

❶

STEP1　①植民地　②七年戦争

STEP2

1　各人の自然権を守るために，各人が契約により政府をつくったのであり，政府が契約を守らなければ，人民にはその政府を倒す抵抗権があるとした。これはアメリカ独立革命やラテンアメリカ独立運動の基本原理となった。

2　ヨーロッパ諸国に13植民地の主張の正当性を訴え，ヨーロッパ諸国を味方，もしくは中立とさせることに尽力した。

3　人権宣言の起草に携わり，1791年憲法に先立つ改革を主導した。

4　ベネズエラやコロンビアの独立を指導した。

❷

STEP1　①自然権　②抵抗　③独立宣言

STEP2

独立宣言や人権宣言では，貧困層，女性に対する権利認定が不十分であり，奴隷も存在した。これらの宣言でうたわれている自由・平等は，革命を主導したブルジョワジー(有産階級)に限定されたものであった。

STEP3

1　①植民地　②ブルボン　③自然　④抵抗
⑤人民

2　他者からの圧力を排除し，言論などを含む政治活動の自由を得て，自らのことを自らで決める自由。

Try

①　人間の自然権を認め，圧制に対する抵抗を正当化した。真理や人間の存在と同様に普遍的な原理体系であり，道徳を政治的幸福や国民的繁栄と結びつけること。

②　人権は普遍的な権利であること。圧制に対して人民は抵抗する権利を有すること。主権は人民に由来し，すべては人民の安全と幸福に寄与するような政府が樹立されるべきこと。

12章1　ウィーン体制と1848年の革命(1)　(p.164～165)

①ウィーン会議　②メッテルニヒ　③正統主義
④勢力均衡　⑤ドイツ連邦　⑥永世中立
⑦神聖同盟　⑧アレクサンドル1世
⑨四国同盟　⑩ブルシェンシャフト
⑪カルボナリ　⑫デカブリスト　⑬審査法
⑭カトリック教徒解放法　⑮選挙法改正
⑯腐敗　⑰チャーティスト　⑱工場法
⑲コブデン　⑳ブライト

Point»

ナポレオン戦争での敗戦国であり，戦争責任を問われることを回避するため。

Check ❶

●フランス王国

ナポレオン戦争で拡大した領域が失われて，18世紀なかばの領土に戻った。

●オーストリア帝国

18世紀なかばと比較すると，隣接した地域に領土を拡張し，地中海に面するようになった。

●プロイセン王国

ナポレオン戦争の時代よりも，ウィーン会議後にかなり領土が拡張された。

●イギリス

マルタ，イオニア諸島など地中海に面した島などを新たに領有した。

Check ❷

地主の利益をまもるための穀物法によって穀物価格が高くなっていた。穀物法を撤廃することにより穀物価格が下がり労働者の賃金引き下げが可能となるため，産業資本家の利益につながるから。

12章1　ウィーン体制と1848年の革命(2)　(p.166～167)

①シャルル10世　②七月革命
③ルイ=フィリップ　④ベルギー
⑤オーウェン　⑥マルクス　⑦エンゲルス
⑧資本論　⑨六月蜂起　⑩ルイ=ナポレオン
⑪ナポレオン3世　⑫サルデーニャ
⑬青年イタリア　⑭コッシュート
⑮フランクフルト　⑯ブルジョワジー
⑰プロレタリアート　⑱諸国民の春

Check

ブルジョワジーと労働者階級(プロレタリアート)の階級闘争であると分析している。

Point»

②　オーストリア

⑤　スラヴ民族会議

Try

解答例

・自由主義。自由を求める運動が，多くの抑圧された人々を解放したから。

・ナショナリズム。さまざまな戦争のために利用されたから。

・社会主義。20世紀の国際社会を動かす大きな要因となったから。

12章2　19世紀後半のヨーロッパとアメリカ(1)　(p.168～169)

①ヴィクトリア女王　②二大政党　③保守党
④自由党　⑤第2回選挙法　⑥第3回選挙法
⑦教育法　⑧労働組合法　⑨ディズレーリ
⑩グラッドストン　⑪ナポレオン3世
⑫第三共和政　⑬パリ=コミューン
⑭カヴール　⑮イタリア統一　⑯ガリバルディ
⑰イタリア王国
⑱ヴィットーリオ=エマヌエーレ2世
⑲ヴェネツィア　⑳教皇領

Point»

ナポレオン1世の権威を背景に権力を掌握しており，自らの権力維持のために国民の人気を得ようとして外征をくりかえした。

Check

●イタリア統一後の課題

イタリアが統一されたにもかかわらず，国民意識が根づかなかったこと。

●課題の歴史的な背景

中北部は都市が自立した国家を形成してきた歴史があり，南部にはシチリア王国が長く存続していた。そのため，人々の地域社会への愛着が強く，イタリア国民としての一体感をつくることが困難であった。

12章2　19世紀後半のヨーロッパとアメリカ(2)　(p.170～171)

①ドイツ関税同盟　②ビスマルク　③鉄血
④デンマーク　⑤プロイセン=オーストリア
⑥プロイセン=フランス　⑦ドイツ帝国
⑧オーストリア=ハンガリー　⑨東方問題
⑩ニコライ1世　⑪エジプト=トルコ
⑫クリミア　⑬アレクサンドル2世
⑭農奴解放令　⑮ナロードニキ
⑯ロシア=トルコ　⑰パン=スラヴ
⑱サン=ステファノ　⑲ベルリン

Check ❶

ヴェルサイユ宮殿での式典は，ドイツのフランスに対する優位性を示す。また，ヴィルヘルム1世のもとに，諸君主，貴族，軍人が集められており，プロイセンを中心にドイツが一つになることを象徴させようとしている。参加者の軍服からは，軍事力による帝国の成立が読み取れ，さらに，ビスマルクの軍服だけが白で描かれていることから，帝国成立過程での彼の指導力が示されている。

Check ❷

フランクフルト国民議会(1848～49)のこと。

Point»

イギリスがインドへ進出するルートに位置するバルカン半島に，ロシアが進出することになるから。

12章2　19世紀後半のヨーロッパとアメリカ(3)　(p.172～173)

①スウェーデン　②ノルウェー　③デンマーク
④中立外交　⑤自由　⑥保護関税
⑦ミズーリ　⑧カンザス・ネブラスカ
⑨共和党　⑩南北戦争　⑪リンカン
⑫アメリカ連合国　⑬奴隷解放
⑭ホームステッド　⑮シェア=クロッパー
⑯アラスカ　⑰大陸横断鉄道

Point»

南部と北部の経済的な違いが両者を対立させた。具体的には，南部が黒人奴隷を用いたプランテーションで綿花を栽培してイギリスに輸出し，自由貿易と奴隷制の存続，州権の強化を求めていたのに対し，北部は工業化がすすみ保護関税政策と連邦政府の権限強化を望んでいた。

Check

この演説では，国家や人民という理念が強調されている。リンカンの戦争遂行目的は「合衆国の分裂阻止」であり，連邦主導の人民を基盤とした国家観を提示するというねらいがあった。

Try

解答例

・アメリカ合衆国。南北の対立があったが，南北戦争を通じて統合されたのち経済発展をとげたから。
・日本。明治維新により，江戸の幕藩体制を改めて近代国家へと歩みはじめ，欧米列強にならぶ力をつけていったから。

12章ACTIVE⑧　アメリカの黒人奴隷制度　(p.174～175)

STEP 1

1　略

2　南北戦争まで，アメリカ合衆国の奴隷人口は拡大を続け，綿花生産高も増加し続けた。綿花栽培は労働集約型産業であり，プランテーションで働く奴隷が増えることで生産が増えた。

STEP 2

1　①南部　②親子(母子，家族)

2　年齢については，20代をピークとして，若くて健康な男女の価格が高い。男性は耕作奴隷が多いが，女性は家内奴隷も多い。耕作奴隷と家内奴隷を比べると，前者のほうが比較的高い。一方で若い女性については，奴隷主が性の対象としての価値も認めて買うこともあったと考えられる。

3　年齢については，十分な労働力にならないほどの低年齢であるか，高齢であると，低価格となった。特に乳幼児については，育児をしなければならず(ただし，ペットとしての需要もあった)，当時の乳幼児死亡率の高さもあいまって，低価格がついた。健康状態が悪い場合も，低価格がついた。

Try

①　独立宣言や合衆国憲法がうたう自由は，白人の

ための自由であり，奴隷制のもとでの黒人の不自由な労働を前提としていた。また，奴隷制は，憲法に婉曲的な表現で組みこまれて，初めて国家的制度となった。南北戦争以前の政治は，主に南部出身の奴隷所有者の大統領によって担われた。

② 奴隷解放宣言を合衆国憲法として成文化した憲法修正13条によって，400万人の黒人は解放され，再建期には市民権を保障され，投票権を付与されることとなった。しかし，解放奴隷の経済的自立は難しく，南部では投票権の剥奪がすすみ，19世紀末以降，人種隔離制度が拡大した。公民権運動後の諸法によって公共施設や公教育での人種差別は違法となったが，いまも差別は残存し 続けている。

12章3 19世紀のヨーロッパ・アメリカの社会と文化 (p.176〜177)

①古典主義 ②ロマン主義 ③写実主義
④自然主義 ⑤ドイツ観念論 ⑥ヘーゲル
⑦史的唯物論 ⑧功利主義 ⑨実証主義
⑩古典派経済学 ⑪リカード ⑫近代歴史学
⑬ダイムラー ⑭フォード ⑮モールス
⑯パストゥール ⑰ダーウィン ⑱ノーベル
⑲ニーチェ ⑳フロイト

Point

理性重視の啓蒙主義の影響でおこったフランス革命が恐怖政治を経て終焉したことにより，その反動としてロマン主義がうまれた。

Point

各国の植民地支配の拡張につながった。

Try

解答例

・古典派経済学。この経済理論が近現代の自由競争を基本とした世界経済を正当化したから。

・電信機や電話機の発明。インターネットなどによる現在のグローバルな情報化社会の源流といえるから。

13章1 ヨーロッパの帝国主義(1) (p.178〜179)

①帝国主義 ②第2次産業革命 ③カルテル
④トラスト ⑤コンツェルン ⑥金融資本
⑦人種主義 ⑧銀行 ⑨労働党 ⑩議会法
⑪アイルランド自治法
⑫ジョゼフ=チェンバレン ⑬ブーランジェ
⑭ドレフュス ⑮サンディカリスム

Check ❶ ①フランス ②ドイツ
③イギリス ④日本 ⑤アメリカ

Check ❷

●変化

1870年以降，イギリスの割合が減少し続けており，その分，アメリカの割合が増加している。

●変化の要因

アメリカは南北戦争以降に国内市場が拡大し，また，第2次産業革命によって重工業が急速に発展してイギリスを追い越した。イギリスは，工業でアメリカ，ドイツに追いこされたが，経済の重心が海外投資や海運・保険などのサービス業にシフトした。

Point

プロイセン=フランス戦争の敗北によるドイツへの報復気分の高まりや，共和政に反対する運動が国家主義と結びついて，反ユダヤ主義が広がったことが背景である。

13章1 ヨーロッパの帝国主義(2) (p.180〜181)

①文化闘争 ②社会主義者鎮圧法 ③社会政策
④ヴィルヘルム2世 ⑤世界政策
⑥社会民主党 ⑦シベリア鉄道
⑧ロシア社会民主労働党 ⑨ボリシェヴィキ
⑩メンシェヴィキ ⑪社会革命党
⑫第1次ロシア革命 ⑬血の日曜日
⑭ソヴィエト ⑮ニコライ2世
⑯ストルイピン ⑰反ユダヤ ⑱シオニズム

Point

●国内政策

ビスマルクは，災害保険法などの社会政策を実施する一方，社会主義者鎮圧法を制定して社会主義運動をおさえようとした。ヴィルヘルム2世は，社会主義者鎮圧法を撤廃した。

●対外政策

ビスマルクは，当初植民地獲得競争に消極的であったが，アフリカや太平洋の植民地獲得にのりだした。ヴィルヘルム2世は，積極的な対外膨張政策をとって，大規模な艦隊建設をおこなってイギリスと競合した。

Check

日露戦争の中止と，国民の政治への参加(民主化)を求めた。

Try ①サンディカリスム　②社会民主党
③ボリシェヴィキ　④メンシェヴィキ
⑤社会革命党

13章2　アメリカの帝国主義　(p.182〜183)

①旧移民　②新移民　③中国人移民
④ポピュリズム　⑤アメリカ労働総同盟
⑥革新主義　⑦反トラスト法　⑧ジェロニモ
⑨フロンティアの消滅　⑩パン=アメリカ
⑪アメリカ=スペイン　⑫マッキンリー
⑬ハワイ　⑭門戸開放　⑮ジョン=ヘイ
⑯セオドア=ローズヴェルト　⑰パナマ
⑱メキシコ　⑲マデロ　⑳サパタ

Check ❶

●英単語(商品名)

NAIL(釘), STEEL BEAM(鉄鋼), COPPER(銅), OIL(石油), IRON(鉄), SUGAR(砂糖), TIN(錫) COAL(石炭), PAPER BAG(紙袋), ENVELOPE(封筒)

●何を風刺しているか

会議場の壁上方に「独占体の, 独占体による, 独占体のための上院」と書かれており, 上院が独占企業の経営者たちによって支配されている様子を風刺している。

Check ❷

中央の海はカリブ海である。棍棒は武力(軍事力)を意味している。

Try

解答例

・アメリカ=スペイン戦争。アメリカが太平洋からアジアに進出するきっかけとなったから。

・ジョン=ヘイの門戸開放通牒。アメリカがアジアに進出しようとする意図を表明したから。

13章　19〜20世紀初頭の世界　移民の世紀　(p.184〜185)

» アメリカ合衆国―最大の移民受入国

Check ❶

1848年, ドイツ各地やオーストリアなどでおこった三月革命によって, ヨーロッパでは政治的な混乱が生じた。ドイツ統一の動きや, 東欧各地では諸民族の独立運動が高まったが, いずれも鎮圧されたため, 国外への亡命が急増したと考えられる。

Check ❷

南北戦争後に鉄鋼業を中心に工業化が進展したアメリカは, 19世紀末には世界一の工業国となった。この経済発展を支えたのが移民の労働力であり, とりわけ東欧・南欧からの大量の移民が流入することとなった。

» アイルランド系移民の増大とその影響

Check ❶

服装が異なっている。左の絵の人物は薄汚れたみすぼらしい身なりで, 仕事を探しているようにみえる。右の絵の人物はととのった装いで, 定職に就き生活にも余裕があるように感じられる。

Check ❷

カトリック住民の大半は小作農として貧困と差別に苦しんでいた。1845年にはじまる「ジャガイモ飢饉」では100万人以上の人々が飢餓と疫病で亡くなったため, 大量の移民流出がおこった。

Check ❸

アメリカ合衆国の市民に求められるのは, WASP(白人・アングロサクソン・プロテスタント)というイギリス系の入植者をルーツとする特徴であった。これに対してアイルランド系移民はほとんどカトリック教徒だったので, 宗教的な理由で排斥された。また, 移民は貧窮者や犯罪歴がある者が多いと考えられていたことも理由にあげられる。

» ハワイへ向かった日本人移民

Check

1　サトウキビ

2　労働は辛いもので, 労働監督官の暴力におびえている。彼らはハワイでの楽園生活を夢みてきたが, 現実はそれとは程遠く, しかし日本の家族のことを思って耐え忍んでいる。

» 東南アジアへの移民

Check ❶

1　鉱山労働(錫の採掘)

2　19世紀の中国は, 銀価格の高騰により納税者の庶民が困窮化していたうえ, アヘン戦争・第2次アヘン戦争(アロー戦争)での敗北, 太平天国などの反乱があいつぎ社会不安が広がっていた。

Check ❷　ゴム

» アジア系移民の排斥

Check ❶

大陸横断鉄道の建設労働と, それが開通したことにより西部で急速に発展した都市の産業を支える下層労働を，中国人移民が担うこととなった。

Check ❷

この条項によって，これ以後入国するすべてのアジア系移民が市民権を得られない二級市民の扱いをされることとなった。

Check ❸

資料⑦のアイルランド系移民も，もともとは資料③でみたようにアメリカ人から排斥の対象となっていた。しかし，自分たちがアメリカ人となりアメリカ社会にとけこむと，後から渡ってくる中国人移民に対して厳しい排斥の態度を示した。このように移民排斥は重層的な構造となっている。

Try

トランプ政権が中南米からの移民に対してメキシコ国境沿いに建設した壁の問題。中東や北アフリカから地中海を渡ってイタリアに流入する難民の問題。東南アジアやアフリカにおいて，著しい経済発展をとげる都市での建設労働を担うため，出稼ぎするインド人労働者の問題など。これらの移民・難民の主なプッシュ要因は，貧困や治安の悪化，政情不安(内戦など)である。

13章3　西アジアの改革運動(1)

(p.186〜187)

①ウィーン包囲　②カルロヴィッツ
③ワッハーブ　④サウード　⑤東方問題
⑥ムハンマド=アリー　⑦エジプト=トルコ
⑧スエズ　⑨レセップス　⑩ウラービー
⑪タンジマート　⑫アブデュルメジト1世
⑬ギュルハネ　⑭アフガーニー
⑮パン=イスラーム

Point»

オスマン帝国内で諸民族が独立に動いており，エジプトにおいても，その影響を受けてナショナリズムが高揚していたこと。

Check ❶　①フランス　②紅海

Check ❷

ウラービーは，外国の債務に対して，全面的に受け入れて返済するという姿勢だった。その目的は，エジプトがエジプト人の手によって実質的に独立することにあった。

13章3　西アジアの改革運動(2)

(p.188〜189)

①ミドハト憲法　②ミドハト=パシャ
③オスマン　④アブデュルハミト2世
⑤ロシア=トルコ　⑥青年トルコ人
⑦カージャール　⑧トルコマンチャーイ
⑨バーブ教徒　⑩タバコ=ボイコット
⑪イラン立憲　⑫アフガン　⑬ブハラ=ハン
⑭ヒヴァ=ハン　⑮コーカンド=ハン

Point» 1

ミドハト憲法が公布されたにもかかわらず，ロシア=トルコ戦争を理由にアブデュルハミト2世が憲法を停止し専制政治を推進したから。

Point» 2　①カージャール　②バーブ教徒
③イギリス　④タバコ=ボイコット
⑤イラン立憲　⑥ロシア

Try

解答例

オスマン帝国。ミドハト憲法を公布したのち，紆余曲折はあったものの，結果的に憲法を復活させて立憲制を実現したから。

13章4　アフリカの分割と抵抗

(p.190〜191)

①リヴィングストン　②スタンリー
③ベルリン　④レオポルド2世
⑤アフリカ横断　⑥アフリカ縦断
⑦ファショダ　⑧トランスヴァール
⑨オレンジ　⑩セシル=ローズ
⑪ローデシア　⑫南アフリカ戦争
⑬南アフリカ連邦　⑭アパルトヘイト
⑮ウラービー　⑯マフディー　⑰モロッコ
⑱アドワ　⑲リベリア共和国

Check ❶　②

Check ❷

白人同士の戦いであるにもかかわらず，黒人が攻撃を受けている。また，白人に比べて貧しい生活を強いられ，自由に白人街区に立ち入ることができないなどの差別を受けていた。

Try

植民地支配によって経済的に列強に収奪され，特定の商品作物や鉱産資源の生産にかたよったモノカルチャー経済におちいった。また，資源をめぐる列強の争いに巻きこまれて，部族抗争などの内戦がおこった。

13章5　インドの植民地化と民族運動
(p.192～193)

①マイソール　②マラーター　③シク
④ザミーンダーリー　⑤ライーヤトワーリー
⑥インド大反乱　⑦シパーヒー　⑧インド帝国
⑨インド国民会議　⑩ティラク
⑪ベンガル分割　⑫英貨排斥　⑬スワデーシ
⑭スワラージ　⑮民族教育
⑯全インド=ムスリム

Point»

●ベンガル管区

ザミーンダール(領主層・地主層)に土地所有権を与えて納税させるザミーンダーリー制を導入した。

●マドラス・ボンベイ両管区

ライーヤト(実際の耕作者，自作農)に土地所有権を認めて直接納税させるライーヤトワーリー制を導入した。

Check ①国民会議派　②ティラク
③ベンガル分割令　④カルカッタ

Try

インド大反乱の前は東インド会社が統治していたが，インド大反乱の後は，インドを本国政府の直接統治下においた。

13章6　東南アジアの植民地化と民族運動(1)
(p.194～195)

①フィリピン　②ジャワ　③バタヴィア
④政府栽培　⑤オランダ領東インド　⑥海峡
⑦ペナン　⑧シンガポール
⑨イギリス=ビルマ　⑩コンバウン　⑪阮
⑫越南　⑬阮福暎　⑭カンボジア　⑮清仏
⑯フランス領インドシナ　⑰ラオス

Check ❶ ③アカプルコ

Check ❷ ①オランダ　②イギリス
③フランス　④オランダ　⑤イギリス
⑥ポルトガル

13章6　東南アジアの植民地化と民族運動(2)
(p.196～197)

①ラタナコーシン　②ラーマ5世　③緩衝
④リサール　⑤フィリピン　⑥アギナルド
⑦サレカット=イスラム
⑧ファン=ボイ=チャウ
⑨ドンズー　⑩ベトナム光復会
⑪アボリジナル　⑫白豪主義
⑬オーストラリア連邦　⑭マオリ　⑮ハワイ
⑯グアム

Point»

ベトナムから西進するフランスとビルマから東進するイギリスの緩衝地帯という有利な国際環境を利用し，ラーマ5世によって近代化，中央集権的近代国家確立への努力がなされたから。

Check ④日露戦争　⑥フランス　⑦孫文

Try

砂糖・コーヒー・茶・タバコなどの農産物や石油・石炭・錫などの鉱産資源を輸出し，ヨーロッパで生産された工業製品を輸入するという植民地的経済構造が形成された。また，ビルマやベトナムでは，食糧が不足しているアジアの地域に輸出するための米の生産もおこなわれた。

13章7　東アジアの国際関係の再編(1)
(p.198～199)

①白蓮教徒　②マカートニー　③林則徐
④南京　⑤香港島　⑥虎門寨追加　⑦天津
⑧北京　⑨九竜半島　⑩総理各国事務衙門
⑪洪秀全　⑫太平天国　⑬郷勇　⑭曾国藩
⑮李鴻章

Check ❶

清が従来の朝貢体制を変えようとしなかったことに加えて，使節謁見時の儀礼において，清が対等な関係で対応しようとはしなかったため。

Check ❷

1833年にイギリスの東インド会社の貿易独占権の廃止が決定され，翌年実施されたから。

Check ❸

上海　寧波　福州　厦門　広州

13章7　東アジアの国際関係の再編(2)　(p.200～201)

①同治中興　②西太后　③洋務　④アイグン
⑤露清北京　⑥イリ　⑦ペリー　⑧日米和親
⑨日米修好通商　⑩明治維新
⑪大日本帝国憲法　⑫台湾　⑬沖縄
⑭樺太・千島交換　⑮日清修好　⑯江華島
⑰日朝修好　⑱大院君　⑲閔氏

Point»　①クリミア　②ムラヴィヨフ
③第2次アヘン　④アイグン　⑤黒竜江
⑥露清北京　⑦沿海州　⑧ウラジオストク
⑨新疆　⑩イリ

Check

●第1款，第9款の意味
清が朝鮮の宗主国であるという関係を否定する。
●第10款が定めたもの
日本の朝鮮に対する領事裁判権。

13章7　東アジアの国際関係の再編(3)　(p.202～203)

①開化　②甲申政変　③金玉均　④甲午農民
⑤東学　⑥全琫準　⑦日清　⑧下関
⑨三国干渉　⑩膠州湾　⑪旅順　⑫大連
⑬広州湾　⑭威海衛　⑮九竜　⑯戊戌の変法
⑰康有為　⑱梁啓超　⑲義和団
⑳北京議定書　㉑光緒新政

Point»

清の朝鮮に対する冊封関係が消滅し，清は西洋的な国際関係に完全に移行した。そして，日本が，清，朝鮮に対し優位な立場となった。

Check

ともに万世一系の君主(天皇，大清皇帝)が統治権をもち，その地位は神聖で侵されないものとされている。また，議会に対する召集，開会閉会，解散の権限が与えられている。このような，非常に強い君主権の規定が共通点である。

13章7　東アジアの国際関係の再編(4)　(p.204～205)

①大韓帝国　②皇帝　③日露　④日英同盟
⑤ポーツマス　⑥統監府　⑦義兵運動
⑧安重根　⑨韓国併合　⑩朝鮮総督府
⑪孫文　⑫中国同盟会　⑬三民主義　⑭辛亥
⑮中華民国　⑯宣統帝　⑰国民党

Check

アジアの文明国である日本(黄色人種)が，フランス(白色人種)のベトナム(黄色人種)支配を助長している点を批判している。

Point»

列強による中国分割や義和団戦争において清朝が弱体化するなかで，漢人の郷紳層や革命派のナショナリズムが高まっていたことが背景である。

Try

●アヘン戦争の敗戦(南京条約)
朝貢体制が否定されて自由貿易がおこなわれることになった。
●第2次アヘン戦争の敗戦(北京条約)
外国公使の北京常駐により総理各国事務衙門が設置され，清朝の外交のあり方が変更された。
●太平天国の鎮圧
清朝政府内で，鎮圧の中心となった郷勇を組織した漢人の権限が強まった。
●日清戦争の敗戦(下関条約)
清の朝貢・冊封にもとづく国際関係が消滅した。
賠償金による財政難のため，列強に租借地やさまざまな利権を与えたため領土が分割された。
●義和団戦争の敗戦(北京議定書)
列強の駐兵などを認め，清朝が弱体化した。

14章1　第一次世界大戦(1)　(p.206～207)

①三帝同盟　②三国同盟
③ヴィルヘルム2世　④露仏同盟　⑤日英同盟
⑥英仏協商　⑦モロッコ　⑧英露協商
⑨三国協商　⑩火薬庫
⑪ボスニア・ヘルツェゴヴィナ
⑫パン=ゲルマン
⑬パン=スラヴ　⑭バルカン同盟
⑮サライェヴォ　⑯マルヌ　⑰タンネンベルク
⑱無制限潜水艦

Point»

ビスマルクの時代は，フランスを孤立させる目的で三帝同盟や三国同盟が結ばれていた。ヴィルヘルム2世によりドイツの外交政策が変更され，ロシアとの再保障条約の延長を拒否したため，ロシアがフランスに接近，フランスとイギリスが関係を改善して，三国協商が三国同盟を包囲する形となった。

Check ①セルビア　②モンテネグロ
③ブルガリア　④ギリシア
サライェヴォの位置については解答略

14章1　第一次世界大戦(2)　(p.208～209)

①総力戦　②女性　③黒人
④十四か条の平和原則　⑤ウィルソン
⑥インド　⑦インドシナ　⑧サイクス=ピコ
⑨フサイン=マクマホン　⑩バルフォア
⑪中東　⑫ブレスト=リトフスク　⑬ドイツ
⑭キール　⑮レーテ

Point»
フサイン=マクマホン書簡でアラブ人に対してアラブ人国家の建設を約束しておきながら，バルフォア宣言でユダヤ人に対してパレスティナでのユダヤ国家の設立を認めた。

Check ❶
イギリスが戦争協力の見返りとして，戦後の自治を約束したから。

Check ❷
●流行がはじまった国
アメリカ
●世界に広がった理由
大戦中で，アメリカの兵士が大西洋を渡ってヨーロッパに広げ，さらに戦争協力をさせられていたインドなどの植民地にも広がった。
●「スペイン風邪」という名前がつけられた理由
交戦国が感染を隠し，戦争に加わらなかった中立国のスペインが情報を提供したから。

14章1　第一次世界大戦(3)　(p.210～211)

①二月革命　②ペトログラード　③レーニン
④四月テーゼ　⑤十月革命
⑥平和に関する布告　⑦土地に関する布告
⑧プロレタリア独裁　⑨共産党
⑩対ソ干渉　⑪戦時共産主義　⑫新経済政策
⑬ソヴィエト社会主義共和国連邦
⑭コミンテルン　⑮ラパッロ　⑯一国社会主義
⑰トロツキー　⑱第1次五か年計画
⑲ハンガリー革命　⑳モンゴル人民共和国

Check
過激派(ボリシェヴィキ)は，兵士・労働者の多くの支持のもとで勢力を強め，今にも政権を奪取しそうであるが，無責任かつ横暴である。

Point»
戦時共産主義によって内外の危機を脱したなかで，国民の不満をやわらげて生産の回復をはかる目的で導入された。

Try
それまでの戦争が軍を中心とした戦いに限定されていたのに対し，第一次世界大戦は国内及び植民地の人員と物資を可能な限り動員する総力戦となった。また，戦車をはじめ飛行機や潜水艦，毒ガスなどの新兵器が登場し，軍人戦死者が多数にのぼり，一般市民にも軍人に匹敵する多数の犠牲者をうみだすこととなった。

14章2　ヴェルサイユ体制と国際協調(1)　(p.212～213)

①パリ講和会議　②ロイド=ジョージ
③クレマンソー　④アルザス　⑤ロレーヌ
⑥国際連盟　⑦集団安全保障　⑧委任統治
⑨九か国　⑩四か国　⑪ワシントン海軍軍縮
⑫ロンドン軍縮　⑬ロカルノ　⑭パリ不戦
⑮マクドナルド　⑯ウェストミンスター
⑰シン=フェイン　⑱アイルランド自由国
⑲ルール　⑳ブリアン

Check ❶
ポーランド，チェコスロヴァキア，ハンガリー，セルビア=クロアチア=スロヴェニア王国

Point»
アメリカが上院の反対で加入せず，敗戦国およびソヴィエト政権が除外されたことで，国際連盟が全世界的な機関となれなかった。また，総会決議が全会一致を必要としたことで，決定における強い制約があった。さらに，国際連盟規約の違反国に対する制裁手段が経済制裁に限られていた。

Check ❷
中国が日本などの特定の国に権益を認めるのではなく，門戸開放と各国の中国に対する機会均等を望んだ。

14章2　ヴェルサイユ体制と国際協調(2)　(p.214～215)

①ファシスト　②ムッソリーニ　③中間層
④ローマ　⑤ラテラノ　⑥スパルタクス

⑦社会民主　⑧ローザ=ルクセンブルク
⑨ヴァイマル共和国　⑩ヴァイマル憲法
⑪シュトレーゼマン　⑫ドーズ　⑬ナチ
⑭ヒトラー　⑮債権国　⑯孤立主義
⑰大衆文化　⑱KKK　⑲禁酒　⑳移民

Check ①フランス　②ルール
③インフレ　④シュトレーゼマン
⑤レンテンマルク

Point»

白人至上主義を唱えるKKKが復活して差別撤廃の動きが頓挫したり，移民に対する排外主義が高まって移民法が制定されたりしたから。また，不寛容な時代の風潮が強まるなかで禁酒法が制定された。

Try

<解答例>平和への貢献ということでは，ワシントン海軍軍縮条約の締結や，国務長官ケロッグによるパリ不戦条約成立への貢献などがあげられる。さらに，ドーズ案によるドイツの賠償金支払いの緩和やアメリカの資本輸出は，平和維持の条件となるヨーロッパの経済再建に大きな役割をはたした。しかし，国際連盟に加盟しなかったことなどを考えると，決して十分だったとはいえないのではないだろうか。

14章3　アジアのナショナリズムの台頭(1)　(p.216～217)

①セーヴル　②ムスタファ=ケマル
③ローザンヌ　④トルコ共和国　⑤ワフド
⑥エジプト=イギリス　⑦フサイン=マクマホン
⑧サイクス=ピコ　⑨イブン=サウード
⑩バルフォア　⑪レザー=ハーン
⑫ローラット　⑬ガンディー
⑭プールナ=スワラージ　⑮新インド統治
⑯スカルノ　⑰ホー=チ=ミン　⑱タキン
⑲アウンサン

Point» 1

●セーヴル条約で失った領土

シリアがフランスの委任統治領，イラク・トランスヨルダン・パレスティナがイギリスの委任統治領となり，アラビア半島の元オスマン帝国領およびバルカン半島のイスタンブル以外の地域と小アジアの北東部を失った。

●ローザンヌ条約で回復した領土

バルカン半島のイスタンブル以外の地域と小アジアの北東部を回復した。

Check

フサイン=マクマホン書簡において，アラブ人の独立を認めており，聖地の保全，不可侵性を承認しているにもかかわらず，バルフォア宣言において，アラブ人の聖地の一つであるイェルサレムを含むパレスティナにユダヤ人のナショナルホームを設立するという目標達成のための最善の努力をすると表明している点が問題である。

Point» 2 ①共闘　②対立

14章3　アジアのナショナリズムの台頭(2)　(p.218～219)

①二十一か条　②大正デモクラシー
③普通選挙　④治安維持　⑤三・一運動
⑥大韓民国臨時　⑦五・四運動　⑧新文化
⑨陳独秀　⑩胡適　⑪魯迅　⑫中国共産党
⑬中国国民党　⑭第1次国共合作　⑮張作霖
⑯五・三〇　⑰国民政府　⑱蔣介石
⑲協調外交　⑳張学良

Point» ①ドイツ　②日本　③ドイツ
④日本　⑤中国

Check

孫文は，第1次国共合作において共産党と連携したが，蔣介石は上海クーデタで共産党を弾圧した。

Try

●共通点

イギリスがさまざまな立場の代表をまねいて英印円卓会議を開いたことと，日本が朝鮮地主や資本家を優遇し，言論・集会活動などの制限を緩和する政策をとったことが，社会の支配階層を融和しようとした点で共通している。

●相違点

イギリスがヒンドゥー教徒とムスリムを対立させて民族運動を分断したのに対し，日本は社会主義運動をきびしく取り締まりつつ，農村振興や北部の工業化を通して朝鮮社会の安定をはかろうとした点が異なっている。

14章ACTIVE⑨　第一次世界大戦後の中国と国際社会　(p.220～221)

STEP 1 ①二十一　②山東

STEP 2

1　①パリ　②民族自決

2　陳独秀は，十四か条演説から，非ヨーロッパ地域も含めた民族自決の実現を期待していたが，強国が講和会議を取り仕切っているため，その期待がすぼみ，失望に変わりつつあったから。

STEP 3

新文化運動の影響下で，学生たちは，国際社会における「公理」にしたがって日本に対抗すれば，二十一か条の要求取り消し，ひいては十四か条に投影された民族自決が実現すると期待していた。ところが，講和会議では「公理」がねじまげられ，ヴェルサイユ条約では山東省における旧ドイツ利権は日本へ譲渡されることになってしまった。期待を裏切られた学生たちの間では，「公理」に頼るだけでなく，実力行使も必要だという機運がうまれ，条約調印拒否の声が高まったから。

Try

①　「軍備縮小」に関しては，戦勝国が戦争責任をドイツに押しつけ，ドイツの軍縮を大幅にすすめたが，相互の安全保障のための軍縮会議は徹底したものにならなかった。また，国際連盟が設立されたが，アメリカが参加せず，国際平和のための指導力という点で限界があった。

②　ヨーロッパ地域の民族自決は，戦勝国の利害を反映しながら，おおむね実現した。ただし，イタリアのように国境問題に強い不満をいだいた国もあり，紛争の種も残った。非ヨーロッパ地域については，ドイツの植民地やオスマン帝国の支配地が委任統治の制度で戦勝国に割り当てられたことは，民族自決から遠く，「植民地問題の公正な調整」とはいいがたい。また，山東省については，のちに中国に返還されることになるが，講和会議時点では日本の主張が通っていた。民族自決は，戦勝国の利害が優先されるかたちで，非ヨーロッパ地域では十分に実現しなかった。

15章1　世界恐慌とファシズム(1)

(p.222～223)

①世界恐慌　②ウォール
③フーヴァー=モラトリアム　④ニューディール
⑤フランクリン=ローズヴェルト
⑥全国産業復興法　⑦農業調整法
⑧テネシー川流域開発公社　⑨ワグナー法
⑩産業別組織会議　⑪善隣　⑫挙国一致
⑬イギリス連邦経済会議　⑭ブロック経済
⑮スターリング=ブロック　⑯ファシズム
⑰全権委任法

Check ❶

私は3つの商売を知っている，私は3つの言語を話す，3年間戦った，3人の子供がいる，
そして3か月間仕事がない，しかし1つの仕事が欲しいだけである。

Point»

第一次世界大戦後，アメリカは国際経済の中心となり，戦後の世界経済復興のためにドイツをはじめ世界各地に資本を投下していたが，恐慌によりその資本をひきあげたから。

Check ❷

ユダヤ系の人々へのきびしい迫害，大虐殺につながった。

15章1　世界恐慌とファシズム(2)

(p.224～225)

①再軍備　②英独海軍協定　③ラインラント
④エチオピア　⑤ベルリン=ローマ
⑥日独伊三国防共協定　⑦枢軸　⑧ブルム
⑨スペイン内戦　⑩不干渉　⑪国際義勇
⑫第2次五か年　⑬スターリン　⑭大粛清
⑮相互援助

Check　ソ連

Point»

第二次世界大戦は，ファシズムに対する連合国の戦いという性格があり，多くの民衆が犠牲となった戦争である。同じように，スペイン内戦はファシズムに対して民主主義を守ろうとした人民戦線の戦いであり，ゲルニカの空爆のように多くの民衆が犠牲となったので第二次世界大戦の前哨戦といわれる。

Try

●アメリカ大統領の立場

<解答例>国際連盟に加盟して，ドイツ，イタリアに対する国際連盟の制裁力を高める。
イギリス，フランスと多国籍軍を組織して，ドイツ，イタリアに軍事的制裁を加える。

●イギリス首相の立場

<解答例>ドイツ(ナチ党)の強硬政策を容認せず，フランスなどと足並みを揃えて，軍事行動を前提にきびしく対処する。

15章ACTIVE⑩　なぜ人々はナチ党を支持したのか　(p.226～227)

❶

STEP 1

1　①77(13)　②143(25)　③68(12)
④107(19)　⑤182(32)

2　ドイツ共産党

STEP 2　①世界恐慌　②失業　③賠償金

STEP 3

1　①ヴェルサイユ　②ヴァイマル　③30

2　ドイツとその同盟国

3　長期間，数世代にわたって賠償金を払い続けることの負担感，苦しみ。

4　希望のない絶望的な表情にみえる。今の苦しみを救ってくれるリーダーを求めていた。

5　国内の失業問題や，(納得のいかない)賠償金問題を解決してくれること。

自分たちの生活を良くしてくれること。ドイツ人としての誇りを取り戻してくれること。

❷

STEP 1

1　①演劇やテニス　②ヒトラーがドイツの国際的な力を取り戻してくれそう　③失業問題

2　家族で車に乗ってピクニック(旅行)に来ている様子。ドイツ人は余暇を楽しむことができる。

STEP 2

ヴァイマル共和国の民主的な政治体制が崩れ，独裁が強化され国民生活が統制された。言論出版などの表現の自由が後退した。人種主義思想により差別が拡大した。

STEP 3

1　ナチ党の主張や政策に賛同できないが，自分たちでは提供できないさまざまな体験に喜ぶ子どものことを考えると反対しづらいという，相反する感情のため。

2　多くのドイツ国民が望むことを果たしている一方で，人権制限がどこまでいってしまうのか，対外強硬策によりドイツの国際的立場がどうなるのかなどの点。

15章2　満洲事変と日中戦争　(p.228～229)

①昭和　②柳条湖　③満洲　④満洲国
⑤溥儀　⑥五・一五　⑦リットン
⑧中華ソヴィエト共和国　⑨毛沢東　⑩長征
⑪西安　⑫八・一　⑬張学良　⑭日中戦争
⑮盧溝橋　⑯国共合作　⑰汪兆銘

Check ❶

「五族共栄」と書かれており，この五族は日本人，満洲人，漢人，蒙古人，朝鮮人をさしている。ポスターの五人の中心は日本人である。また，正面には満洲国の建国理念「王道楽土」がかかげられている。以上から，満洲国は，日本が中心となって諸民族をまとめ，治安の安定した理想的な国家となることをアピールしていると考えられる。

Check ❷

大日本帝国憲法では「法律の範囲内」での保障としていたが，中華民国憲法草案では「公共の利益」による制限以外は広く保障することになっている。中華民国憲法草案は，日本国憲法の「公共の福祉」による制限以外を広く認めているのと同じ位置づけとなっている。

Try

●中国

<解答例>蔣介石が共産党を制圧した時期から，共産党と対立せずに一致して日本に対して抵抗すればよかったかもしれない。

●日本

<解答例>関東軍が先行して軍事行動に動くまでの段階で，政府が関東軍をコントロールすることができていれば，防げたかもしれない。

●国際連盟

<解答例>日本が国際連盟を脱退したときに，加盟していないアメリカなどとともに日本を再加入させるための話し合いの場を設けることができればよかったかもしれない。

15章3　第二次世界大戦(1)　(p.230～231)

①オーストリア　②ズデーテン　③ミュンヘン
④独ソ不可侵　⑤ヴィシー　⑥チャーチル
⑦独ソ　⑧スターリングラード　⑨バドリオ
⑩ノルマンディー　⑪ホロコースト
⑫アウシュヴィッツ　⑬レジスタンス
⑭ド=ゴール　⑮ティトー

Check ❶

<解答例>「なぜ私をよばないのか？　そんなに共産主義が怖いのか？」

Check ❷　②　④

Check ③ ①ペタン　④バドリオ
⑤レジスタンス

15章3　第二次世界大戦(2)　(p.232〜233)

①ノモンハン　②日独伊三国　③日ソ中立
④アジア・太平洋　⑤ミッドウェー　⑥沖縄
⑦皇民化　⑧創氏改名　⑨大東亜共栄圏
⑩大西洋憲章　⑪カイロ宣言　⑫テヘラン
⑬ヤルタ　⑭ドイツ無条件　⑮ポツダム
⑯原子爆弾　⑰ソ連

Point»

朝鮮・台湾の人々を「日本人」として動員するために，神社参拝の強制，日本語使用の徹底，創氏改名などの皇民化政策を強行するようになった。

Check

領土の拡大や人民の希望に合致しない領土的変更を否定すること，人民が政体を選択する権利(民主主義)を尊重すること，強奪された主権と自治を回復すること，国家間の通商や原料を均等に開放することなどが目的とされた。

Try

解答例

・大西洋憲章および連合国共同宣言において戦争目的が明確に示されたこと。これにより，連合国が使命感をもって戦い続けることができた。

・連合国の資源が豊かだったこと。経済力，軍事力において枢軸国を大きく引き離していた。

・連合国が首脳会談を重ねて，戦争作戦を実行していったこと。対立する可能性のあるソ連と英米が戦争終結までなんとか協力を維持することができた。

15章4　戦後の変革と冷戦のはじまり(1)　(p.234〜235)

①国際連合憲章　②サンフランシスコ　③総会
④安全保障理事会　⑤ユネスコ
⑥世界保健機関　⑦国際通貨基金
⑧国際復興開発銀行　⑨GATT　⑩ドル
⑪固定為替　⑫アトリー　⑬福祉　⑭国有化
⑮第四共和政　⑯ニュルンベルク国際軍事
⑰人民民主主義

Point»

国際連盟は加盟しない国や脱退する国があったが，国際連合は全世界的な組織となった。総会の議決について，国際連盟は全会一致制だったが，国際連合で多数決となった。国際連合の集団安全保障は軍事制裁を含み，国際連盟より強化された。国際連合の安全保障理事会では大国一致の原則がとられるようになり，また本部は国際連盟が永世中立国のジュネーヴだったのに対し，国際連合はアメリカのニューヨークにおかれることになった。

Check ①

●違い

フランス人権宣言が，国家のもとでの人権の保障をうたっているのに対し，世界人権宣言は，国家の枠組みをこえて人権が保障されること，人種などによる差別を否定している点が異なっている。

●違いが示す世界史の変化

フランス革命の時代は，国民国家の成立がめざされている時代であったが，やがて成立した国家同士が激しく戦争をおこなったのちに，国家の枠組みをこえて国際社会の平和と人権保障をめざすことが必要と考えられるようになった。

Check ②

向かって右の人物：スターリン

東欧，中欧の国々に対し，ソ連側の社会主義国の仲間に入れようとしている。

向かって左の人物：トルーマン

東欧，中欧の国々に対し，アメリカと同じ自由主義国の仲間に入れようとしている。

15章4　戦後の変革と冷戦のはじまり(2)　(p.236〜237)

①冷戦　②封じ込め
③トルーマン=ドクトリン　④マーシャル
⑤コミンフォルム　⑥西ヨーロッパ連合条約
⑦北大西洋条約機構　⑧経済相互援助会議
⑨ベルリン封鎖　⑩ドイツ連邦共和国
⑪ドイツ民主共和国　⑫スカルノ
⑬ホー=チ=ミン　⑭ベトナム民主共和国
⑮インドシナ戦争　⑯ジュネーヴ休戦
⑰パキスタン　⑱アラブ連盟
⑲パレスティナ分割　⑳イスラエル
㉑第1次中東

Check ① ①コミンテルン　②フランス
③インドシナ　④ベトナム独立同盟
⑤ベトナム民主共和国　⑥バオダイ
⑦ディエンビエンフー　⑧ジュネーヴ

Point»

イギリスが，ヒンドゥー教徒とムスリムを対立させて独立運動の分断をはかり続けたから。

Check ❷

難民となり，劣悪な環境のなかで，軍事的な脅威にさらされながらの生活を余儀なくされた。

15章4　戦後の変革と冷戦のはじまり(3)(p.238～239)

①中華人民共和国　②毛沢東　③周恩来
④二・二八　⑤38度線　⑥大韓民国
⑦李承晩　⑧朝鮮民主主義人民共和国
⑨金日成　⑩朝鮮戦争　⑪板門店
⑫極東国際軍事裁判　⑬GHQ　⑭日本国憲法
⑮サンフランシスコ講和　⑯日米安全保障

Point»

国民党政権が経済政策に失敗し急激なインフレをおこしたことで，国民党に対する不満が高まっていたなか，共産党は地主や対日協力者の土地を没収し，貧農に分配して多くの支持を集めていたから。

Check

米ソともに朝鮮半島を自国の強い影響のもとにおきたいと考えていて，駆け引きをしていた。

Try

冷戦が激化した戦後の世界では，東西の対立が世界大戦のような戦争とはならず，各地(国)で代理戦争として戦われた。朝鮮戦争には，代理戦争のはじまりとしての意義がある。

16章1　冷戦下の安全保障体制(1)(p.240～241)

①ANZUS　②東南アジア条約機構　③中東
④パリ協定　⑤中ソ友好同盟相互援助
⑥中ソ対立　⑦ワルシャワ条約機構
⑧水素爆弾　⑨パグウォッシュ
⑩部分的核実験禁止　⑪第20回
⑫フルシチョフ　⑬スターリン批判
⑭ゴムウカ　⑮雪どけ　⑯ジュネーヴ4巨頭
⑰平和共存　⑱ベルリンの壁　⑲キューバ危機

Check ❶

第2次五か年計画がおこなわれた1930年代に顕著にみられた。

Point»　①　東ベルリン　③　ポーランド

Check ❷　①アルゼンチン　②バティスタ
③ケネディ　④トルコ

16章1　冷戦下の安全保障体制(2)(p.242～243)

①シューマン=プラン
②ヨーロッパ石炭鉄鋼共同体
③ヨーロッパ経済共同体
④ヨーロッパ原子力共同体
⑤ヨーロッパ共同体　⑥アデナウアー
⑦ド=ゴール　⑧第五共和政　⑨五月危機
⑩大躍進　⑪プロレタリア文化大革命
⑫中ソ論争　⑬マッカーシズム
⑭アイゼンハワー　⑮ケネディ　⑯キング
⑰公民権　⑱ジョンソン

Check ❶　②　ヴィルヘルム2世
③　アルザス・ロレーヌ

Check ❷

●中国社会を混乱させた活動

紅衛兵は，古いもの，資本主義的とみなされたものを徹底的に破壊し，知識人や党幹部を権威的であるとして迫害した。

●秩序回復の方法

軍が介入し，農民から学ぶという名目で学生を大規模に農村に送る下放によって秩序を回復した。

16章1　冷戦下の安全保障体制(3)(p.244～245)

①17度線　②南ベトナム解放民族戦線
③北爆　④ドル危機　⑤パリ和平
⑥ニクソン　⑦ベトナム和平協定　⑧サイゴン
⑨ベトナム社会主義共和国　⑩高度経済成長
⑪日韓基本　⑫プラハの春　⑬緊張緩和
⑭ブラント　⑮東方外交　⑯田中角栄

Check

圧倒的な軍事力をもつアメリカが，途上国のベトナムの人々を苦しめていることに憤りを感じていたのではないだろうか。そして，軍隊に所属する兵士が懲戒処分覚悟で反戦運動に立ち上がることによって，世界の人々がベトナム戦争を止めさせる行動に立ち上がることにつながると考えた。

Point»

中国がソ連と激しく対立しているなかで，ベトナム戦争で苦境にたつアメリカが中国との関係を修復することによって，対ソ連政策を有利に進めることができると考えたから。

Try

解答例

・ブラント首相の東方外交。冷戦の最前線にあったドイツにおいて，対立関係を根本的に見直すきっかけとなったから。

・ベトナム戦争。冷戦を背景とした地域紛争に対する世界的な反戦運動がおこったから。また，アメリカの国際収支，財政が赤字となり，ソ連と歩み寄る必要が生じたから。

16章2　脱植民地化と非同盟(1)

(p.246～247)

①コロンボ　②周恩来　③ネルー
④平和五原則　⑤アジア=アフリカ会議
⑥平和十原則　⑦非同盟諸国首脳　⑧第三世界
⑨ンクルマ　⑩アフリカの年　⑪アルジェリア
⑫マレーシア　⑬アフリカ統一機構
⑭ASEAN　⑮コンゴ動乱　⑯バングラデシュ

Check ❶

戦争がおこる背景として，植民地主義・帝国主義と新植民地主義をあげているが，近代以降に世界でおこった戦争の背景としては妥当であると考える。戦争防止の可能性については，すべての戦争は回避可能だと述べている。そのような希望をもつことは極めて大切であると考えるが，現実には各地で防止できずに戦争となってしまった。

Check ❷

●植民地支配にとって

植民地支配において，支配者側の言語を強制して統一することは，経済的支配，政治的支配に加えて，精神的支配をおこなうことであり，植民地支配を完成させることになる。

●脱植民地化にとって

植民地支配によって言語を奪われた人々が，自らの言語を回復することは，精神的支配から脱却するということとなり，脱植民地化において重要である。

Check ❸

イギリス　ソ連　フランス

16章2　脱植民地化と非同盟(2)

(p.248～249)

①九・三〇　②スハルト　③開発独裁
④ポル=ポト　⑤朴正熙　⑥アジェンデ
⑦エジプト革命　⑧ナセル
⑨スエズ運河会社の国有化　⑩第２次中東戦争
⑪パレスティナ解放機構　⑫第３次中東戦争
⑬第４次中東戦争　⑭第１次石油危機
⑮石油国有化　⑯イラン=イスラーム
⑰ホメイニ　⑱イラン=イラク

Point»

独裁的で抑圧的な支配をもとに，開発独裁とよばれる経済開発をおこなった。

Check

一握りの一族による経済的支配を克服して，チリの人民に銅や石炭などの資源を回復するため。

Try

●アジア

インドネシア

スカルノを退陣させて政権を掌握したスハルトの独裁体制のもとで，共産党が弾圧された。そして，アメリカをはじめとする資本主義国と連携しつつ開発独裁がすすめられた。

●アフリカ

コンゴ

独立後，鉱物資源の豊かなカタンガ州の分離独立要求から内乱(コンゴ動乱)が発生した。動乱は国連軍の出動と軍部のモブツにより沈静化した。政権を掌握したモブツ大統領による独裁政治がはじまったが，鎖国的な政策をおこなったために経済的に苦しい状況が続いた。

●ラテンアメリカ

チリ

選挙で成立したアジェンデ政権により社会主義的な改革がすすめられたが，アメリカが後押しした軍のクーデタによりピノチェトによる独裁政権が誕生した。ピノチェト大統領は自由主義的経済政策を展開する一方，左派勢力の徹底した弾圧などの人権抑圧政策を強行した。

16章3　冷戦の終結と現代世界(1)

(p.250～251)

①新冷戦　②レーガン　③新自由主義

④双子の赤字　⑤ゴルバチョフ
⑥ペレストロイカ　⑦グラスノスチ
⑧チョルノービリ(チェルノブイリ)原子力
⑨中距離核戦力　⑩アフガニスタン
⑪連帯　⑫ワレサ　⑬東欧革命
⑭ベルリンの壁　⑮チャウシェスク　⑯マルタ
⑰ソ連共産党　⑱独立国家共同体　⑲ドイモイ
⑳アパルトヘイト　㉑マンデラ

Point»

経済困難解消の必要性のため，反ソ・反共の立場からソ連との関係改善を求める姿勢に転じた。

Check ❶

ソ連の現状について，遅滞をうむしくみのために停滞状態にあると考えていた。未来については，そのしくみを壊して効果的なしくみをつくりだすことで，社会的経済的発展が速まるはずであると考えていた。

Check ❷

ソ連のもとでは経済的な発展が望めないと考え，各共和国は，これまで以上に主権国家としての独立を望んだから。

16章3　冷戦の終結と現代世界(2) (p.252～253)

①四つの現代化　②鄧小平　③改革開放
④香港　⑤天安門事件　⑥光州事件
⑦金大中　⑧李登輝　⑨バブル　⑩湾岸戦争
⑪ボスニア　⑫コソヴォ　⑬チェチェン
⑭ルワンダ　⑮インティファーダ
⑯パレスティナ暫定自治協定

Point» ❶

市場経済を導入し，対外的に開放政策をすすめた点。

Point» ❷

独裁的な体制に対して民主化を求める運動が展開され，大統領(韓国)・総統(台湾)を直接選挙で選ぶことになった。そして，選挙で選ばれた大統領・総統のもとで経済発展をとげた。

Check　②　民主進歩党(民進党)
④　本省人

Point» ❸

多民族国家が独自の社会主義体制のもとに維持されていたが，社会主義体制が瓦解したことによって，地域および民族間の経済格差や宗教対立が激化したから。

16章3　冷戦の終結と現代世界(3) (p.254～255)

①マーストリヒト　②ヨーロッパ連合
③ユーロ　④アフリカ連合　⑤ASEAN
⑥グローバル化　⑦同時多発テロ　⑧対テロ
⑨イラク　⑩マルクス　⑪実存
⑫精神分析学　⑬グローバル=ヒストリー
⑭フェミニズム　⑮野獣派　⑯立体派
⑰超現実主義　⑱ジャズ　⑲ロック

Check ❶　③　⑤

Check ❷

対テロ戦争後，イラクやアフガニスタンへのアメリカ軍やイギリス軍の駐留によっても政治的な安定は実現せず，多くの現地人や駐留兵士がテロなどの犠牲になった。対テロ戦争が新たなテロを誘発したのではないかという見方もされるようになった。また，イラク戦争開始の理由とされた大量破壊兵器の所有などについて事実ではなかったことが判明した。このようなことから，対テロ戦争に対する批判的な見方が多くみられるようになった。その後，イラクおよびアフガニスタンからは駐留軍が撤退した。

16章3　冷戦の終結と現代世界(4) (p.256～257)

①アジア通貨危機　②世界金融危機
③ユーロ危機　④アラブの春　⑤シリア内戦
⑥プーチン　⑦核拡散防止
⑧戦略兵器制限交渉　⑨戦略兵器削減交渉
⑩包括的核実験禁止　⑪核兵器禁止　⑫習近平
⑬オバマ　⑭トランプ　⑮米中対立
⑯ブレグジット　⑰東日本大震災
⑱新型コロナウイルス

Check　①アサド　②ロシア　③IS
④難民

Point»

オバマは「変化」を訴えて大統領に当選し，医療保険法制定などの改革にとりくみ，外交では多国間の協調をとなえてイラクからの撤兵を完了した。トランプは「アメリカ第一」主義をかかげて当選し，オバマ政権下での改革を反故にし，国際協力に消極的な姿勢をみせた。

Try

解答例

・イスラーム過激派によるテロとアメリカの「対テロ戦争」。グローバル化のなかで優位を占めたアメリカをイスラーム過激派が敵視してテロ事件をおこした。それに対し，アメリカが「対テロ戦争」をはじめたが，イスラーム過激派をめぐる状況は改善されたとは言い難いから。

・国際的な金融危機。グローバル化は，アジア通貨危機や世界金融危機，ユーロ危機など世界的な金融危機がおこりやすい状況をうんだ。経済的に不安定な状況は，国際的な協力関係よりも自国中心の政策に各国が流れがちとなり，国家間の政治的な対立が生じやすくなるから。

16章ACTIVE⑪　現代の紛争と解決への国際的取り組み　(p.258～259)

STEP 1

国内紛争：国共内戦，カンボジア内戦，ソマリア内戦，ルワンダ内戦，シリア内戦，北アイルランド紛争，バスク紛争，ダルフール紛争，ニカラグア内戦　など

国家間の紛争：朝鮮戦争，中越戦争，印パ戦争，カシミール紛争，イラン=イラク戦争，アフガニスタンへのソ連の軍事介入，中東戦争，キューバ危機　など

STEP 2

冷戦終結とともに，国内紛争が大きく増加し，国家間紛争は減少した。

STEP 3

1　国連が紛争の平和的解決や治安維持を目的に小規模な軍隊や監視団を派遣する活動のこと。

2　カンボジア内戦終結にともない，PKOとして国連カンボジア暫定統治機構が設立され，停戦監視，治安維持，武装解除，そして選挙の管理・運営などをおこなった。

2

STEP 1

1　国連平和維持活動

2　自分の家族がセルビア人によって殺されたこと。

自分の命を守るのに，この町まで何とか逃れてきた，だから助けてくれ。　など

STEP 2

ボスニアのモスレム人やクロアチア人を大量処刑するなどして殺戮した。これら非セルビア人の中には，拘禁中に射殺された者や，非人間的な条件にさらされた結果として死亡した者もあった。

STEP 3

1　大戦後，ニュルンベルク国際軍事裁判と極東国際軍事裁判で，ドイツと日本の戦争犯罪人が裁かれた。これらの裁判では，侵略戦争をひきおこしたことについての「平和に対する罪」と，戦争中に文民に対してなされた非人道的行為についての「人道に対する罪」という新しい国際犯罪も裁きの対象となった。

2　戦争の残虐な実態や軍部の謀略などの戦争の犯罪性を明らかにし，戦争というものを裁く国際法の流れの先駆けになった。

STEP 1

［例］政治的安全：紛争や暴力による恐怖から人々を逃れさせること。　経済的安全：世界的に広がっている貧困や飢餓から人々を解放すること。

STEP 2

ODA(政府開発援助)による途上国の開発支援，自衛隊による被災地の復興支援，NPO(非営利組織)による地域社会や人々のエンパワーメント(能力強化)にむけた取り組み，など

Try

①　紛争を防ぐための予防的外交，国連による平和維持活動，紛争を終結させるための国際司法裁判所，紛争後のNGO(非政府組織)による教育支援や心のケア，など

②　戦争や紛争がないだけでなく，ひとりひとりが安心して暮らせる環境がととのっている状態のこと。　など

17章1　冷戦と経済統合　2　第三世界の経済　(p.260～261)

①ブレトン=ウッズ　②ヨーロッパ共同体
③経済相互援助会議　④ヨーロッパ自由貿易連合
⑤高度経済成長　⑥アメリカニゼーション
⑦人民民主主義　⑧新植民地主義
⑨モノカルチャー経済　⑩南北問題
⑪国連貿易開発会議　⑫開発独裁

⑬資源ナショナリズム　⑭南南問題
⑮新興工業経済地域

Try ①

●西欧諸国

ヨーロッパ共同体によって域内関税を撤廃し，資本や労働力の域内自由移動をすすめた。一つの経済ブロックを形成したこととなり，域外との間に貿易などの障壁がうまれた。また，西ヨーロッパが結束することで東ヨーロッパとの対立がより鮮明なものとなった。

●東欧諸国

経済相互援助会議(コメコン)を通じて各国の計画経済の調整をすすめた。国家間の分業が工業国と農業国の固定化をまねき，また，軍事負担や重化学工業を重視した政策のために，消費物資の生産が滞り，市民の生活が圧迫された。

Try ②

解答例

冷戦。冷戦を背景とした地域紛争が途上国でおこっており，それが南北問題の大きな原因となっていったと考えられるから。

南北問題。経済的に豊かな大国どうしの対立よりも，経済的に貧しい途上国の貧困を解決する方が優先されるべきであると考えられるから。

17章3　産業構造と社会の変化 4　グローバル化と新自由主義の時代 (p.262～263)

①公害　②ウーマン=リブ　③石油危機
④ドル=ショック　⑤変動相場制
⑥新自由主義　⑦小さな　⑧サッチャー
⑨改革開放　⑩ドイモイ　⑪ヨーロッパ連合
⑫ユーロ　⑬北米自由貿易協定
⑭南米南部共同市場　⑮東南アジア諸国連合
⑯BRICS　⑰世界金融危機

Try ①

解答例

・ドル=ショック。ブレトン=ウッズ体制が崩壊し，変動相場制に移行した。これは，戦後の世界経済のしくみを根本的に変えることになり，各国はその対応に迫られたから。

Try ②

解答例

・フェアトレードの運動。途上国の自立的な経済発展のためには，援助だけでなく，公正な貿易による途上国の生産者と流通の保護が重要であると考えられるから。

・ATTACの主張を実現すること。金融取引が制限なく自由に行われる状況は，経済格差を拡大させる大きな要因となっているので，金融取引への課税と途上国への分配によって経済格差が縮小できると考えられるから。

17章ACTIVE⑫　世界の格差とその解消への取り組み (p.264～265)

❶

STEP 1　①小さくなった　②大きくなった
③大きくなった

STEP 2

1　インド・中国・韓国・台湾

2　いずれも第二次世界大戦終了後の1940年代後半に独立，もしくは列強の支配から自立した。
いずれも輸出指向型の経済発展により，韓国・台湾は1970年代以降，インド・中国は2000年代に入り経済力が急速に伸びた。

STEP 3

1　中国：7940　アメリカ：56938
日本：34567　イギリス：45781
韓国：30000　カナダ：44571
オーストラリア：58696

2　中国：2.4　アメリカ：6.5　日本：5
イギリス：5.8　韓国：4.7
オーストラリア：6.6

❷

STEP 1

1　東西問題

2　マーシャル=プランを提唱し，ヨーロッパ(とくに西側の西欧諸国)の復興をはかった。

3　「東西問題」という世界の大きな問題に匹敵する，重要で解決すべき問題ととらえていた。「東西問題」対処(社会主義圏に対抗するための西ヨーロッパ復興)のためにマーシャル=プランでなされた資金援助と同じく，西欧世界は途上国に対して十分な経済援助をおこなうべきと考えていた。

STEP 2

1　WTOの協定では，原則自由貿易であるべきだが，競争力に劣る途上国は，その発展のためにも必ずしもこの原則にとらわれず，関税なども含めた国内産業保護政策を柔軟に認めるということ。
2　途上国などニーズが大きい国々へのODAおよび直接投資を含む資金の流入を促進させる。

③

STEP 1

1　アメリカ：約1.2倍弱　　ドイツ：約2倍
イギリス：約1.8倍　　日本約：1.5倍
イタリア：約1.2倍

2　ドイツは期間の前半には大きく伸びたが，後半は変化していない。アメリカ，イギリス，日本，フランスなどは下がった時期もあり，全体として伸び悩んでいるようにみえる。

STEP 2

1　読み書き，計算などの基本技能。さらにより高度な会計技能，工業技術，農業技術など。

2　人権意識，民主主義とそれを支える政治制度の知識など。

3　読み書き計算などの基本技能を身につけることで，より多様な職を得ることが可能になる。人権意識や社会制度などに関心が向くことで，格差の問題がより多くの人々に解決すべき課題として意識されるようになる。

18章1　地球環境の未来
2　バイオ・生命科学と私たちの生
3　ICTの発達と情報社会　(p.266～267)

①地球温暖化　②気候変動枠組　③京都議定書
④パリ協定　⑤再生可能エネルギー
⑥持続可能な開発目標　⑦再生医療
⑧遺伝子組み換え　⑨新興感染症
⑩再興感染症　⑪新型コロナウイルス感染症
⑫ソーシャル=ネットワーキング=サービス
⑬情報格差　⑭情報通信技術　⑮人工知能
⑯Society 5.0

Check

番号：2
発展途上国では人口爆発がおこっており，食糧不足により命の危険にさらされている人々が多いので，まず食糧問題の解決が優先されると考えるから。
番号：6
水は，人間の命を守る上で最も重要なものであり，トイレを整備することは，水を含め，衛生的で健康な生活を営む上で不可欠であるから。
番号：11
地球温暖化などの影響で，日本でも自然災害が多くおこるようになっている。また，地震も頻発している。このような状況から，自然災害に強い持続可能なまちづくりを計画的に進めていく必要があると考えるから。

18章4　知識基盤社会の形成
5　科学技術と平和　(p.268～269)

①知的財産　②知識基盤　③AI
④原子爆弾　⑤水素爆弾　⑥パグウォッシュ
⑦原子力　⑧国際原子力機関
⑨チョルノービリ(チェルノブイリ)
⑩排他的経済水域　⑪南極
⑫スプートニク1号　⑬アポロ11号
⑭戦略防衛構想　⑮全地球測位システム

Try

解答例
・「豊かさ」に対する考え方を見直して行動する。科学技術の進歩にともなって，「豊かさ」として，便利さや快適さを追求しすぎてきたのではないだろうか。自然と調和した生活のなかに「豊かさ」をみいだし，不便・不快を時間的・質的な「豊かさ」として受け入れて行動していくべきであると考える。
・当事者であるかどうかに関わらず，疑問に思うことがあれば積極的に発言・発信すること。歴史上のさまざまな問題が，当事者であるかどうかに関わらず勇気を持って立ち上がった人々によって動き出し，解決してきたことを「世界史」の授業で学んだ。私たちも，疑問に思うことがあれば，そのままにせず積極的に発言・発信していくことが大切であると考える。

18章ACTIVE⑬　世界史のなかの感染症　(p.270～271)

STEP 1

1　13世紀末～14世紀にかけて気候が寒冷化したことにより，ヨーロッパは凶作と飢饉にしばしばみまわれ，人々の栄養状態が悪化したこと。

2　①コンスタンティノープル　②ジェノヴァ
③イギリス

STEP 2

1　ヨーロッパの人口が減少したことにより，労働力の不足が深刻になった。

2　農村部では領主が労働力を確保するために農民の待遇改善をはかったことなどにより，農奴としての身分から解放される農民が増え，荘園制の解体が進展した。

❷

STEP 1

1917年にアメリカが第一次世界大戦に参戦し，アメリカ兵がヨーロッパにスペイン風邪をもたらしたこと，また大戦の末期から終結にかけて，戦場からの兵士の復員など，世界的に人々の移動がさかんになったことが，スペイン風邪が流行した原因と考えられる。

STEP 2

マスクが品薄になって値上がりしたことと，マスクの自作が奨励されていること，そして学校の閉鎖(休校)が実施されたことである。

❸

STEP 1

日本：緊急事態宣言を発出するなどして人の移動を抑え，水際対策を強化した。経済の停滞に対応するため，休業補償や給付金が国民に支給された。

諸外国：人の移動を最小限に抑えるため，私権の制限につながるロックダウンが各国で実施された。多くの国では国境が事実上封鎖された。

STEP 2

オンライン診療や薬のオンライン販売が加速する。非接触型支払い・決済による「オンライン・ペイメント」がさらに広がる。大都市への一極集中から，スマートシティ構想にもとづく地方都市への人口の分散が進行する。　など

Try

①　人やモノの移動，とりわけ国境を越えた移動。

②　社会不安を増幅させ，荘園制の解体や1920年代のヨーロッパにみられた政情不安などの社会変動がおこる原因となり，貧困などを原因とした格差の拡大をもたらす。